10 |21

Gouverner le Québec

ROBERT BOURASSA

Gouverner le Québec

FIDES

Photographies de la couverture:
Fred Chartrand/Canapress (avant)
Michel Ponomareff/Ponopresse (arrière)

Maquette intérieure,
typographie et montage:
DÜRER *et al.* (Montréal)

Données de catalogage avant publication

Bourassa, Robert, 1933-
Gouverner le Québec

ISBN 2-7621-1830-1

1. Bourassa, Robert, 1933- .
2. Québec (Province) – Politique et gouvernement – 1960-1976.
3. Québec (Province) – Politique et gouvernement – 1976-1985.
I. Titre.

FC2925.2.B6954 1995   971'.4'04'092   C95-941190-9
FC1053.2.B68 1995

Dépôt légal: 3ᵉ trimestre 1995
Bibliothèque nationale du Québec
© Éditions Fides, 1995.

Présentation

Ce livre rapporte les propos d'un homme qui a été sans contredit l'un des principaux acteurs de la vie politique contemporaine au Québec. Passionné par la chose publique depuis l'enfance, Robert Bourassa a vécu de très près les grands événements de ces trente dernières années, dont quinze à titre de Premier ministre. On voit donc sans mal tout l'intérêt et aussi tout le plaisir qu'on peut trouver à le lire.

Si on ne peut s'attendre à trouver ici réponse à toutes les questions qu'on pourrait se poser, on sera agréablement surpris du très large éventail de sujets que Robert Bourassa — avec l'aide de ses interlocuteurs — a réussi à couvrir en si peu de pages. À vrai dire, les principaux personnages y sont bien présents, de Jean Lesage à Jacques Parizeau en passant par René Lévesque, Pierre Elliot Trudeau, Claude Ryan, Brian Mulroney, Lucien Bouchard et beaucoup d'autres. Aucun des événements significatifs qui ont jalonné sa carrière n'est laissé de côté non plus: depuis la Crise d'octobre jusqu'à celle d'Oka, de l'emprisonnement des chefs syndicaux à l'affaire Wilhelmy, des législations linguistiques aux rondes de négociations constitutionnelles et aux mégaprojets de développement hydro-électriques.

Robert Bourassa a choisi un auditoire particulièrement averti et peu complaisant pour livrer sa version des faits. Observateurs et analystes professionnels de la vie politique, ses interlocuteurs ont parfois aussi été des critiques sévères sinon des adversaires déclarés. C'est néanmoins devant eux qu'il a pris la parole pour retracer le fil conducteur de son itinéraire et pour expliquer ce qu'a été sa manière à lui de gouverner le Québec.

L'idée a pris naissance en décembre 1994 lors d'une rencontre avec M. Robert Cléroux, doyen de la Faculté des études supérieures de l'Université de Montréal. Dans le cadre de ses activités à la chaire d'études Jean Monnet, l'ex-Premier ministre donnerait une série de quatre conférences selon une formule inédite qui serait mise au point par le département de science politique. C'est ainsi qu'à titre de chef de ce département, j'ai eu le privilège de coordonner et d'animer, en février et mars 1995, quatre rencontres réservées aux professeurs et aux étudiants de maîtrise et de doctorat, auxquels se sont joints des collègues de droit, d'histoire, de science économique, de criminologie et de relations industrielles, aussi intéressés par divers aspects de la politique québécoise contemporaine. Les rencontres ont eu lieu dans la grande salle du Conseil de l'Université.

Les règles du jeu ont été convenues en accord avec le principal intéressé. Chaque rencontre correspondrait en gros à l'une des quatre décennies au cours desquelles Robert Bourassa a été activement engagé dans la vie politique. Un recherchiste du service de recherche et de documentation du

Département de science politique serait mis à sa disposition pour lui permettre de repérer les principales données auxquelles il aurait à se referer. À chaque rencontre, Robert Bourassa prendrait la parole pendant environ une heure pour situer son action politique dans le contexte où elle s'est déroulée. À la suite de quoi, les participants auraient le loisir de s'entretenir avec lui. Il était entendu que, au-delà de la simple question-réponse, la procédure permettrait que l'on approfondisse les questions soulevées jusqu'à la satisfaction des intéressés.

Les quatre rencontres ont été enregistrées sur mode audio. Les transcriptions ont été révisées par le présent signataire, en collaboration avec Robert Bourassa. Tout en conservant le ton des rencontres, nous avons voulu dépouiller le texte de ses tournures trop orales, corriger quelques inexactitudes qui s'y étaient glissées dans la vivacité de l'échange, affiner çà et là le vocabulaire pour qu'il corresponde le plus exactement possible à la pensée de Robert Bourassa.

Afin de rafraîchir la mémoire des lecteurs plus âgés et d'alimenter celle des plus jeunes, nous avons ajouté, en bas de page, de brèves notes biographiques ou explicatives. En outre, à la fin de chacune des quatre rencontres, on trouvera une chronologie des principaux événements survenus au Québec, au Canada ou ailleurs dans le monde pendant la période concernée.

*

*   *

Par-delà les règles du jeu, il importe de bien situer l'esprit dans lequel ces rencontres ont eu lieu. Il n'était pas dans l'intention de Robert Bourassa, ni dans celle des étudiants et des professeurs participant à l'exercice, d'écrire l'histoire de ces dernières décennies. Il n'était pas non plus dans l'intention de Robert Bourassa de produire une autobiographie.

Ce que les rencontres ont entre autres permis de faire, c'est de révéler la pensée de Robert Bourassa grâce à la spontanéité inhérente à la prise de parole dans le cadre d'un échange avec des personnes vivement intéressées par ses propos. Cette forme d'écriture par la parole génère souvent une expression plus authentique de la pensée que ne peut le faire l'écriture plus travaillée qu'un auteur fignole sans le rapport direct avec autrui. Et c'est sans doute ce qui s'est passé ici.

Le rapport avec autrui prend ici une importance particulière. La vérité du discours d'un homme politique ne saurait apparaître que dans des circonstances où ce discours vise à convaincre autrui; c'est en cela même que réside l'essence du discours politique. Le contexte où a pris naissance ce livre est tout autre. L'auditoire n'était pas celui auquel est habituellement confronté l'homme politique; il était composé de personnes qui font profession de juger la politique avec discernement et détachement et qui ne demandaient pas à être convaincues.

Rien ne dit par conséquent qu'elles ont toutes été amenées à partager le point de vue de Robert Bourassa. Ce n'était pas là ce qu'elles attendaient de l'exercice. L'objectif premier de chaque participant était de connaître la pensée du conférencier, sa version des choses, et de mieux comprendre ainsi ce qui a pu se passer, historiquement parlant. C'est ce qui fait en grande partie l'intérêt de ce livre.

On apprendra beaucoup, dans ces pages, sur les raisons qui motivent la pratique de cette incontournable et fascinante activité sociale qu'est la politique, sur les calculs stratégiques et tactiques qui fondent les grandes décisions, sur l'exercice du pouvoir au Québec, notamment sur le rôle central du Premier ministre. Bref, à fréquenter celui qui a joué ce rôle pendant quinze ans, on comprendra mieux ce que c'est que de gouverner le Québec contemporain.

Édouard Cloutier,
directeur du Département
de science politique
de l'Université de Montréal

Première rencontre

LES ANNÉES 1960
ET LE DÉBUT
DES ANNÉES 1970

Premiers intérêts pour la politique ◆ *Le premier mandat
de député* ◆ *Les discussions constitutionnelles au sein
du Parti libéral* ◆ *Le chef du Parti libéral* ◆
Le Premier ministre ◆ *La Crise d'octobre*

*Mardi, le 7 février 1995 à 17 heures
dans la salle M-425 du pavillon principal
de l'Université de Montréal*

PERSONNES PRÉSENTES

*André J. Bélanger, Nicole Bernier, André Blais,
Gérard Boismenu, Guy Bourassa, Kathy Brock,
Robert Cléroux, Édouard Cloutier, Bernard Cantin,
Éric Couture, Stéphane Dion, René Durocher,
James I. Gow, André Guertin, Marilyn Hosein,
David Irwin, Jane Jenson, Marc Lachance,
Éric Lauzon, Louis Maheu, Pierre Martin,
Pascal Mailhot, Louis Massicotte, Sylvia Nadon,
Alain Noël, André Normandeau, Isabelle Petit,
Payanotis Soldatos, Daniel Turp*

Quand j'ai quitté mes fonctions de Premier ministre au début de l'an dernier, toute une gamme d'activités s'offraient à moi. Ce n'est pas facile de retrouver un autre rythme que celui qu'on a connu comme Premier ministre du Québec et j'ai été enchanté de pouvoir venir ici à mon alma mater, l'Université de Montréal, à la chaire Jean Monnet et également à la Faculté de droit, autant d'endroits favorables à l'étude et à la réflexion.

Il est légitime, lorsqu'on a assumé des responsabilités importantes à des périodes souvent difficiles, de chercher à établir un compte rendu de son action dont la pertinence n'a pas toujours été évidente aux yeux d'autrui. Ce sont là des choses qu'on ne fait pas dans l'immédiat, qu'on accomplit normalement quelques années après les événements sous forme de mémoires. Il m'a semblé cependant qu'on pouvait procéder par étape et qu'il était possible, dans une formule inédite, d'amorcer ensemble, dès à présent, une première réflexion. C'est l'objectif de nos rencontres.

Je vais essayer aujourd'hui de m'exprimer de la façon la plus concise possible sur les premiers événements que j'ai vécus comme homme politique dans les années 1960, de façon à consacrer la majeure partie de notre rencontre aux échanges.

Avant d'aborder les aspects purement politiques de ma carrière, j'aimerais évoquer très brièvement mes origines. Je suis ce qu'on peut appeler un fils de l'Est de Montréal; ma famille habitait rue Parthenais, près du boulevard Saint-

Joseph. Mes parents, mes grands-parents étaient montréalais. Mon père était fonctionnaire à la Commission du port de Montréal. Mon grand-père, d'abord capitaine de bateau, a poursuivi sa carrière comme maître du port de Montréal. Il a été un des officiers fondateurs du régiment de Maisonneuve. Mon ancêtre français est né en Vendée, plus précisément dans l'évêché de Luçon, dont le titulaire le plus illustre à l'époque de mon aïeul a été le cardinal de Richelieu.

J'ai été intéressé très jeune par la politique. Je me souviens très bien que, durant la guerre, j'étais un lecteur assidu des journaux. Même si j'avais à peine l'âge de raison, la politique internationale me passionnait, plus particulièrement la politique française. Mon intérêt pour la politique québécoise a débuté aux élections de 1944. J'ai toujours suivi par la suite l'activité électorale tant au niveau québécois qu'au niveau fédéral.

Je me rappelle très bien d'avoir pu assister — ce que je considère comme un privilège — à des assemblées électorales animées par André Laurendeau[1], Adélard Godbout[2], Camillien Houde[3] et évidemment Maurice Duplessis[4]. J'ai en mémoire,

---

1. André Laurendeau (1912-1968), député du Bloc populaire de 1944 à 1947. Directeur de la revue *L'Action nationale* de 1937 à 1943 et de 1948 à 1954. Éditorialiste du journal *Le Devoir* de 1947 à 1957 et rédacteur en chef de 1957 à 1968. Coprésident de la Commission royale d'enquête sur le bilinguisme et le biculturalisme de 1963 à 1968.

2. Joseph-Adélard Godbout (1892-1956), Premier ministre du Québec du 11 juin au 26 août 1936 et du 8 novembre 1939 au 30 août 1944. Chef de l'opposition de 1944 à 1948.

3. Camillien Houde (1889-1958), maire de Montréal de 1928 à 1932, de 1934 à 1936, de 1938 à 1940, de 1944 à 1954. Arrêté le 5 août 1940 en raison de son opposition à la conscription et libéré le 16 août 1944.

4. Maurice Duplessis (1890-1959), fonda l'Union nationale en 1935. Premier ministre du Québec du 26 août 1936 au 8 novembre 1939 et du 30 août 1944 au 7 septembre 1959.

entre autres, une assemblée électorale, je crois que c'était en 1948 au marché Saint-Jacques, où Maurice Duplessis était accompagné de Camillien Houde et de Maurice Richard[5]. Maurice Richard avait fait un discours aussi précis que concis. Il tenait en quatre mots: «Votez du bon bord!»

J'ai fait mes études à l'école Saint-Pierre Claver dans l'Est de Montréal, au collège Brébeuf puis à l'Université de Montréal. J'ai poursuivi mes études à l'Université d'Oxford, où je me suis inscrit au Parti travailliste, et, par la suite, à l'Université Harvard.

Très tôt, je me suis retrouvé sur les tréteaux électoraux. En 1952, même si je n'avais pas encore le droit de vote, je m'étais porté volontaire pour faire des discours à l'appui des libéraux provinciaux dans le comté de Berthier. En 1956, je me souviens encore précisément d'une assemblée contradictoire dans le comté de Paul Sauvé[6], futur Premier ministre. À cette assemblée, le candidat libéral souffrait d'un mal de gorge et il ne pouvait par conséquent parler trop longtemps. Je pense aussi qu'il appréhendait un peu le caractère très vigoureux de l'assemblée contradictoire, à laquelle plusieurs participants s'étaient préparés avec grand soin et détermination. Il y avait aussi un jeune candidat du Parti social-démocrate qui voulait prendre la parole. Monsieur Sauvé s'est entretenu avec moi, parce que je représentais le Parti libéral. On a convenu que la parole étant réservée aux deux grands partis, le candidat du Parti social-démocrate ne parlerait pas.

---

5. Maurice Richard, joueur étoile du club de hockey Les Canadiens de Montréal de 1942 à 1960.

6. Paul Sauvé (1907-1960) succède à Maurice Duplessis comme chef de l'Union nationale le 10 septembre 1959. Premier ministre du Québec du 11 septembre 1959 au 2 janvier 1960.

Ce jeune candidat était Pierre Elliott Trudeau[7]. D'ailleurs, le lendemain il avait publié un reportage dans le journal *Le Devoir* sur cet événement, sans évidemment s'identifier. J'ai su par la suite que c'était lui qui avait envoyé l'article au *Devoir*. Il était étonné des arguments que j'évoquais pour l'empêcher de parler. Je disais: «Qui dit contradictoire, dit deux personnes, deux partis, donc l'Union nationale et le Parti libéral!» Ç'a été mon premier affrontement avec monsieur Trudeau et, comme on sait, ça n'a pas été le dernier.

J'ai terminé mes études en 1960, puis je suis devenu conseiller fiscal auprès du ministère du Revenu à Ottawa. J'ai donné également des cours de finances publiques à l'Université d'Ottawa. Par la suite, j'ai été nommé secrétaire de la Commission Bélanger[8] sur la fiscalité qui a été établie par le Premier ministre et ministre des Finances, Jean Lesage[9]. J'ai eu l'occasion de rencontrer Jean Lesage à plusieurs reprises et de me préparer à ce qui est devenu de plus en plus précis dans mon esprit: une carrière politique au niveau québécois. J'ai aussi servi brièvement comme conseiller fiscal auprès de la Commission Carter sur la réforme de la fiscalité canadienne.

---

7. Pierre Elliott Trudeau, élu député du Parti libéral à la Chambre des communes en 1965 et réélu jusqu'en 1980. Élu chef du Parti libéral du Canada le 6 avril 1968. Premier ministre du Canada de 1968 à 1979 et de 1980 à 1984.

8. La Commission royale d'enquête sur la fiscalité présidée par Marcel Bélanger. Robert Bourassa était secrétaire et directeur des recherches de la commission de 1963 à 1965. La Commission Bélanger était instituée pour faire enquête sur les sources de revenus du gouvernement du Québec, des municipalités et des commissions scolaires.

9. Jean Lesage (1912-1980), député libéral à la Chambre des communes de 1945 à 1958. Ministre dans le cabinet Saint-Laurent de 1953 à 1957. Élu chef du Parti libéral du Québec le 31 mai 1958. Premier ministre du Québec du 5 juillet 1960 au 16 juin 1966. Chef de l'opposition de 1966 à 1970.

Le 5 juin 1966, j'ai été élu de justesse député libéral de Mercier avec 518 voix de majorité. Mercier est le comté où je suis né, dans l'Est de Montréal. Il est intéressant de noter qu'à ces élections, on a innové en tenant pour la première fois le scrutin un dimanche. Des conseillers de monsieur Lesage bien au fait de la situation existant en Europe, notamment en France, en Allemagne et en Italie où les élections avaient lieu le dimanche, suggérèrent qu'on adopte la même politique. Ce qui fut fait, avec comme résultat que la participation électorale a été sensiblement moins élevée que ce n'est habituellement le cas.

En 1962, les élections avaient eu lieu un mercredi de la mi-novembre. Monsieur Duplessis faisait toujours les élections le mercredi. Le taux de participation avait alors été de 78%. Quand j'ai été élu Premier ministre en 1970, près de 82% des électeurs inscrits ont voté. En juin 1966, par contre, la participation n'a été que de 72%, ce qui a fort probablement eu un impact sur le résultat. Rappelons que le Parti libéral a perdu les élections de 1966; il a fait élire 50 députés, un siège est allé à un libéral indépendant, Arthur Séguin, un autre à un indépendant tout court, Frank Hanley, lequel avait cependant l'habitude de toujours voter avec le pouvoir. Cinquante-six comtés ont été remportés par l'Union nationale.

Ce scrutin dominical montre bien comment une décision en apparence secondaire peut parfois avoir d'imprévisibles et très sérieuses conséquences. On constate qu'en 1966, quatre comtés avaient élu des députés de l'Union nationale avec quelque 100 voix ou moins de majorité: 5 voix dans Rouville, 30 voix dans Saint-Hyacinthe, 104 voix dans Arthabaska et 87 voix, dans un comté de l'est du Québec (Lotbinière). Si le vote avait été habituel, c'est-à-dire si on avait eu la participation traditionnelle, il y aurait probablement eu de 150 000 à 200 000 personnes de plus qui auraient voté, c'est-à-dire en moyenne 1500 par comté. On peut supposer que lorsqu'un gouvernement se présente après deux mandats, les premiers à se déplacer pour voter sont les insatisfaits. On peut donc facilement conclure sans craindre de se tromper qu'avec 150 000 voix de plus dans la province, au moins quatre comtés auraient eu de très fortes chances d'élire des députés libéraux plutôt qu'unionistes, ce qui aurait produit une majorité libérale de 54 députés, contre 52 unionistes. La majorité libérale se serait même consolidée à 56 avec l'addition prévisible du libéral indépendant et de Frank Hanley qui appuyait toujours le parti au pouvoir.

Donc, si les élections de 1966 avaient eu lieu un jour de semaine plutôt qu'un dimanche, on peut facilement affirmer que monsieur Lesage serait demeuré Premier ministre. Si cela avait été le cas, il est possible que monsieur Trudeau n'aurait pas été élu Premier ministre du Canada. On sait en effet que l'un des facteurs les plus importants de l'élection de monsieur Trudeau à la tête du Parti libéral fédéral, survenue au quatrième tour de scrutin le 6 avril 1968 par quelques dizaines de voix, a été sa performance contre Daniel Johnson dans un débat télévisé sur la constitution, débat où monsieur Trudeau, dont on connaît les talents de «debater», avait, selon tous les observateurs, nettement eu le dessus. On se souvient que le slogan électoral de Daniel Johnson en 1966 était: égalité ou indépendance. Aurait-il fait aussi bonne figure contre Jean Lesage? On peut en douter.

Et qu'aurait fait René Lévesque[10] si le Parti libéral avait

---

10. René Lévesque (1922-1987), élu député libéral en 1960. Ministre du cabinet Lesage de 1960 à 1966. Quitta le Parti libéral le 14 octobre 1967 pour fonder le Mouvement souveraineté-association (MSA) le 19 novembre 1967. Devint président du Parti québécois le 14 octobre 1968. Élu député du Parti québécois dans Taillon en 1976 et en 1981. Premier ministre du Québec du 25 novembre 1976 au 3 octobre 1985.

gardé le pouvoir? Serait-il resté membre du gouvernement? Aurait-il démissionné pour fonder son propre parti? Et quel aurait été mon avenir? Aurais-je alors pu remplacer monsieur Lesage nouvellement réélu? Monsieur Gérin-Lajoie[11] et plusieurs autres candidats probables à une éventuelle succession à monsieur Lesage auraient joui d'une visibilité beaucoup plus grande au pouvoir que dans l'opposition. On le voit, une décision à première vue anodine peut avoir des conséquences politiques importantes.

Je deviens donc, dans un parti qui a été défait, critique financier de l'opposition avec monsieur Kierans[12]. Je reçois un appui constant de monsieur Lesage. Je multiplie les conférences dans toute la province, notamment sur les questions économiques. À ce moment-là, aussi étonnant que cela puisse paraître aujourd'hui, un politicien qui parle systématiquement d'économie, c'était très rare. Il y avait donc là un créneau disponible que j'ai choisi d'occuper avec les résultats que vous connaissez.

Comme dans tout parti qui vient de subir une défaite, il y avait des tensions internes, notamment sur la question du financement électoral. La question nationale suscitait aussi la controverse. On se souviendra de la visite du Général de Gaulle[13] et de son «Vive le Québec libre», en juillet 1967.

---

11. Paul Gérin-Lajoie, député libéral de 1960 à 1970. Ministre de la Jeunesse (1960-1964) et ministre de l'Éducation (1964-1966). Président du comité des affaires constitutionnelles du Parti libéral du Québec (1966 à 1969).

12. Eric Kierans, député libéral de 1963 à 1968. Ministre du Revenu (1963-1965) et ministre de la Santé (1965-1966). Élu député libéral à la Chambre des communes en 1968. Ministre des Postes (1968-1971) et ministre des Communications (1969-1971).

13. Le Général de Gaulle (1890-1970) fonda le Rassemblement du peuple français (RPF) en avril 1947. Il fut président de la République de 1958 à 1969.

J'étais avec monsieur Lévesque quand le général a fait son discours. Nous étions dans une salle attenante où le général devait venir nous saluer après son discours sur le balcon. Je me souviens très bien de la réaction de monsieur Lévesque quand le général a dit «Vive le Québec libre». Il a paru plutôt satisfait, mais il m'a semblé perplexe quand il a entendu: «Je me sens comme à la libération de Paris.» René Lévesque avait participé à la libération de la France en tant que correspondant de guerre.

Par la suite il y a eu de nombreuses discussions entre René Lévesque et moi-même. Je me suis efforcé de le convaincre de rester dans le parti. Je considérais qu'il était une police d'assurance contre l'embourgeoisement du parti. J'avais une admiration sincère pour lui, pour son talent, pour sa culture, aussi pour sa connaissance des questions internationales, dont je vous disais tantôt qu'elles m'ont toujours intéressé, et pour ses idées progressistes.

Par ailleurs, j'avais beaucoup d'attachement pour monsieur Lesage dont l'appui à mon endroit avait été constant, pour sa vive intelligence et son bilan exceptionnel comme père de la Révolution tranquille. On avait nettement l'impression qu'avec des personnalités comme Lévesque, Lesage, Kierans, Wagner, Gérin-Lajoie et Laporte[14], l'équipe libérale de l'opposition était nettement supérieure à l'équipe gouvernementale.

---

14. Pierre Laporte (1921-1970), député libéral de 1961 à 1970. Ministre des Affaires municipales (1962 à 1966) et ministre des Affaires culturelles (1964 à 1966). Leader de l'opposition de 1966 à 1970. Candidat défait au congrès de direction du PLQ en janvier 1970. Nommé leader parlementaire du gouvernement en 1970. Ministre de l'Immigration et ministre du Travail et de la Main-d'œuvre du 12 mai 1970 jusqu'à sa mort. Enlevé par le Front de libération du Québec (FLQ) le 10 octobre 1970. Son cadavre fut retrouvé à Saint-Hubert le 17 octobre 1970.

J'ai alors discuté souvent avec monsieur Lévesque de son livre *Option Québec* et de sa prise de position pour la souveraineté-association. Pour ma part, j'ai toujours cherché plutôt, durant ma carrière, à établir le Québec comme un État francophone dans la fédération canadienne et en Amérique du Nord. J'étais très réticent, pour différentes raisons, notamment sur le plan économique, à endosser la politique de monsieur Lévesque.

Un aspect sur lequel René Lévesque et moi-même étions en profond désaccord, c'était la question monétaire. En septembre 1967, j'ai fait un discours à l'hôtel Ritz Carlton devant les membres du club Saint-Laurent Kiwanis où je traitais abondamment de toutes les implications d'une monnaie québécoise. Je signalais notamment que cela pouvait placer le Québec en état de dépendance à l'égard des États-Unis; à toutes fins utiles, le Québec pouvait devenir un protectorat américain. Monsieur Lévesque s'est rallié un peu à mon point de vue et a accepté l'idée que la monnaie canadienne soit utilisée par un Québec indépendant.

Il faut dire qu'à ce moment-là, je commençais à m'intéresser assez sérieusement au développement du marché commun européen. Je trouvais intéressant de comparer l'évolution du fédéralisme au Canada et la façon dont se développaient parallèlement l'intégration politique et l'intégration économique en Europe.

Il n'était pas question à ce moment-là de finances publiques aussi difficiles que celles que l'on connaît aujourd'hui. Quand on éliminait les prêts aux sociétés d'État, la dette fédérale était, au moment où j'en discutais avec monsieur Lévesque, de 16 milliards. Lui-même trouvait que c'était important d'en tenir compte. Cette dette s'élève aujourd'hui à 550 milliards. Vous voyez l'évolution. Si, dans un Québec indépendant, nous adoptions la monnaie canadienne, nous

nous retrouverions dans une situation où la gestion de l'union monétaire pourrait donner lieu à des affrontements politiques, sinon à la rupture, puisque, inévitablement, certains voudraient soutenir le dollar et d'autres l'affaiblir. Inévitablement, la question de la viabilité d'une telle situation se poserait. Pourrait-on conserver la monnaie canadienne dans un tel système? N'y aurait-il pas beaucoup d'investisseurs et d'épargnants au Québec qui se diraient que, finalement, cela ne pourrait pas durer?

À cet égard, il paraît pertinent d'examiner à posteriori le problème qui s'est posé récemment en Europe durant le débat sur l'adoption du Traité de Maastricht. Saisi par le Président de la République, François Mitterrand, sur la base de l'article 54 de la Constitution française de 1958, le Conseil constitutionnel a en effet indiqué, dans sa décision du 9 avril 1992[15], que certaines dispositions du Traité de Maastricht[16] relatives à la troisième phase de l'Union économique et

---

15. Cette décision est rapportée, par exemple, dans *La Constitution et l'Europe*, Journée d'étude du 25 mars 1992 au Sénat, Paris, Montchrestien, 1992, p. 316 et suivantes.

16. Le Traité de Maastricht, signé le 7 février 1992 par les représentants des Chefs d'État et de gouvernement des douze États membres des Communautés européennes, franchit une étape importante dans le processus intégratif européen. En effet, ce traité prévoit non seulement l'instauration d'une union économique et monétaire mais jette également les bases d'une union politique (Citoyenneté européenne; coopération dans les domaines de la justice et des affaires intérieures; mises en place d'une politique étrangère et de sécurité commune pouvant conduire à terme «à la définition d'une politique de défense commune, et même, le moment venu à une défense commune») entre les pays membres. Ce traité a suscité de vives réactions dans les différents États concernés lors du processus de ratification; nombreuses sont les personnes qui s'y sont opposées au nom de la sauvegarde de la souveraineté nationale. Il est à noter que le Royaume-Uni et le Danemark ont tenu à se mettre en marge d'un certain nombre de dispositions, dont celles sur l'union monétaire.

monétaire, c'est-à-dire celles qui prévoient l'instauration d'une monnaie unique européenne et la création d'une Banque centrale européenne portent atteinte «aux conditions essentielles d'exercice de la souveraineté nationale». Plus précisément, le conseil a considéré qu'il y a une telle atteinte lorsque le traité impose «la fixation des taux de change conduisant à l'institution d'une monnaie unique, l'écu, ainsi que la définition et la conduite d'une politique monétaire et d'une politique de change uniques». Bien que le jugement du Conseil constitutionnel français ait eu lieu en 1992, la question du rapport entre l'union monétaire et la souveraineté politique pouvait évidemment se poser dès 1968 puisque le concept de souveraineté-association traite aussi des liens entre l'intégration économique et l'intégration politique.

Autre aspect du même sujet: quand le déficit est élevé, il faut attirer davantage de capitaux en haussant les taux d'intérêt. Par contre des taux d'intérêts plus élevés contribuent à augmenter le déficit, ce qui, en retour, commande une hausse des taux d'intérêt. Un véritable cercle vicieux.

On le voit, la question monétaire a un impact non seulement sur les taux d'intérêt ou le taux d'inflation mais elle a également un impact sur le déficit même. Il s'agit donc vraiment du point d'appui de l'économie. D'ailleurs, on peut de nouveau se référer au débat sur Maastricht: en France de nombreux adversaires du Traité sur l'Union européenne ont affirmé qu'en concédant ses pouvoirs sur les questions monétaires, cet État affaiblissait considérablement sa souveraineté nationale et menaçait, ainsi, de devenir une simple région, dans la mesure où la politique monétaire conditionne les politiques budgétaires et fiscales. On constatera d'ailleurs que dans la perspective de la création de la monnaie unique, le Traité de Maastricht met en place une politique de convergence économique dans le cadre de laquelle les États doivent (ceci est une obligation de résultat et non de moyen) faire en sorte entre autres que leur déficit budgétaire soit inférieur ou égal à 3% du PIB; leur dette publique soit inférieure ou égale à 60% du PIB; leur taux d'inflation n'excède pas plus de 1,50 le taux d'inflation moyen des trois pays ayant réalisé les meilleures performances, pendant l'année qui précédera l'examen par la Commission et l'Institut monétaire européen.

Conformément à la théorie dite du néo-fonctionnalisme, l'instauration d'une monnaie unique constitue l'ultime étape du processus intégratif économique[17] avant l'établissement d'une union politique, celle-ci pouvant très bien être de type fédéral. Autrement dit, conformément à cette théorie, si on accepte une monnaie unique on s'inscrit éventuellement, à toutes fins utiles, dans une logique néo-fédéraliste.

Pour résumer l'argument le plus simplement possible, il me paraissait irréaliste de proposer une monnaie québécoise à cause de l'impact que cela aurait sur les importations et le taux d'inflation, sur l'endettement, sur la fuite des capitaux et sur l'intervention des financiers américains. Par ailleurs, l'adoption de la monnaie canadienne par un Québec souverain me semblait difficilement viable car cette monnaie aurait peine à inspirer confiance en l'absence d'un lien fédératif quelconque[18].

---

17. Auparavant, il y a eu création d'une zone de libre-échange puis successivement instauration d'une union douanière, d'un marché commun et d'une union économique, le passage d'une phase intégrative à l'autre étant le résultat d'un *spill over* ou débordement.

18. Ces questions ont été développées lors d'une de mes interventions au Ritz Carlton, devant les membres du club Saint-Laurent Kiwanis, le 27 septembre 1967, et dans un texte publié en 1980, intitulé «L'Union monétaire et l'Union politiques sont indissociables». (Textes référendaires publiés par le Parti libéral du Québec.)

Cette question du contrôle de la monnaie soulève donc, indépendamment des questions économiques pratiques dont je viens de parler, toute la question du contrôle démocratique. Comme l'existence d'une monnaie implique l'élaboration d'une politique monétaire, la question est de savoir à qui sera confiée l'élaboration de cette politique monétaire. Plusieurs scénarios sont envisageables. En principe toutefois, dans nos démocraties libérales, celle-ci doit être encadrée par les Parlements nationaux, composés de députés élus par le peuple. On constate, en faisant référence à la construction européenne, que l'élaboration de la politique monétaire n'est pas directement confiée au Parlement européen qui est élu au suffrage universel direct depuis 1979, mais à des institutions parallèles et, dans une certaine mesure, aux institutions communautaires, les unes comme les autres ne disposant que d'une faible légitimité démocratique ou d'une légitimité indirecte (Conseil des ministres). Or un tel état de fait peut conduire à des situations assez inusitées au niveau de l'exercice de la souveraineté. On sait qu'en raison de la politique de convergence économique, entre le monétaire et le budgétaire, les États doivent notamment contrôler leur déficit. En effet, si la Commission de Bruxelles estime qu'il y a un déficit excessif dans un État membre, celle-ci peut adresser un avis au Conseil des ministres qui pourra alors, s'il juge — à la majorité qualifiée — qu'il y a effectivement déficit excessif et en cas de non-réalignement répété de l'État fautif, lui «imposer des amendes d'un montant approprié» (article 104C, alinéa 5). Autrement dit, un pays membre de l'U.E. peut se faire imposer une amende par d'autres pays membres de façon unilatérale. Donc, dans Maastricht, la notion de souveraineté peut devenir très relative à cause des liens étroits entre le budget et la monnaie. Et on revient au lien fédératif!

J'ai voulu m'attarder sur cette question qui est un peu

technique mais qui est au centre de l'évolution du concept de souveraineté depuis trente ans. Dans mes discussions avec monsieur Lévesque en 1968, celui-ci trouvait que j'en exagérais l'importance. Je me suis permis d'évoquer des faits postérieurs aux événements de 1968, notamment le débat européen, pour démontrer, non pas que j'avais nécessairement raison, mais que mon point de vue qui veut rendre l'intégration politique proportionnelle à l'intégration économique (principe de la proportionnalité) sous peine d'une pseudo-souveraineté demeure d'une grande actualité même après trente ans et est basée sur les fondements essentiels d'une démocratie authentique.

Ce qui nous ramène au désaccord avec monsieur Lévesque sur une question économique fondamentale. En 1968, celui-ci donc quitte le Parti libéral pour fonder le Parti québécois. Les débats constitutionnels se poursuivent au sein du Parti libéral, notamment avec le rapport de Paul Gérin-Lajoie qui reformule les demandes traditionnelles du Québec, dont certaines sont encore d'actualité. L'immigration, c'est maintenant acquis, même si ce n'est pas encore inscrit dans la constitution. La culture, on aurait pu en avoir la maîtrise d'œuvre avec Charlottetown[19]. Même chose pour la main-d'œuvre: l'accord nous accordait des pouvoirs additionnels. Nous aurons l'occasion d'y revenir. Finalement, Paul Gérin-Lajoie démissionne le 20 juin 1969 pour retourner au secteur privé. Monsieur Lesage démissionne à la fin du mois d'août

---

19. L'Accord de Charlottetown fut signé le 28 août 1992 par les dix Premiers ministres des provinces et le Premier ministre du Canada. Le 26 octobre 1992, l'Accord était soumis à un référendum pancanadien. La participation populaire à ce référendum a été de 74,7%. Au Québec, la participation a été de 82,7%. L'Accord a été rejeté par 55,07% des votes exprimés dans l'ensemble du Canada. Au Québec, le «non» a recueilli 56,06%.

et je me présente comme candidat à la direction du parti, mes adversaires étant messieurs Laporte et Wagner[20].

Claude Wagner est populaire auprès de la population; Pierre Laporte a un appui solide au sein du caucus. Dans mon cas, j'ai un soutien très important au sein du parti et, évidemment, l'accent que je mets sur l'économie suscite un appui très important dans le milieu des affaires. Je me trouve à incarner, à cause de ma venue récente en politique, le renouveau, le changement, mais aussi la sécurité, compte tenu de ma priorité pour les questions économiques.

La campagne est relativement calme. J'obtiens l'appui des principaux organisateurs de monsieur Lesage: Alcide Courcy[21] et Paul Desrochers[22]. Je mets l'accent sur l'économie, sur les finances publiques et sur le fédéralisme rentable. J'ai parlé de «fédéralisme rentable» pour la première fois en janvier 1970. En fait, il est arrivé qu'un journaliste, faisant le résumé de mon point de vue sur le fédéralisme, mettant en relief tous les arguments que j'apportais en sa faveur, notamment les bénéfices financiers de l'union économique canadienne, a fini par conclure: «Monsieur Bourassa se trouve à proposer un fédéralisme rentable.» Ce journaliste était — vous voyez qu'il y a une certaine continuité — Bernard Derome.

J'ai été élu chef du Parti libéral du Québec avec 54% des voix, ce qui signifiait une victoire remarquable puisque j'ai

---

20. Claude Wagner (1925-1979), député libéral de 1964 à 1970. Ministre de la Justice dans le cabinet Lesage. Candidat défait au congrès de direction du PLQ en janvier 1970. Élu député progressiste-conservateur à la Chambre des communes en 1972 et 1974.

21. Alcide Courcy, élu député libéral en 1956. Réélu en 1960, 1962 et 1966. Organisateur en chef du Parti libéral du Québec de 1958 à 1960. Ministre de l'Agriculture de 1960 à 1966.

22. Paul Desrochers, conseiller spécial du Premier ministre Robert Bourassa de 1970 à 1974.

été élu au premier tour. Monsieur Wagner a quitté le parti quelques semaines plus tard. J'ai agi en tant que chef de l'opposition quelques jours à l'Assemblée nationale. Aux élections du 29 avril, j'ai été élu Premier ministre avec 72 députés et 45% des voix. Le thème dominant de la campagne, certains d'entre vous s'en souviennent peut-être, c'était «100 000 emplois en 1971». Je cherchais un thème concret et précis. Durant l'année de l'Exposition universelle en 1967, on avait créé 85 000 emplois. Je pouvais donc viser un objectif comme celui-là d'une façon crédible.

L'Union nationale avait fait l'erreur de ne pas présenter de budget avant de déclencher les élections. Ça me permettait d'attaquer le gouvernement en disant aux Québécois: «Ce gouvernement ne fait pas de budget avant de se présenter aux élections. C'est sans précédent. Qu'est-ce qui va arriver par la suite?» On pouvait tenir des propos comme ceux-là, surtout au mois d'avril, le mois où les contribuables rédigent leurs déclarations d'impôt. Ce n'est pas le mois où ils sont le plus sympathiques au gouvernement. J'avais aussi une nouvelle équipe avec Claude Castonguay[23], Guy Saint-Pierre[24], Raymond Garneau et d'autres, moins connus à ce moment-là mais qui sont encore actifs aujourd'hui sans compter tous les députés d'expérience et anciens ministres.

Je suis assermenté le 12 mai et, le 18 juin 1970, je propose mon premier budget comme Premier ministre et comme ministre des Finances. C'est un budget qui, à toutes fins utiles, est presque en équilibre. Le gouvernement fédéral avait

---

23. Claude Castonguay, élu député libéral dans Louis-Hébert en 1970. Ministre de la Santé et ministre de la Famille et du Bien-être social (1970), des Affaires sociales (1970-1973).

24. Guy Saint-Pierre, élu député libéral en 1970. Réélu en 1973. Ministre de l'Éducation (1970 à 1972), du Tourisme, de la Chasse et de la Pêche (1972), de l'Industrie et du Commerce (1972-1976).

annoncé certaines subventions, ce qui avait été utile. Durant la campagne électorale, j'avais fait quelques envolées sur la précarité de la situation, et j'étais heureux de pouvoir présenter un budget en équilibre à 135 millions. Je me permets de souligner que le seul budget que j'aie présenté, comme ministre des Finances, était presque en équilibre. La conjoncture a bien évolué et la tâche du ministre des Finances est devenue plus ardue.

À l'automne 1970, éclate la Crise d'octobre, l'une des crises les plus sérieuses du xxᵉ siècle au Québec. La crise commence avec l'enlèvement, le 5 octobre, du diplomate James Richard Cross par les membres du FLQ. Je pense que je n'ai pas à détailler ici ce qui est arrivé. Les membres du FLQ présentent six conditions: absence de fouilles policières, diffusion de leur manifeste dans les journaux et à la télévision, libération de vingt-trois prisonniers présumément politiques, disposition d'un avion pour Cuba ou pour l'Algérie, disposition de lingots d'or, retour au travail des «Gars de Lapalme». (Ces travailleurs avaient été congédiés par le ministre fédéral des Postes, Eric Kierans, à la suite d'une réorganisation de son ministère.)

Une collaboration est immédiatement établie avec le gouvernement fédéral. Comme il s'agit d'un diplomate étranger, Mitchell Sharp[25], ministre des Affaires extérieures, s'en occupe d'une façon prioritaire avec Jérôme Choquette[26],

---

25. Mitchell Sharp, élu député libéral à la Chambre des communes en 1963. Réélu en 1965, 1968, 1972 et 1974. Ministre du Commerce de 1963 à 1966. Ministre des Finances de 1965 à 1968. Secrétaire d'État des Affaires extérieures de 1968 à 1976.

26. Député libéral de 1966 à 1975. Ministre des Institutions financières, Compagnies et Coopératives (1970), ministre de la Justice (1970-1975) et ministre de l'Éducation du 31 juillet au 26 septembre 1975, date de sa démission du Parti libéral. Maire d'Outremont de 1983 à 1991.

ministre québécois de la Justice. Nous rejetons évidemment les conditions et nous proposons, de concert avec le gouvernement fédéral, la négociation. Divers délais sont proposés puis prolongés par le Front de libération du Québec, jusqu'à l'ultime délai du samedi à 18 h, alors que Pierre Laporte est enlevé à sa résidence.

Auparavant, j'avais maintenu mes rencontres à New York avec les milieux financiers, entre autres, pour montrer que le climat de stabilité politique n'était pas perturbé au point d'empêcher les déplacements du chef du gouvernement. L'enlèvement de monsieur Laporte donnait à la crise une autre dimension, puisqu'il s'agissait d'un membre du gouvernement. Le 11 octobre, nous recevons le communiqué de la cellule Chénier (M. Cross était détenu par la cellule Libération), avec les conditions déjà connues et un ultimatum qui se terminait à 10 h, le soir même.

À 3 h de l'après-midi, le dimanche, lendemain de l'enlèvement de Pierre Laporte, je convoque le Conseil des ministres d'urgence. Il y a une tension énorme au sein de la population. Le gouvernement est conscient du caractère dramatique de la situation. Des discussions ont lieu avec les autorités fédérales et les forces policières.

Les membres du Conseil des ministres s'installent à l'hôtel Reine-Elizabeth, puisqu'il faut tenir des réunions d'urgence plusieurs fois par jour. Par exemple, on reçoit de la part des forces policières des informations selon lesquelles on tient une bonne piste. La question se pose: doit-on ou non poursuivre les fouilles policières, au risque de provoquer l'exécution de Pierre Laporte? Les ministres doivent demeurer en disponibilité constante.

Le Conseil des ministres se termine à 7 h 30. En soirée, il y a la préparation du discours que je dois adresser à la population avant 10 h le même soir, faute de quoi Pierre

Laporte risque l'exécution. Ce discours est peut-être l'un des plus importants de ma carrière et l'un des plus difficiles. Comment concilier l'ordre public et la vie de deux personnes? D'une part, l'acceptation intégrale des conditions remettrait en cause les fondements de notre système politique (la séparation des pouvoirs) et constituerait évidemment une entorse au fonctionnement démocratique. D'autre part, le rejet catégorique comportait un risque réel que le FLQ mette ses menaces à exécution. On avait connu la violence politique durant plusieurs années. Ça avait commencé avec des bombes. Il y avait aussi eu des victimes. Une bombe avait notamment dévasté la Bourse de Montréal. On se trouvait donc en présence d'un climat d'escalade, dont les enlèvements de Cross et de Laporte constituaient un aboutissement possible.

Il importe ici de rappeler la lettre que Pierre Laporte m'avait fait parvenir le dimanche et dont je vous cite un extrait: «Mon cher Robert. J'ai la conviction d'écrire la lettre la plus importante de toute ma vie. J'insiste pour que la police cesse toutes ses recherches pour me retrouver [je donne les grandes lignes de ses propos] [...] Tu as le pouvoir en somme de décider de ma vie. Nous sommes en présence d'une escalade organisée qui ne se terminera qu'avec la libération des prisonniers politiques. Après moi, ce sera un troisième, puis un quatrième et un vingtième. Autant agir tout de suite et éviter ainsi un bain de sang et une panique bien inutiles. Tu connais mon cas personnel: j'avais deux frères. Ils sont morts. Je reste comme chef d'une grande famille... Décide de ma vie ou de ma mort. Je compte sur toi et t'en remercie.»

Cela aide à situer le contexte de la journée du 11 octobre. Je sais fort bien qu'en acceptant les conditions, je remets en cause le fonctionnement de notre régime démocratique et que d'autre part, si je refuse sans la moindre ouverture, je risque la vie des otages. J'écris donc un discours dans lequel j'essaie, sur un ton très sobre, de faire preuve en même temps de fermeté et d'un certain pragmatisme. L'argument utilisé pour concilier des objectifs très divergents se résume dans ce que l'on peut appeler la question préalable. Au terme de mon discours, je demande aux terroristes de donner la garantie que, si nous négocions et si nous acceptons de libérer des prisonniers «politiques», les deux otages auront la vie sauve.

Par ailleurs, je dis dans ce discours qu'il est inacceptable que de tels actes puissent être commis, alors qu'il y a une liberté d'expression absolue au Québec, que nous sommes l'une des démocraties les plus ouvertes. Il fallait donc éviter d'établir le précédent de libérer des prisonniers «politiques», mais aussi éviter de tenir des propos provocateurs.

La réaction des médias, qui était vitale à ce moment-là, est révélatrice. Radio-Canada français dit: «Bourassa dit non»; Radio-Canada anglais dit: «Bourassa dit oui». Cela permettait une certaine marge de manœuvre et, dans les jours qui ont suivi, il y eu une très petite accalmie. On n'a pas eu de nouveaux développements ni de nouveaux actes de violence.

Le lendemain, j'ai demandé à Robert Demers de poursuivre les négociations. Il a discuté avec Robert Lemieux, qui avait été mandaté par le FLQ. Les discussions ont été infructueuses. Les recherches policières ne donnaient toujours pas de résultats concrets. Le Conseil des ministres se réunissait tous les jours.

Au même moment, il a fallu convoquer l'Assemblée nationale pour forcer les médecins à mettre fin à leur grève. Je devais aussi tenir compte de l'épuisement des forces policières, qui devaient surveiller les résidences et assurer la protection de centaines d'individus. Le 15 octobre, l'Assemblée nationale a adopté une loi spéciale pour forcer le retour au travail des médecins. Ce même jour, j'ai fait appel à l'armée et j'ai réuni mon Conseil des ministres à 6 h pour discuter de la Loi des mesures de guerre.

Entre-temps, le mercredi soir, il y avait eu une déclaration de personnalités publiques. Lucien Saulnier[27] m'avait alerté personnellement sur le sérieux de cette situation. La déclaration réunissait la signature des chefs syndicaux appuyés par le président des Caisses populaires, monsieur Rouleau, et aussi par René Lévesque et Claude Ryan[28]. Ces personnalités demandaient la libération des prisonniers «politiques». Il y eut même à ce moment-là des rumeurs de gouvernement parallèle. Je comprenais la dimension humanitaire du geste qui était posé, mais je ne pouvais pas, comme chef de gouvernement, endosser une telle démarche. Comme je vous le disais tantôt, on était dans une situation de démocratie modèle si l'on peut dire; il n'y avait aucune espèce d'oppression. Ces gens-là pouvaient, à toutes fins utiles, semer la haine et le mensonge presque impunément. Ceux qui étaient emprisonnés ou qui avaient été condamnés étaient des gens qui avaient commis des attentats, perpétré des vols à main armée, placé des bombes.

---

27. Lucien Saulnier (1916-1989), élu aux élections municipales de Montréal en 1954, 1957, 1960, 1962 et 1966. Président du comité exécutif de la Ville de Montréal de 1960 à 1970. Premier président de la Communauté urbaine de Montréal en 1971. De 1972 à 1975, il fut p.d.-g. de la Société de développement industriel du Québec, puis président de la Société d'habitation du Québec, avant d'être nommé en 1978 président du conseil d'administration d'Hydro-Québec et de la Société d'énergie de la Baie James. La présidence de la Régie des installations olympiques, de 1980 à 1982, fut son dernier grand poste de commande.

28. Directeur du *Devoir* de 1964 à 1978. Chef du Parti libéral du Québec du 15 avril 1978 au 10 août 1982. Chef de l'opposition officielle de 1979 à 1982. Ministre de l'Éducation et ministre de l'Enseignement supérieur et de la Science de 1985 à 1990. Ministre responsable de l'application de la Charte de la langue française (3 mars 1989). Ministre des Affaires municipales et ministre de la Sécurité publique de 1990 à 1993. Ministre des Affaires municipales (1994).

À 6 h le 15 octobre, en Conseil des ministres, j'ai établi le point de vue définitif du gouvernement. Les fouilles policières n'avaient toujours rien donné. À plusieurs reprises, on nous disait: on pense qu'il y a quelque chose. Je me souviens, à un moment donné, on avait dit: on a une piste; on a vu des suspects avec des carabines derrière le Stella, rue Saint-Denis, à Montréal. C'était le lundi soir. Nous étions tous réunis en Conseil des ministres. Finalement, nous avons eu les informations. On était au temps de la chasse et les présumés terroristes n'étaient que des chasseurs qui regagnaient la ville. Fausse alerte!

D'un autre côté, les conversations entre Robert Lemieux et Robert Demers n'aboutissaient pas. Il y avait un risque d'escalade que j'avais la responsabilité, comme chef du gouvernement, de faire cesser. Après l'enlèvement de Cross, après l'enlèvement de Pierre Laporte, après sept ans de violence politique, s'il avait fallu que survienne un autre enlèvement, la population m'aurait blâmé, à juste titre, de ne pas avoir pris toutes les mesures possibles.

Les quelques derniers jours nous avaient permis de bien saisir les éléments de la situation réelle et nous en avions conclu que nous ne pouvions plus attendre. J'étais en communication constante avec monsieur Trudeau et je n'ai aucune indication qu'il avait, sur cette question-là, de grandes hésitations. J'avais l'impression qu'il était aussi inquiet que je pouvais l'être, peut-être surtout à l'égard des «élites québécoises» qui recommandaient de libérer des «prisonniers politiques». Il voyait là un précédent très grave. Pour toutes les raisons que j'ai mentionnées, j'étais d'accord avec lui sur cette question.

J'ai donc à ce moment-là énoncé la réponse définitive du gouvernement aux demandes du FLQ. Les ravisseurs obtiendraient un sauf-conduit pour Cuba ou pour l'Algérie, sans lingots d'or évidemment, et le gouvernement s'engageait à appuyer la demande déjà présentée de libération conditionnelle de cinq des prisonniers politiques. Nous respections donc le processus normal de fonctionnement au ministère de la Justice. Un délai de six heures aux terroristes était fixé pour accepter ces conditions. Ce délai étant passé sans que le FLQ ne se soit manifesté, l'application de la Loi des mesures de guerre devenait réalité. J'avais fait parvenir une lettre au gouvernement fédéral où je disais que tous les moyens disponibles avaient été utilisés. Le lendemain, monsieur Trudeau faisait un discours à la population. Le surlendemain, Pierre Laporte était exécuté vers 6 h du soir. Pour moi, et pour tous ceux qui le connaissaient, ce fut un moment de grande émotion en pensant surtout à ses proches, sa femme et ses enfants.

Par la suite, on a fait plusieurs enquêtes sur l'application de la Loi des mesures de guerre et sur les centaines d'arrestations qui ont été effectuées à cette occasion. Le gouvernement du Québec a demandé au Protecteur du citoyen, monsieur Louis Marceau[29], d'examiner la question, ce qu'il avait de toute façon le pouvoir de faire de son propre chef. Monsieur Marceau en est arrivé à la conclusion que 103 personnes avaient été arrêtées injustement et avaient le droit de poursuivre le gouvernement. Cela s'est produit dans quelques cas, et des compensations, peu nombreuses, ont été versées.

Quelques semaines plus tard, James Cross était libéré. La Loi des mesures de guerre nous avait été utile et avait permis par la suite, entre Noël et le jour de l'An, que les forces policières encerclent ceux qui avaient enlevé Pierre Laporte. Cette opération mit fin à la Crise d'octobre.

Je voudrais préciser, avant que nous entamions notre échange, que ce qui était en cause durant cette crise, c'était

---

29. Louis Marceau, Protecteur du citoyen du Québec de 1969 à 1976.

clairement l'autorité de l'État qui n'avait jamais été aussi menacée au cours de ce siècle. Les gouvernements n'étaient pas habitués à ce genre de situation. Nous avons créé, si je peux dire, une façon d'agir, basée sur une certaine ouverture. On a lu le manifeste à la télévision, on a accepté de recommander la libération conditionnelle de certains prisonniers, on a accepté d'accorder un sauf-conduit aux ravisseurs pour Cuba et pour l'Algérie, qui étaient les pays mentionnés par le FLQ. Mais nous n'avons pas accepté le principe de la libération des «prisonniers politiques», qui constituait la principale demande des terroristes.

Il est trop tôt, je suppose, pour porter un jugement sur ces événements, mais il est permis de constater que depuis lors — ce sera le 25e anniversaire de ces événements à l'automne prochain — le Québec a joui d'une relative paix civile, pour ce qui a trait à la violence politique. Est-ce qu'on aurait pu prendre d'autres mesures? Est-ce qu'on aurait pu retarder la mise en application de la Loi des mesures de guerre? Toutes ces questions peuvent être posées et discutées entre nous, mais il me semble encore certain que, dans notre système démocratique, il était inadmissible et intolérable qu'on puisse remettre en question l'autorité de l'État. Nous avons, alors, tiré des conclusions qui me semblent encore valables aujourd'hui.

Voilà. J'ai essayé de me résumer. J'aurais pu parler encore très longtemps, mais je pense que j'ai dépassé mon temps et je vous laisse la parole.

DÉBAT

GÉRARD BOISMENU, *professeur de science politique à l'Université de Montréal* — J'aimerais vous poser une question concernant la dimension constitutionnelle de vos activités. On y reviendra probablement de façon plus approfondie la prochaine fois, je pense, avec la Charte de Victoria. En 1970, au moment de la campagne électorale, vous avez publié un livre intitulé *Bourassa Québec*. On trouve dans ce document une mosaïque de citations que vous vouliez représentatives de votre pensée. Quand on lit attentivement ce texte, on constate que, au fond, vos griefs contre le fédéralisme canadien apparaissent relativement minces. Je voudrais donc savoir quelle était votre position en 1970 à l'égard du fédéralisme canadien.

Quand je dis que les griefs étaient minces, c'est qu'on a vraiment l'impression à lire ce livre que vous réclamiez essentiellement des ajustements administratifs ou techniques au fonctionnement du système. On avait eu, du côté de l'Union nationale, le slogan «Égalité ou indépendance». Au Parti libéral, on avait soulevé la question du «statut particulier» avec le Rapport Gérin-Lajoie[30], et on avait utilisé le slogan «Maîtres chez nous». On avait donc, avant vous, donné une dimension plus globale à la critique du fédéralisme canadien et à la place du Québec dans ce fédéralisme. Dans ce contexte, quelle était votre vision, votre lecture du fédéralisme canadien en 1970, en arrivant à la direction du Parti libéral?

---

30. Rapport du Comité des affaires constitutionnelles du Parti libéral du Québec présidé par Paul Gérin-Lajoie. Le Rapport Gérin-Lajoie fut présenté au congrès du Parti libéral du Québec les 14 et 15 octobre 1967.

ROBERT BOURASSA — Ma priorité, c'était le développement économique. Ensuite, quand j'ai été élu, s'est ajoutée la solution des problèmes des finances publiques. J'avais insisté sur ces questions, parce que ça faisait dix ans qu'on parlait de la question constitutionnelle. Les deux partis d'opposition s'étaient positionnés: pour l'Union nationale, c'était «Québec d'abord», et le Parti québécois avait opté pour la souveraineté. Il y avait alors une accélération de l'histoire pour ce qui a trait à la souveraineté. Sur les différents continents, on avait connu la décolonisation. Il était donc très opportun, en 1970 — on reviendra sûrement plus tard sur la suite des choses — que j'aie une position sur le fédéralisme. Mais ma priorité, qui faisait beaucoup plus consensus que la constitution, c'était les questions économiques et surtout les moyens à prendre pour la croissance économique la plus rapide possible.

Pour ce qui a trait au fédéralisme, j'endossais évidemment le Rapport Gérin-Lajoie, qui réclamait, entre autres choses, un contrôle du Québec sur l'immigration, mais je ne concevais pas que ces arguments-là nous justifiaient de détruire le lien fédératif. On peut discuter de la notion de souveraineté, qui a évolué avec les années, mais j'ai toujours cru à l'avantage d'un lien fédératif — ce qui est différent de fédéraliste — avec le reste du Canada.

GÉRARD BOISMENU — En 1968, le gouvernement fédéral avait ouvert une négociation fédérale-provinciale de nature constitutionnelle. Il est donc un peu étonnant de voir qu'aux élections de 1970 on n'ait pas développé une plate-forme sur ce terrain.

ROBERT BOURASSA — À quel mois le gouvernement fédéral avait-il ouvert cette négociation en 1968?

GÉRARD BOISMENU — Je pense que c'est à l'automne 1968.

ROBERT BOURASSA — Après l'élection de Trudeau comme Premier ministre?

GÉRARD BOISMENU — Non, excusez-moi, c'était au printemps 1968. Trudeau a fait une première conférence à titre de ministre de la Justice. Il s'occupait du dossier.

ROBERT BOURASSA — C'est ce qui l'a mis en évidence sur la scène politique québécoise et canadienne.

GÉRARD BOISMENU — Donc, il y avait un processus politique d'engagé et que vous deviez continuer comme chef de gouvernement.

ROBERT BOURASSA — Si je vous pose la question, c'est parce qu'au printemps, c'était Pearson[31] et à l'automne, c'était Trudeau.

GÉRARD BOISMENU — C'est ça. C'est donc Pearson qui a ouvert le processus. Cela faisait suite à la conférence interprovinciale de Robarts[32] en 1967. Ce que je veux simplement dire, c'est qu'en cette période de négociations constitutionnelles, c'est quand même un peu surprenant que l'enjeu constitutionnel n'apparaisse pas dominant au cours de ces mois de 1970.

---

31. Lester B. Pearson (1897-1972). Secrétaire d'État aux Affaires étrangères de 1948 à 1957. Chef du Parti libéral en 1958 et chef de l'opposition. Premier ministre du Canada du 22 avril 1963 au 19 avril 1968.

32. John Robarts, Premier ministre de l'Ontario du 8 novembre 1961 au 1er mars 1971.

ROBERT BOURASSA — Souvenez-vous des faits. Trudeau est élu. Il y a la trudeaumanie. Vous vous souvenez de son élection le lendemain de la Saint-Jean-Baptiste. Vous avez le décès de Daniel Johnson le 26 septembre 1968. Suit le congrès au leadership de l'Union nationale avec Jean-Jacques Bertrand[33] et Jean-Guy Cardinal[34]. Donc, il n'y a pas beaucoup d'espace pour parler constitution entre Québec et Ottawa. En 1969, Bertrand a des problèmes assez sérieux: la grève des policiers en septembre, les problèmes économiques, les divisions au sein de l'Union nationale, le projet de loi sur la langue, la loi 63. Alors, c'est un peu ce qui explique que la question constitutionnelle ait cédé la place, en 1969, aux problèmes internes du Parti libéral et de l'Union nationale et à la question linguistique.

Quand je prépare mon manifeste ou ma campagne pour devenir chef du parti, je constate rapidement que lorsque je parle d'économie, j'ai infiniment plus de support et d'intérêt que lorsque je parle de constitution. En 1969, la classe politique n'est pas tellement intéressée à parler de constitution et, à cause des événements, c'est la langue qui, outre les questions économiques, suscite le plus d'intérêt. Je me souviens que durant la course au leadership, de septembre à janvier, très peu de questions me sont posées sur la constitution dans

---

33. Jean-Jacques Bertrand (1916-1973), élu député de l'Union nationale en 1948. Réélu en 1952, 1956, 1960, 1962, 1966 et 1970. Occupe divers ministères et succède à Daniel Johnson comme chef de l'Union nationale le 2 octobre 1968. Premier ministre du Québec du 2 octobre 1968 au 12 mai 1970. Chef de l'opposition officielle du 12 mai 1970 au 19 juin 1971.

34. Jean-Guy Cardinal (1925-1979), élu député de l'Union nationale en 1968 (élections partielles). Ministre de l'Éducation de 1967 à 1970. Premier ministre intérimaire du Québec du 11 décembre 1968 au 20 janvier 1969. Défait au congrès de direction de l'Union nationale en 1969. Réélu député de l'Union nationale en 1970. Élu député du Parti québécois dans Prévost en 1976. Vice-président de l'Assemblée nationale (1976-1979).

mes tournées. Le pragmatisme en politique n'est pas une vertu inutile.

GÉRARD BOISMENU — À l'époque, Laporte apparaît comme étant le nationaliste parmi les candidats à la succession de Lesage et sa campagne porte beaucoup plus sur cette dimension-là.

ROBERT BOURASSA — Sauf que le résultat, c'est qu'il est troisième au premier tour...

LOUIS MASSICOTTE, *professeur de science politique à l'Université de Montréal* — Je voulais vous interroger sur une question qui ne m'a jamais semblé être une grande priorité pour vous: la question des réformes électorales.

Vous avez évoqué les circonstances de votre élection d'avril 1970. Il s'est créé au fil des années une espèce de mythologie faisant de cette élection un monstre de fraude électorale. On a parlé du coup de la Brinks et je me souviens qu'un organisateur visiblement défait avait même écrit un livre sur le «Coup d'État du 29 avril». Je sais que votre gouvernement a procédé par la suite à plusieurs réformes concernant, entre autres, la carte électorale et le recensement annuel. J'aimerais savoir quelle importance vous accordez maintenant, un quart de siècle plus tard, aux failles du processus électoral qui ont pu être constatées en 1970?

ROBERT BOURASSA — On a aboli les comtés protégés immédiatement après mon élection. Ce n'était pas facile, parce que plusieurs créditistes étaient députés de ces comtés et les négociations pouvaient devenir assez délicates. Finalement, ils se sont ralliés et on a pu abolir ces comtés. Il faut être conscient que la carte électorale était devenue assez déficiente. Ainsi, en 1966, monsieur Johnson avait été élu avec 41% des voix alors que monsieur Lesage avait perdu l'élection avec 47%. En 1970, par ailleurs, il y a le mythe du coup de la Brinks. Mes adversaires ont toujours été assez habiles pour lancer des mythes de cette nature. Je ne crois pas que cette histoire du présumé camion ait pu changer beaucoup de votes.

Sauf en 1976, où les anglophones avaient voté en bonne partie pour l'Union nationale parce que mon gouvernement avait établi le français comme seule langue officielle au Québec, le Parti libéral a toujours eu plus que 40% des voix. En 1970, j'avais gagné avec 45% des voix et ce n'était pas étonnant puisque le Parti québécois avait pu former un gouvernement majoritaire avec seulement 41% des votes en 1976.

Donc, c'était une élection tout à fait légitime. Je n'ai pas pris au sérieux les critiques à l'effet du contraire. D'ailleurs, ça n'a pas duré ces attaques-là et tout ça a été complètement éliminé aux élections de 1973 où j'ai été élu avec 102 députés sur 110 et 55% des voix. Je ne crois pas que la légitimité des élections de 1970 ait été sérieusement remise en question par des personnes crédibles.

Il faut noter enfin qu'aucun gouvernement dans le dernier quart de siècle n'a manifesté la volonté politique d'introduire dans le processus électoral une dose de proportionnelle. Ça se retrouve toutefois dans le programme du Parti québécois.

ANDRÉ J. BÉLANGER, *professeur de science politique à l'Université de Montréal* — J'aimerais connaître Robert Bourassa un peu plus de l'intérieur. Il a sa traversée du désert en 1976. Comment percevez-vous votre premier gouvernement? En particulier, qu'est-ce que vous avez appris face aux médias? Face à vos propres députés? Face à votre propre parti? Pour l'organisation de votre cabinet, en gros, qu'est-ce que vous avez appris du premier gouvernement 1970-1976? Et qu'est-ce que vous avez corrigé, selon vous, lors de votre deuxième gouvernement? Ça, c'est ma première question et la seconde y est assez étroitement liée. Vous avez parlé de la Crise d'octobre. On se pose la question: lorsque vous vous réunissez, de quoi pouvez-vous bien discuter? Qu'est-ce qui peut bien se passer? Comment gérez-vous cette crise?

ROBERT BOURASSA — Je vais répondre à votre deuxième question parce que la première, je pense que ça ne respecte pas le calendrier que nous nous sommes donné pour aujourd'hui.

ANDRÉ J. BÉLANGER — C'est le premier mandat quand même...

ROBERT BOURASSA — Ça se termine avec la Crise d'octobre. Je pourrais répondre à votre première question mais nous y reviendrons. Deuxième question donc. Dans les moments de crise aiguë, c'est évidemment le chef qui doit trancher. Quand on s'est réuni le dimanche 11 octobre, après l'enlèvement de Pierre Laporte, tout le monde voyait la lettre qu'il m'avait fait parvenir: «Tu as ma vie entre tes mains». On nous fait confiance, mais c'est le chef qui doit trancher. C'est pour ça que de 15 h 30 à 19 h 30, j'ai rencontré mes collègues, j'ai écouté ce qu'ils avaient à dire, j'ai écouté les représentants des forces policières. Après, je me suis retiré à l'hôtel Reine-Elizabeth pour rédiger mon discours en sachant fort bien qu'une phrase mal placée pourrait avoir des conséquences dramatiques. Pour répondre à votre question, le chef écoute et dialogue avec ses collègues, prend des notes et tire les conclusions. Si certains ministres n'avaient pas été d'accord, s'ils avaient pensé qu'il fallait libérer les «prisonniers politiques», ils auraient pu démissionner parce que je ne l'aurais pas fait.

On parlait de gouvernement parallèle. Il y a tellement de choses à aborder que je suis passé un peu rapidement là-dessus. Il y avait beaucoup de tension entourant l'idée d'un prétendu «gouvernement parallèle», quand Claude Ryan et René Lévesque et tous les autres qui étaient des autorités dans la société ont dit: «Vous devez libérer les prisonniers politiques pour que les deux otages soient libérés.» Comme je le disais tantôt, monsieur Trudeau a montré de l'inquiétude. Par ailleurs, dans la mesure où de mon côté j'entendais parler de gouvernement parallèle, je constatais en même temps que pas un seul député ne remettait ma position en question, que j'avais un appui populaire considérable, que mon parti m'appuyait, de même que le Conseil des ministres évidemment. Donc, vous avez la confiance de ce que je peux appeler l'autorité constituée. Cela vous donne l'espace voulu mais vous ne devez pas vous tromper.

Quant à la Loi des mesures de guerre et son application, après quatre jours, on n'avait aucune idée de l'endroit où se trouvait Pierre Laporte. Est-ce que j'aurais dû attendre encore un peu plus? J'ai décidé qu'attendre, c'était risquer un autre drame comme ceux que l'on avait connus.

ANDRÉ NORMANDEAU, *professeur de criminologie à l'Université de Montréal* — J'aimerais reprendre votre expression «autorité de l'État». Dans votre exposé, vous opposez l'autorité de l'État au FLQ, au terrorisme, un phénomène qui est devenu d'actualité un peu partout à travers le monde au cours des dernières années. Vous parlez aussi de l'autorité de l'État contre l'idée d'un gouvernement parallèle. Vous avez mentionné à cet égard le tandem Ryan-Lévesque.

Compte tenu de mes intérêts criminologiques, je voudrais reprendre cette idée d'autorité de l'État, mais par rapport à la police, qui est un organisme vraiment important, au cœur même des États démocratiques. Vous avez fait référence à la grève des policiers en 1969. Il y avait déjà là une contestation. Je pense à certaines déclarations, qui sont revenues par la suite, de chefs syndicaux policiers qui disaient, par exemple: «Les politiciens passent, mais nous on reste.» Il s'agissait là d'un défi certain à l'autorité de l'État. Durant la Crise d'octobre, vous avez le même dilemme qui se présente.

Ma question est la suivante: est-ce que vous avez déjà réfléchi sur la double conception, fort contradictoire, du rapport entre les élus politiques et la police dans les pays démocratiques? On a, d'une part, une conception qui veut maintenir les politiciens à une certaine distance d'une police qui afficherait une autorité dans la protection des citoyens et, d'autre part, ce que l'on peut appeler l'implication légitime des élus politiques dans la gestion de la police.

ROBERT BOURASSA — Il faut faire une distinction entre les questions fondamentales qui sont au cœur du fonctionnement du système et d'autres questions moins fondamentales. Dans le cas des policiers, si l'on avait décidé que nous allions libérer les 23 «prisonniers politiques»... bon, cela se serait fait puisque nous l'aurions décidé. Par ailleurs, les policiers ont un rapport de force semblable à tous ceux qui assument des services essentiels parmi les plus importants. Je conclus que l'autorité de l'État n'était menacée d'aucune façon par les forces policières.

Eux pouvaient nous influencer dans la mesure où ils disaient avoir besoin des pouvoirs spéciaux, avoir besoin de l'armée parce qu'ils n'arrivaient plus à protéger tous les juges, tous les politiciens. Ils étaient d'accord avec l'intervention de l'armée pour appuyer leur travail de protection et avec l'application des mesures de guerre pour pouvoir plus facilement trouver les coupables des actes terroristes. Mais ce n'était pas à eux de décider si l'on devait libérer les prisonniers, accepter ou refuser les demandes du FLQ. Est-ce que je réponds à votre question?

ANDRÉ NORMANDEAU — Concernant le FLQ, oui. Je voudrais revenir sur un phénomène qui est réapparu par la suite et qui est illustré par un événement, la grève des policiers de 1969, qui se situe durant la période de votre exposé. Ceux qui ont suivi ensuite le dossier de la police peuvent très bien constater qu'à compter de cet événement-là, les policiers, via leurs syndicats, ont senti qu'ils pouvaient à l'occasion — bien qu'ils ne l'auraient sûrement pas exprimé de cette façon-là — qu'ils pouvaient, à l'occasion, être au-dessus de l'État, constituer un petit «État dans l'État», selon l'expression populaire. Ils ont obtenu effectivement par la suite, depuis 25 ans, des conditions de travail vraiment exceptionnelles. L'une des questions qui se posent lorsque l'on travaille à élucider ce dossier-là, c'est d'établir si, successivement, plusieurs politiciens, tant au niveau provincial que municipal, ont tellement craint la police, craint aussi une certaine image d'ingérence politique, qu'ils ont laissé aller beaucoup plus de choses qu'ils ne l'auraient fait pour tout autre organisme public.

ROBERT BOURASSA — Il faut dire que monsieur Bertrand a appelé l'armée à la rescousse en 1969. Il y avait donc là un geste du gouvernement qui indiquait que ce n'était pas la police qui imposait ses volontés. On avait alors demandé l'armée pour aider à mettre fin à la grève des policiers. Est-ce que ça a été différent ici qu'ailleurs?

Cela étant dit, j'ai toujours affirmé qu'il y avait trois éléments importants pour tout gouvernement ou tout chef de gouvernement. Ça fait partie de l'histoire politique. En métaphores, on peut parler de la couronne, de la bourse et de l'épée. La couronne, c'est le caucus. C'est important d'avoir le caucus solidement derrière soi parce que, si vous perdez le caucus, vous perdez le pouvoir. La bourse, ce sont les finances publiques. Il faut avoir des finances publiques saines, parce qu'autrement, votre pouvoir est très diminué. Et l'épée, c'est la police et l'armée. La police et l'armée sont donc des éléments essentiels du pouvoir politique pour la paix civile et l'ordre public, ici comme ailleurs.

ANDRÉ NORMANDEAU — Je termine sur un point plus précis. Avez-vous l'impression qu'à cette époque (nous reviendrons peut-être là-dessus dans les autres périodes), vous personnellement ou votre gouvernement, avez eu une telle crainte de l'épée que vous avez fait des compromis qui pourraient aujourd'hui être jugés inacceptables?

ROBERT BOURASSA — Non. En 1970, ni l'armée ni la police n'ont exercé sur nous de pressions indues. Comme groupe de pression, c'est évidemment clair que lorsqu'ils font une grève, c'est important. Comme tous les employés qui assurent des services essentiels.

STÉPHANE DION, *professeur de science politique à l'Université de Montréal* — Trois questions, trois sujets. Premièrement, votre différend avec monsieur Lévesque concernant la monnaie. À l'époque, monsieur Parizeau[35], qui était sur le point

---

35. Jacques Parizeau, président du conseil exécutif du Parti québécois de 1970 à 1973. Élu député du Parti québécois dans L'Assomption en 1976. Réélu en 1981. Ministre du Revenu de 1976 à 1979. Président du Conseil du trésor de 1976 à 1981. Ministre des Finances de 1976 à 1984. Ministre des Institutions financières et Coopératives de 1981 à 1982. Démissionna du Cabinet le 22 novembre 1984 et comme député le 27 novembre 1984. Élu

d'adhérer au Parti québécois, avait pendant longtemps défendu l'idée d'une monnaie québécoise. On a vraiment l'impression qu'on lui oppose maintenant les mêmes arguments que vous opposiez à monsieur Lévesque à l'époque, à savoir que s'il utilise la monnaie canadienne, ce qu'il peut bien sûr faire, il aura peine à la garder, compte tenu de la spéculation qui va immanquablement se faire car, dès que le Québec aura des difficultés économiques, les spéculateurs vont penser que Parizeau va lâcher le dollar canadien.

Est-ce que vous auriez encore aujourd'hui le même débat avec monsieur Parizeau que celui que vous aviez avec monsieur Lévesque à l'époque? Est-ce que le débat a à ce point piétiné?

ROBERT BOURASSA — Oui, ça a sûrement piétiné. D'ailleurs, je voulais en parler au cours du débat télévisé sur Charlottetown, mais il ne voulait pas. Je m'y suis attardé quand même un peu parce que, comme vous dites, après trente ans, c'est un peu la même chose. Il y a des arguments qui tendent à confirmer mon point de vue.

Le même débat se poursuit en Europe. Si l'opposition au Traité de Maastricht a été aussi forte, c'est que vous avez eu en Allemagne des opposants qui ont dit: «Il ne faut pas perdre le mark; c'est le mark qui fait notre force.» En France, on disait: «La République ne peut pas abandonner ses pouvoirs fondamentaux sur l'économie.» On pourrait aussi parler de l'Angleterre. Le débat se répète et j'attends encore les arguments.

---

chef du Parti québécois le 18 mars 1988. Élu député du Parti québécois dans L'Assomption en 1989. Chef de l'opposition officielle à compter du 28 novembre 1989. Réélu député de L'Assomption le 12 septembre 1994. Assermenté Premier ministre du Québec le 26 septembre 1994.

STÉPHANE DION — Après le divorce tchécoslovaque, la Slova-
quie entendait garder la monnaie tchèque. Ça n'a pas pris
huit semaines pour qu'elle soit obligée de créer sa monnaie.

ROBERT BOURASSA — C'est ça, 39 jours, je crois.

STÉPHANE DION — Peut-être que c'est nous, les Tchèques, et
le reste du Canada, les Slovaques... Mon deuxième sujet concerne, et je m'en excuse, la Crise d'octobre, qui n'est pas un
événement facile. J'ai deux sous-questions là-dessus. Premièrement, quelles informations aviez-vous sur l'importance du
FLQ? Bien sûr, il s'est passé beaucoup de choses mais, enfin,
on savait que le FLQ n'était qu'un groupuscule. Deuxièmement, quel degré de vérité y a-t-il — est-ce complètement
vrai, complètement faux ou en partie vrai — dans l'assertion,
à laquelle beaucoup d'historiens ont donné foi, qui veut que
monsieur Lalonde[36], qui était alors chef de cabinet de monsieur Trudeau, serait venu vous voir pour faire pression afin
que vous signez la lettre qui demandait à monsieur Trudeau
de mettre en application la Loi des mesures de guerre?

ROBERT BOURASSA — Non. J'ai toujours été, même très tôt
dans ma carrière politique, imperméable aux pressions de
cette nature-là. J'ai toujours été courtois, évidemment, je n'ai
pas l'habitude d'injurier ou de me quereller. Je dois vous
affirmer cependant qu'il n'y a pas eu de pression. En outre,
mon Conseil des ministres m'appuyait ainsi que mon caucus.

---

36. Marc Lalonde, Secrétaire particulier du Premier ministre Trudeau
de 1968 à 1972. Élu à la Chambre des communes en 1972. Réélu en 1974,
1979 et 1980. Ministre de la Santé nationale et du Bien-être social (1972),
ministre d'État chargé des Relations fédérales-provinciales (1977-1978), ministre de la Justice et procureur général (1978-1980), ministre de l'Énergie,
des Mines et des Ressources (1980-1982), ministre des Finances (1982-1984).

Il faut dire qu'au niveau fédéral, ils se rendaient compte que quelqu'un qui aurait dû être autour de la table du Conseil des ministres se trouvait dans une cellule, détenu par ses ravisseurs. Ça nous plaçait dans une situation différente de la leur. Il y a eu des discussions entre Julien Chouinard[37] et Marc Lalonde, c'est clair. Je me souviens aussi que monsieur Marchand[38] voulait me rencontrer, ce que j'avais accepté. Il n'y a pas eu d'interférence. La vie de deux personnes était en cause. Ils savaient fort bien qu'ils ne pouvaient pas brusquer une décision qui était très lourde de conséquences.

Selon les informations qu'on avait, il était difficile de tirer des conclusions quant à l'importance des effectifs du FLQ. La seule conclusion que je tirais à ce moment-là, après que les forces armées eurent été intégrées aux forces policières sous la direction de Maurice Saint-Pierre, le directeur de la Sûreté du Québec, c'est qu'on était toujours incapable de retrouver les ravisseurs. À quelques reprises, on avait signalé des pistes, mais elles n'aboutissaient à rien. Alors, j'ai été obligé de constater qu'il fallait prendre d'autres mesures. Et le fait qu'on ne pouvait pas trouver les coupables amenait certains à conclure qu'ils étaient assez bien organisés.

En fait, on sait maintenant que c'est peut-être parce qu'ils n'étaient pas nombreux qu'on avait de la difficulté à les identifier. Par ailleurs, les discussions entre Robert Lemieux et Robert Demers tournaient un peu à la rigolade. À la fin, ce n'était pas tellement sérieux. La question qui me restait à

---

37. Julien Chouinard, premier Secrétaire du Conseil exécutif du Québec. Exerça les fonctions de secrétaire général du Conseil exécutif de 1968 à 1970 (Jean-Jacques Bertrand) et de 1970 à 1975 (Robert Bourassa).

38. Jean Marchand (1918-1988), Dirigeant de la Confédération des syndicats nationaux, élu à la Chambre des communes en 1965. Réélu en 1968, 1972 et 1974. Proche collaborateur du Premier ministre Trudeau, qui lui confie plusieurs ministères avant de le nommer sénateur en 1976.

trancher, c'était de savoir jusqu'à quand j'attendrais. J'ai pris la décision le jeudi soir. Il y avait le risque d'un autre incident. Donc pour répondre plus directement à votre question: on avait peu d'informations concernant l'ampleur réelle du FLQ.

STÉPHANE DION — Troisième question. Ça concerne votre pensée économique au moment où vous faites la campagne de 1969. Vous sortez d'Oxford. Vous avez été travailliste. Bien sûr, la campagne s'est jouée sur l'emploi et non pas sur la constitution. D'ailleurs, aucune campagne au Québec ne s'est jamais jouée sur la constitution.

ROBERT BOURASSA — 1976! Et ça n'a pas marché!

STÉPHANE DION — Vous avez essayé, ça n'a pas marché. Moi, je me rappelle. J'avais quatorze ans, vous en aviez trente-six. Vous êtes venu au Collège des Jésuites à Québec. La salle était bondée. Un de mes profs barbus vous a dit au micro: «Gardez-les vos jobs. On n'en veut pas de vos jobs! Nous, on veut la liberté du peuple québécois!»

ROBERT BOURASSA — On me disait aussi: «Arrêtez de nous harceler avec vos chiffres.»

STÉPHANE DION — Et là, vous avez répondu, ce qui m'a beaucoup impressionné: «C'est facile de créer des jobs.» Ça m'a beaucoup frappé. J'aimerais savoir si c'était de la rhétorique ou si vous étiez alors un fervent keynésien. Est-ce que vous y croyiez? Est-ce que votre pensée économique était classiquement keynésienne?

ROBERT BOURASSA — J'ai oublié de mentionner un aspect. Dans ma campagne au leadership, j'avais parlé du développement de la Baie James. Tard au mois de décembre, j'étais en Abitibi et j'avais dit: «Il faut développer la Baie James.» Je disais que la vraie question que doit se poser tout chef politique au Québec, c'est de savoir où se situe la force du Québec. Je disais que la force du Québec se trouvait principalement dans sa force économique. Deuxième question: «Où se trouve sa force économique?» En cette année de 1970, je disais qu'on la trouvait, entre autres lieux, dans la conquête du Nord québécois, dans le recul des frontières modernes du Québec. C'était donc le développement des ressources naturelles. Évidemment, en 1995, ça devient moins pertinent de parler ainsi, mais à cette époque, c'était très fortement d'actualité.

L'autre point, c'était évidemment les investissements étrangers avec l'argument bien connu que mieux vaut importer des capitaux que d'exporter des emplois.

Troisièmement, je préconisais un niveau fiscal attrayant. C'était trois points dont je parlais en priorité: ressources naturelles, accroissement des investissements étrangers, fiscalité compétitive. Pas beaucoup de Keynes, parce qu'on était en Amérique du Nord.

LOUIS MAHEU, *professeur de sociologie et vice-doyen de la Faculté des études supérieures* — Je voulais vous demander de revenir à la période de la crise de 1970 sous deux angles bien spécifiques. Le second concerne le type de gestion que vous avez tenté d'en faire, mais je l'écarterai pour essayer d'abord de savoir, à un autre niveau, quel genre d'analyse vous, qui étiez un acteur politique important de 1966 à 1970, qui avez relaté votre cheminement et les responsabilités qui étaient les vôtres, vous faisiez des problèmes de cette société qui pouvaient avoir généré ce phénomène de crise? Tout à l'heure, vous avez évoqué le fait que ça durait depuis sept ou huit ans et vous avez parlé de violence politique. Je voudrais donc savoir dans quel sens vous utilisez ici le mot «politique».

Quel genre d'analyse un politicien actif faisait-il à ce moment-là de ce qu'étaient vraiment les questions clés de la société qui pouvaient plus ou moins expliquer, finalement, ces difficultés qui perduraient depuis un certain nombre d'années? Et est-ce que vous aviez l'impression que l'ensemble de la machine politique — je ne parle pas uniquement du gouvernement, ni nécessairement de l'État, mais de l'ensemble du jeu politique, des forces politiques, des mécanismes de représentation — était à cette époque adéquat pour faire face à ces difficultés? Autrement dit, y avait-il dans le jeu du politique du moment un certain nombre de facteurs qui pouvaient illustrer ou expliquer les difficultés qui étaient les vôtres? Je ne sais pas si vous êtes en mesure de distinguer ce que vous pensiez à l'époque de ce que vous pensez maintenant, parce qu'avec le décalage, vous avez peut-être développé une vision différente sur ces questions. Je cherche donc à voir l'analyse que vous faisiez de la situation en termes plus sociologiques que politiques pour savoir un peu ce qui vous apparaissait être des difficultés essentielles qui confrontaient l'ensemble de la machine politique.

Ensuite, j'aimerais que vous abordiez la crise sous l'angle de la gestion plus politique du phénomène. En partant de l'hypothèse qu'il est rare que l'on puisse dire que l'on ne s'est jamais trompé, je me demande s'il y a des décisions que vous estimez avoir été de très bons coups et, d'autres, peut-être, des erreurs. Autrement dit, si vous vous retrouviez à nouveau devant ces situations-là, vous y prendriez-vous différemment?

ROBERT BOURASSA — De 1966 à 1970, la Crise d'octobre?

LOUIS MAHEU — Pour la dernière question, je parle plus de la pointe de la crise.

ROBERT BOURASSA — La question qui demeure, c'est de savoir si nous pouvions attendre encore. Est-ce que ça aurait changé le dénouement? La réponse que je vous ai donnée, c'est que si j'avais attendu et qu'il y avait eu un autre enlèvement, ma légitimité démocratique aurait été remise en cause.

À l'époque, il ne faut pas oublier l'action des Brigades rouges[39], puis celle de la bande à Baader[40]. Je ne sais plus quand cela avait commencé, mais c'était durant ces années-là, notamment en France en 1968. Il y avait sûrement interaction de part et d'autre de l'Atlantique. Ce n'est pas pour rien que les felquistes parlaient dans leur communiqué de racisme, d'impérialisme et d'oppression des Québécois. Ce n'est pas pour rien qu'ils parlaient de Cuba et de l'Algérie comme pays d'exil. L'Algérie était devenue indépendante cinq ans auparavant, Cuba avait aussi connu sa révolution. Il y avait interaction entre le Québec et la situation internationale. Il n'y a pas de doute qu'il y avait un mouvement généralisé de révolte chez les jeunes par rapport à la répartition de la richesse et par rapport au fonctionnement de la démocratie.

Par ailleurs je considérais comme étant inacceptable qu'on utilise la violence politique dans une démocratie comme la nôtre où la liberté d'expression et de protestation sont

---

39. Brigades rouges, groupe de terroristes italiens qui se manifesta à partir des années 1970 par de nombreux attentats contre des personnalités politiques dont le plus célèbre a entraîné la mort du chef du gouvernement italien Aldo Moro.

40. Bande à Baader, groupe de terroristes allemands qui, de 1968 à 1972, engagea, par des attentats, une guérilla urbaine contre l'organisation politique et sociale de l'Allemagne de l'Ouest.

exemplaires. À cet égard, je me souviens, entre autres, d'un événement du mois de février 1970, alors que j'étais chef du parti, mais pas encore Premier ministre. Il y avait eu une manifestation au théâtre Saint-Denis à laquelle avaient participé plusieurs groupements de la gauche québécoise et montréalaise. Il y avait eu un spectacle et on m'avait présenté pour que j'adresse quelques mots à la foule. La réaction avait été très hostile. Les gens avaient chahuté et j'avais été incapable de parler. Ils m'avaient injurié tout le long de ma présence au micro. Je me disais: «Où est la dictature? Ils ont le plein droit de parole sur toutes les tribunes.» Il y avait donc cette contestation, cette révolte qu'on retrouvait sur plusieurs continents en même temps, cette soif d'indépendance qui pouvait expliquer une pareille attitude. Ça pouvait se comprendre dans des pays totalitaires, mais beaucoup moins dans des sociétés comme la nôtre.

Comme Premier ministre, j'ai connu aussi à la même époque d'autres situations délicates comme le problème de la construction, les problèmes de finances publiques, la grève des médecins. On n'en a pas beaucoup parlé, mais la grève des médecins, c'était également très préoccupant. J'ai convoqué l'Assemblée nationale alors que Pierre Laporte venait d'être enlevé pour faire adopter une législation visant à mettre fin à la grève des médecins, législation très sévère vis-à-vis notamment de l'exécutif des médecins spécialistes qui avaient émigré à Ottawa pour ne pas être poursuivis. Évidemment, après la mort de Pierre Laporte, les médecins ont respecté la loi de retour au travail. Les médecins ne voulaient pas accepter le régime d'assurance-maladie, ils voulaient une plus grande liberté d'action. Ça a été un événement très important en 1970 dont l'impact a été atténué toutefois par les événements de la Crise d'octobre.

ALAIN NOËL, *professeur de science politique* — Compte tenu de ce qui est arrivé par la suite, on s'étonne de constater que monsieur Ryan ait été aussi en désaccord avec la position que vous preniez pendant la Crise d'octobre, notamment sur l'autorité de l'État. Vous avez probablement eu plusieurs occasions, par la suite, de discuter avec monsieur Ryan. Comment interprétez-vous la position que monsieur Ryan a prise à ce moment-là? Est-ce que vous avez finalement, par la suite, discuté de ce différend-là, qui est quand même fondamental et qui est assez étonnant si l'on regarde le parcours de monsieur Ryan?

ROBERT BOURASSA — M. Ryan, comme directeur du *Devoir*, avait bien expliqué son point de vue sur la Crise d'octobre. Mais je dois vous dire que lorsque j'ai été défait, en 1976, monsieur Ryan m'a succédé. Je lui ai succédé par la suite. En raison du contexte, les relations étaient parfois assez tièdes. C'était donc délicat de discuter des questions à propos desquelles on avait été en désaccord. Après lui avoir demandé — et j'étais très heureux de le faire — d'assumer des fonctions importantes en 1985, nous n'avons jamais eu, à vrai dire, l'opportunité de parler de ce sujet en particulier. Je connaissais son point de vue. Il connaissait le mien.

JANE JENSON, *professeure de science politique* — Si je me rappelle bien — je ne suis pas une experte! — la Communauté européenne était, dans les années 1960, plus ou moins une simple communauté interétatique et les questions monétaires ne se sont posées qu'un peu plus tard dans le débat. Je me demande si l'appréciation que vous venez de faire du fédéralisme européen était déjà présente dans votre esprit pendant les années 1960, au moment du débat avec René Lévesque ou si c'est quelque chose qui est survenu un peu plus tard après votre séjour à Bruxelles.

Vous avez aussi évoqué le nom d'Eric Kierans. Il faisait à l'époque partie d'un mouvement au Canada anglais qui préconisait un certain nationalisme économique. Vous avez utilisé ces analyses-là pour vous débarrasser de la question de la monnaie canadienne mais, par contre, en réponse à Stéphane Dion, vous avez aussi dit: «Non, non, moi, les investissements étrangers, c'est très bien. J'accepte ça.» Je pose donc la question: est-ce qu'il y avait, à cette époque, parmi les libéraux québécois, une certaine influence de la pensée de monsieur Kierans sur ces questions économiques ou est-ce que la question était déjà réglée dans le sens de la réponse que vous avez donnée à Stéphane Dion à propos des investissements étrangers?

ROBERT BOURASSA — J'ai toujours été un grand promoteur des investissements étrangers.

JANE JENSON — Mais les investissements étrangers, ça soulevait des questions face à la souveraineté nationale d'après les analyses de monsieur Kierans, non?

ROBERT BOURASSA — Après avoir été élu en 1966, je suis devenu le critique financier du parti avec l'appui de monsieur Lesage et j'ai peu à peu développé des idées concernant les ressources naturelles, idées qu'on a retrouvées dans la politique du gouvernement quand j'ai été élu Premier ministre. Vous avez tantôt parlé de mon intérêt pour l'Europe du Marché commun. Comme francophone, plus la France était forte dans le Marché commun, plus j'étais fier. Je me rappelle qu'en 1965, le Général de Gaulle avait refusé une intégration plus forte de l'Europe à six, je suivais ça de très près, tout comme quand l'armée européenne avait été refusée au début des années 1950.

Et voilà que je me retrouve aujourd'hui à la chaire Jean Monnet. J'en suis très heureux. Souvent, quand on me demandait: «Quelle est votre idole politique? de Gaulle? Churchill?» Ma réponse, c'était Jean Monnet, parce qu'il est l'architecte principal de l'une des plus grandes réussites de l'humanité avec l'intégration des peuples européens. Et à mon avis, si de Gaulle avait accepté l'intégration fédérale au début des années 1960, la France serait devenue une puissance encore plus forte, surtout qu'alors les Allemands pouvaient difficilement faire valoir leur poids politique, à la suite de la défaite de 1945. La France aurait donc eu une influence politique et économique très forte dans l'Europe des six, laquelle serait alors devenue la troisième superpuissance.

Déjà donc, pour répondre à votre question, dans les années 1960, j'étais influencé par l'intégration européenne avec tout ce que ça pouvait signifier pour l'avenir. Si j'en ai parlé tantôt dans mon exposé préliminaire, c'est que je voulais montrer qu'après trente ans, l'histoire se répète parfois.

En ce qui concerne monsieur Kierans, son influence sur le programme économique du Parti libéral a diminué à la suite de la défaite du gouvernement libéral en 1966.

JANE JENSON — Pour moi, il y a une certaine contradiction entre votre discours sur la souveraineté québécoise et la monnaie et l'autre discours sur la souveraineté canadienne. C'est pourquoi j'évoque le nom de monsieur Kierans qui a, entre autres personnes, expliqué les liens entre les formes économiques et la souveraineté politique. Vous acceptez une partie de cette argumentation, mais vous en rejetez l'autre partie. Je voudrais comprendre un peu mieux comment vous pouviez, à l'époque, évoquer la sauvegarde de la souveraineté dans le débat sur les questions monétaires et l'ignorer quand il était question des autres domaines économiques, notamment les investissements étrangers.

ROBERT BOURASSA — Il y a lieu ici de souligner qu'il y a quatre étapes dans l'intégration économique. Il y a le libre-échange, dont on va parler dans la troisième rencontre, l'union douanière, le marché commun et l'union monétaire. L'union monétaire, c'est l'étape ultime.

GUY BOURASSA, *professeur, département de science politique* — Vous me permettrez, monsieur Bourassa, puisque vous avez fait allusion, au commencement de votre exposé, au début de votre carrière politique, à votre formation, à vos études, de vous poser une question concernant l'homme politique, vu de l'intérieur. Qu'est-ce qui vous a amené à faire de la politique? À la fin des années 1950, lors de votre retour d'Europe en 1960, vous auriez pu opter pour une carrière dans les affaires, vous auriez pu opter pour une carrière dans la fonction publique, vous auriez pu même opter pour une carrière dans l'enseignement. Pourriez-vous nous dire, de la manière la plus précise que vous pouvez le faire publiquement, ce qui vous a amené à opter pour une carrière politique à ce moment-là? Et peut-être aussi, même si je sais bien que ça dépasse la période que nous devons considérer aujourd'hui, si ce furent les mêmes motivations qui ont joué pour votre retour à la politique dans les années 1980, après votre défaite de 1976. Vous avez très peu abordé les motifs profonds ou les influences que vous avez pu subir dans votre formation à Montréal ou en Angleterre.

ROBERT BOURASSA — On a évoqué tantôt la formule choisie pour ces rencontres. Comme on innove, ce n'est pas facile d'être à la fois concis, pour nous laisser le temps de discuter, et en même temps complet. J'ai dû faire un survol rapide de certains aspects.

Je vous disais que, dès l'âge de dix ans, j'étais intéressé par la politique. Mon père, ni personne dans ma famille, n'était intéressé par la politique. Mais moi, je me souviens que, très jeune, j'étais vivement intéressé par la politique, y compris la politique internationale.

Cela ne veut pas dire que j'avais décidé de devenir Premier ministre, comme on l'a déjà écrit! Après des études au collège Brébeuf, j'ai étudié à la Faculté de droit de l'Université de Montréal où on m'a élu président de conventum. C'est au cours de mes études de droit que j'ai senti plus nettement que la carrière politique serait un bon choix et pourrait me satisfaire comme défi personnel. La détermination et l'intérêt sont des facteurs importants mais la chance aussi.

GUY BOURASSA — Vous y voyiez un défi plus intense, dans les années 1958-1960, que du côté des affaires ou de l'administration?

ROBERT BOURASSA — La nature du défi dans le milieu des affaires me paraît différente, même si ça demeure très exigeant. La politique, elle, permet une action directe sur l'évolution générale de la société.

RENÉ DUROCHER, *professeur d'histoire et directeur du bureau de la recherche de l'Université* — Lorsque l'on regarde la Révolution tranquille, de 1960 à 1966, on se dit qu'au fond, les libéraux sont intéressés à nous faire croire que c'est eux qui ont fait cette révolution. On se dit aussi pourtant que l'Union nationale de 1966 à 1970 a poursuivi en réalisant, entre autres, Radio-Québec, les cégeps et l'Université du Québec. Quand on arrive à votre premier gouvernement en 1970, on se demande parfois s'il y a eu un tournant, si la Révolution tranquille ne s'est pas arrêtée. On est alors un peu ambivalent. Bien sûr, il s'est fait beaucoup de choses progressistes pendant que vous étiez Premier ministre à cette époque.

D'autre part, ça me donne aussi l'impression qu'il y a quelque chose de changé. Les libéraux de Lesage avaient mis l'accent sur la construction de l'État, sur le rôle économique de l'État. Tout à l'heure, vous nous parliez de votre pensée économique et l'historien que je suis avait toutes sortes de souvenirs qui lui revenaient. Vous avez identifié les ressources naturelles comme point fort de votre pensée économique. Là, je ne pouvais pas m'empêcher de penser à Taschereau[41], à Duplessis, pour qui c'était aussi un point fort de leur politique. Vous nous dites que vous étiez très ouvert aux investissements étrangers. Vous avez même utilisé un langage assez précis qui rappellait tout à fait celui d'Alexandre Taschereau qui disait: «J'aime mieux importer des capitaux que d'exporter des Québécois.» Ça rejoignait presque vos propres termes...

ROBERT BOURASSA — J'ai de fait utilisé ce langage très souvent.

RENÉ DUROCHER — Vous nous parlez aussi de la fiscalité compétitive qu'il fallait conserver. Vous étiez très sensible à ça, peut-être plus que Lesage lui-même. Mais Taschereau et

---

41. Louis-Alexandre Taschereau (1867-1972). Premier ministre (libéral) du Québec du 9 juillet 1920 jusqu'à sa démission, le 11 juin 1936.

Duplessis étaient aussi très préoccupés par la compétitivité de la fiscalité. Si la pensée économique des années 1970, c'était de créer des emplois, Duplessis et Taschereau aussi en étaient. On en vient alors à se dire qu'il y a quelque chose qui change en 1970 par rapport à la Révolution tranquille, et c'est peut-être justement qu'il y a un changement dans la politique économique de votre gouvernement qui, paradoxalement, est peut-être en continuité avec les années 1940 et 1950. La beauté de l'exercice qu'on fait présentement, c'est que vous pouvez nous dire ce que vous pensez de ces réflexions historiques.

ROBERT BOURASSA — Pour ma part, je trouve que le précurseur de la Révolution tranquille, et ce n'est pas toujours reconnu, sauf par vous sûrement, c'est Adélard Godbout qui a établi Hydro-Québec, instauré la gratuité dans l'éducation et accordé le droit de vote aux femmes. Dieu sait comment il a été lapidé par la suite, à cause d'une signature pour un accord de nature fiscale.

Je ne suis pas d'accord qu'on dise que mon gouvernement n'était pas progressiste dans les années 1970. L'assurance-maladie, qui fut une réforme sociale majeure, n'était pas facile à réaliser. Ni passer un projet de loi qui dit aux médecins: «Si vous ne respectez pas la loi, parce que vous voulez une médecine privilégiée au Québec, vous serez susceptibles d'écoper de sanctions très sévères.» Il y a aussi le code des professions, la Charte des droits en 1975, le syndicalisme agricole, la protection des consommateurs et d'autres réalisations dont on discutera plus tard. Je ne prétends pas que j'étais visionnaire, mais l'étatisation, les Français ont utilisé cette politique au début des années 1980 et on a vu les résultats. Ça ne veut pas dire que j'étais contre un certain rôle de l'État. J'ai accepté que la Baie James soit développée par

Hydro-Québec et la Société d'énergie de la Baie James, alors que plusieurs voulaient confier cela au secteur privé.

Il faut tenir compte, quand on établit nos politiques, de ceux avec qui nous sommes en concurrence. On ne peut pas avoir au Québec, en plein cœur de l'Amérique du Nord, une politique économique radicalement différente de nos voisins. On a posé des gestes, on a consolidé les outils qui existaient déjà, notamment Hydro-Québec. On a ajouté des outils nouveaux, comme la SDI[42].

On était, de plus, dans certains cas, à l'avant-garde de toutes les sociétés occidentales sur le plan social, comme par exemple avec la loi des petites créances.

Sur le plan économique, j'ai donc toujours préconisé l'ouverture, l'établissement de nouvelles frontières au nord du Québec, et les investissements étrangers avec les arguments pour les convaincre d'investir. Il faut dire qu'en 1973, on avait créé 125 000 nouveaux emplois. Je ne pense pas que l'on puisse répéter une telle performance dans un avenir prévisible. Ça avait toujours été de 85 000 au maximum, jusque-là.

ANDRÉ BLAIS, *professeur de science politique* — J'aurais deux petites questions sur la Crise d'octobre. La première: est-ce que vous faisiez des sondages pendant la Crise d'octobre? Est-ce que vous avez pensé faire des sondages?

ROBERT BOURASSA — Je crois que c'était le pire moment pour faire des sondages, quand l'intégrité de l'État est en cause. D'ailleurs dans les sondages qui ont été rendus publics, on avait près de 90% d'appui. Ça aurait été l'inverse que ça n'aurait pas modifié mon point de vue. Quand l'enjeu, c'est

---

42. SDI: Société de développement industriel du Québec créée en 1971.

la vie d'êtres humains et l'intégrité de l'État, ce n'est pas le moment de se faire guider par les sondages.

ANDRÉ BLAIS — Et vous pensiez que vous aviez l'appui de la population? Comment le saviez-vous?

ROBERT BOURASSA — On peut toujours tester sans nécessairement recourir aux sondages. De façon générale, sauf en campagne électorale, on surestime la valeur des sondages. Mon meilleur test, c'était le caucus. Comment réagissaient mes députés? Parce que les députés, chaque lundi, ou chaque semaine, sont dans leurs comtés; ils rencontrent les citoyens. Donc, tant que le caucus appuyait les politiques du gouvernement, c'était une excellente police d'assurance.

ANDRÉ BLAIS — Ma deuxième question porte sur l'adoption de la Loi des mesures de guerre. C'est une décision qui a été prise au cabinet le jeudi ou le vendredi, je ne me souviens pas trop.

ROBERT BOURASSA — Le jeudi à 6 h. La décision qui a été prise, c'était d'offrir, comme position définitive du gouvernement, un appui à la libération conditionnelle des cinq prisonniers qui avaient déjà demandé leur libération, de même qu'un sauf-conduit vers Cuba ou l'Algérie pour les ravisseurs. J'avais dit au Conseil des ministres que si cette offre n'était pas acceptée dans les délais convenus, il y aurait vraisemblablement — sauf imprévu, parce qu'il faut avoir un certain espace politique — proclamation, au cours de la nuit, de la Loi des mesures de guerre.

ANDRÉ BLAIS — Est-ce que vous avez pris votre décision avant ou pendant la réunion du Cabinet?

ROBERT BOURASSA — Oui, avant la réunion!

ANDRÉ BLAIS — Donc, vous aviez déjà pris votre décision avant la réunion?

ROBERT BOURASSA — J'ai les comptes rendus du Conseil des ministres. C'est très bref. Dans des périodes comme celle-là, il faut arriver au Conseil et offrir une option. Quand je me suis présenté, j'ai dit: «On ne peut pas attendre plus longtemps. Il peut arriver d'autres incidents regrettables. Si ce n'est pas accepté par les ravisseurs, il y aura la Loi des mesures de guerre.» Je ne me souviens pas qu'il y a eu beaucoup d'opposition, parce que la réunion du Conseil des ministres a duré trente minutes, de 18 h à 18 h 30.

Et il y avait la Chambre qui siégeait en même temps. J'étais donc obligé, sans prévenir les partis d'opposition, de faire preuve d'habileté pour éviter qu'ils me forcent à revenir le lendemain à l'Assemblée nationale. Parce que si la Chambre avait siégé le lendemain, au moment de l'application de la Loi des mesures de guerre, ça aurait créé une situation politique encore plus délicate avec l'opposition, notamment le Parti québécois. Donc, je prévoyais qu'il y aurait de bonnes chances que l'on se retrouve avec la Loi des mesures de guerre. Le temps nous pressait. On avait trois lois à faire adopter. On ne voulait pas rester en Chambre indéfiniment. Même si on pouvait vivre avec les débats parlementaires, on voulait avoir les mains plus libres pour faire face à la crise. Je souhaitais donc que, si possible, la séance de la Chambre soit ajournée avant la fin de l'échéance du communiqué. Effectivement, la Chambre a été ajournée vers 10 h ou 11 h, alors que l'échéance était à 3 h du matin.

Je souhaitais aussi que l'on puisse adopter les lois pour forcer les médecins à rentrer parce que, dans les hôpitaux, il y avait la grève des médecins spécialistes. Ce n'était pas mineur car, là aussi, il y avait des vies en cause. Il fallait agir rapidement. À 3 h, on a donné le feu vert pour l'application de la Loi des mesures de guerre. Il y a eu par la suite des erreurs dans les arrestations des personnes recherchées mais, comme je disais tantôt, les personnes impliquées ont pu poursuivre le gouvernement.

ANDRÉ GUERTIN, *étudiant en science politique* — J'aimerais que vous nous disiez deux mots sur les intellectuels au Québec. Ceux-là mêmes qui se sont opposés à Duplessis, qui ont fait la Révolution tranquille avec Lesage. On a l'impression qu'après octobre 1970, on les retrouve plutôt avec le Parti québécois. On a parlé d'un parti de professeurs et, finalement, les artistes, les intellectuels se sont retrouvés de l'autre côté pendant que l'on parlait d'économie au Parti libéral. Pensez-vous que ce soit vrai, que ce soit inévitable et que ça doive continuer?

ROBERT BOURASSA — Par définition, les intellectuels sont toujours plus contestataires que les hommes d'affaires. Dans l'opposition, on peut faire plus de place à la contestation qu'au pouvoir. J'essaie de simplifier, mais je dirais que nous avons souvent tenu des colloques avec plusieurs intellectuels de renom. C'était assez partagé. Le Parti québécois arrivait tout de même avec un projet de société radicalement différent et la nouveauté est un atout à cet égard. Je ne peux cependant pas dire que nous étions boudés par les intellectuels.

Il y a eu le problème de la Crise d'octobre à propos duquel personne n'a pu nous dire ce qu'on aurait dû faire, sauf libérer les prisonniers politiques. Un mois après les événements, René Lévesque disait, en guise de critique à l'égard de notre attitude pendant la crise: «Quand l'armée va partir, les enlèvements vont recommencer.» Depuis 25 ans, rien de tel ne s'est reproduit. Je trouve pour ma part qu'un parti ne peut pas se renouveler en s'éloignant des intellectuels, même s'ils ne constituent pas les seuls guides dans les crises qui remettent en cause l'autorité de l'État.

ÉRIC LAUZON — Tout à l'heure, vous avez identifié la Crise d'octobre comme étant le genre d'événement pouvant menacer l'État. Il y a d'autres genres de phénomènes de société qui peuvent aussi menacer l'autonomie de l'État. On pense au crime organisé. Au cours des années 1970, il y a eu une commission sur ces questions-là. Dans ce genre d'organisation, on pense souvent à infiltrer les différents paliers de gouvernement pour infléchir les décisions en sa faveur. Est-ce que cela a été un problème au Québec durant la période que l'on vient de voir? Et est-ce que cela ne sera jamais un problème qui menacera l'autonomie de l'État comme c'est le cas dans d'autres pays comme l'Italie? Est-ce qu'au Québec, on a des instruments pour protéger le gouvernement de ce genre de problème?

ROBERT BOURASSA — Le financement électoral a été réformé. Monsieur Lesage et moi-même avons commencé et monsieur Lévesque a poursuivi avec beaucoup de conviction. Là, on tombe dans la période après 1970. On a eu une Commission d'enquête sur le crime organisé et on a adopté des mesures pour préserver l'indépendance financière des partis, et par conséquent des gouvernements. En 1977, on a interdit aux entreprises de contribuer aux caisses électorales. Auparavant, on avait permis à l'État de subventionner les partis qui obtenaient un minimum de voix aux élections. Donc, dans la mesure où l'on protège l'indépendance des partis, on est un peu vacciné contre l'influence du crime organisé. Il peut cependant toujours y avoir des cas isolés. Pour répondre à votre question, je n'ai pas senti, de 1966 à 1970, d'influence significative de ce côté-là, ni par la suite d'ailleurs.

ÉRIC LAUZON — Il y a beaucoup d'intervenants en ce moment dans le milieu politique qui affirment qu'il pourrait être bien d'avoir au Québec une loi anti-mafia pour donner des outils aux policiers. Est-ce que cela a été envisagé durant cette période-là?

ROBERT BOURASSA — Chaque fois qu'on fait de telles demandes, il faut quand même respecter notre tradition démocratique concernant la présomption d'innocence. À l'occasion, il faut agir, comme ce fut le cas pour la Commission d'enquête sur le crime organisé. Ça n'était pas facile pour le gouvernement. Concernant la viande avariée par exemple, on voyait le déroulement de l'enquête à la télévision.

GÉRARD BOISMENU — Moi, j'ai pris le parti de vous inviter à parler de votre conception du Canada et des institutions canadiennes et je vais continuer à le faire. Si on met de côté la question monétaire, est-ce que vous partagiez largement les vues que l'on retrouvait dans *Option Québec*, par exemple? Il y a un manifeste là-dedans qui fait une critique de la situation du Québec à l'intérieur du Canada, du fonctionnement des institutions et puis il y a une proposition, je dirais de solution, une alternative qui est présentée. Vous êtes en désaccord avec la partie de l'alternative concernant la question de la monnaie. Je conviens avec vous que ce n'est pas une question mineure, mais on ne peut faire abstraction des autres choses. Est-ce que votre désaccord va plus loin que les questions monétaires ou est-ce que vous aviez une sympathie générale à l'égard de ce que l'on retrouve dans ce texte, dont le contenu était issu de discussions tenues, entre autres endroits, à votre propre domicile?

ROBERT BOURASSA — On le sait, j'ai toujours fait de la politique au niveau québécois et avant d'être Canadien ou Québécois, je suis francophone et il s'agit de déterminer si l'avenir est du côté de la fédération ou à l'extérieur de la fédération canadienne pour les francophones en Amérique du Nord. Je crois, pour ma part, que ça peut se faire à l'intérieur de la fédération.

Autre point, que j'aimerais mieux développer davantage lorsque l'on va parler de Charlottetown et des efforts que j'ai faits pour y conclure une entente, parce que, c'est la conception même de l'avenir du Québec qui est en cause. Je me contenterai de dire tout de suite que l'évolution du concept de la souveraineté a été considérable à partir de 1967, quand j'en parlais avec René Lévesque, jusqu'à 1995. La souveraineté, ça représente quoi aujourd'hui quand l'environnement, les finances et l'économie enjambent les frontières? Mais on aura l'occasion d'y revenir. Tout ce que je conclurai, c'est qu'en 1968, on sortait de la Révolution tranquille sous Jean Lesage et qu'on avait démontré qu'on ne manquait pas de moyens pour que le Québec puisse s'affirmer à l'intérieur de la fédération.

Juste pour terminer, j'ai dit au tout début que, pour moi, l'objectif, c'était de bâtir au Québec un État français au Canada et en Amérique du Nord. C'est ce que j'ai essayé de faire, notamment sur le plan de la culture, de la langue, et de l'immigration.

PIERRE MARTIN, *professeur de science politique* — Ma question porte sur un sujet qui se rapproche un peu de ce que mon collègue Boismenu vient de mentionner mais, peut-être, à un niveau plus personnel, plus anecdotique si l'on veut. Selon plusieurs sources, vous vous êtes retrouvé une certaine soirée avec René Lévesque qui a essayé de vous convaincre de le suivre. Finalement, après une assez longue discussion, monsieur Lévesque vous a quitté à une heure assez avancée de la soirée, ne vous ayant apparemment pas convaincu de le suivre. Pourriez-vous nous raconter cette soirée-là en vous référant strictement à ce qui s'est passé à ce moment-là? Comment la discussion s'est-elle déroulée? Qu'est-ce qui s'est passé au juste?

ROBERT BOURASSA — J'avais essayé d'atténuer les tensions entre René Lévesque, Jean Lesage et Eric Kierans, lequel menait, sur le plan idéologique, la résistance aux idées de René Lévesque. Je me rendais compte que ça ne menait nulle part. Nous étions à ma résidence, rue Britanny, à Ville Mont-Royal. C'était en septembre. Le congrès du parti était imminent. Il fallait que l'on tranche la question. Les invités étaient réunis au sous-sol alors que j'étais avec Lévesque au salon. Je lui ai dit: «Ça ne peut pas fonctionner.» J'invoquais la monnaie. Évidemment, sa réaction a été de dire: «Qu'est-ce que la monnaie a à faire avec le destin d'une nation?» Ça a évolué autour de ça et il a dit: «Je comprends.» Puis on s'est serré la main. Je résume...

PIERRE MARTIN — Justement, ce sont les choses que vous ne dites pas qui m'intéressent. Étiez-vous d'accord en principe avec lui, mais avec de graves réticences concernant la monnaie, ou est-ce que vous étiez en désaccord fondamental avec l'objectif qu'il s'était fixé? Ce que je veux savoir, c'est la nature de votre opposition. Était-ce une opposition de principe ou une opposition de modalité?

ROBERT BOURASSA — Comme je viens de le signaler, trancher sur la pertinence de la souveraineté en 1967 me paraît une question plus réelle qu'en 1995. Il y avait d'abord une question pratique. J'ai ici une manchette de l'époque qui dit: «Bourassa: la thèse de Lévesque n'est pas applicable.» Dans la mesure où, avant même que j'aie à me décider sur la pertinence de la souveraineté et de la désintégration de la fédération — ce qui n'était pas une mince affaire — et de l'isolement du Québec en Amérique du Nord — parce que j'ai toujours cru que si le Québec se retirait, le Canada ne pourrait survivre avec les bien-nantis d'un côté et les moins bien nantis de l'autre — je voulais savoir, au moins sur le plan concret, si sa thèse pouvait fonctionner. Or, à mon sens, elle ne pouvait pas fonctionner. Monsieur Lévesque se trouvait devant un dilemme: s'il créait une monnaie québécoise, il y avait de bonnes chances qu'on se retrouve avec une souveraineté «d'opérette» et qu'on devienne un protectorat américain sous la forte influence de Wall Street; et, s'il optait pour la monnaie canadienne, il s'inscrivait dans une logique néo-fédéraliste. Et, dans la mesure où je ne pouvais pas être satisfait au niveau pratique, je n'avais pas à aller plus loin quant au concept. Ça n'empêchait ni lui ni moi d'être des patriotes québécois au fond de leur âme, même s'ils ne s'entendaient pas sur les modalités du progrès du Québec.

REPÈRES
CHRONOLOGIQUES

5 juin 1966 — Élection de Robert Bourassa dans la circonscription de Mercier. Majorité de 518 voix.

24 juillet 1967 — Visite du Général de Gaulle à l'Hôtel de Ville de Montréal. Il lance à la foule son retentissant «Vive le Québec libre».

14 octobre 1967 — René Lévesque quitte le Parti libéral du Québec.

19 novembre 1967 — René Lévesque fonde le Mouvement souveraineté-association (MSA).

6 avril 1968 — Élection de Pierre Elliott Trudeau comme chef du Parti libéral du Canada au quatrième tour de scrutin. La répartition des voix: Trudeau (1203); Winters (954); Turner (195).

4 et 5 novembre 1968 — Conférence constitutionnelle canadienne.

25 juin 1968 — Élection de Pierre Elliott Trudeau comme quinzième Premier ministre du Canada.

26 septembre 1968 — Mort de Daniel Johnson, Premier ministre du Québec.

2 octobre 1968 — Jean-Jacques Bertrand est nommé chef intérimaire de l'Union nationale.

14 octobre 1968 — René Lévesque devient président du Parti québécois.

21 juin 1969 — À l'issue du congrès de son parti, Jean-Jacques Bertrand est confirmé chef permanent de l'Union nationale.

Été 1969 — Grève des policiers de Montréal.

20 novembre 1969 — Adoption de la loi 63.

17 janvier 1970 — Élection de Robert Bourassa comme chef du Parti libéral du Québec au premier tour de scrutin. La répartition des voix: Bourassa (843); Wagner (455); Laporte (288).

29 avril 1970 — Tenue des élections générales au Québec. Robert Bourassa est élu Premier ministre du Québec.

5 octobre 1970 — Enlèvement du diplomate James Richard Cross à sa résidence de Westmount par les membres du FLQ (cellule Libération).

8 octobre 1970 — Lecture du manifeste du FLQ à la télévision de Radio-Canada.

10 octobre 1970 — Enlèvement du ministre québécois Pierre Laporte à sa résidence de Saint-Lambert par les membres du FLQ (cellule Chénier). Le Premier ministre Robert Bourassa installe son quartier général et son gouvernement à l'hôtel Reine-Elizabeth.

11 octobre 1970 — Les médias diffusent le contenu d'une lettre pathétique de Pierre Laporte écrite à l'attention du Premier ministre Bourassa. Discours du Premier ministre Robert Bourassa à la télévision.

12 octobre 1970 — Le gouvernement amorce à Montréal des négociations avec l'avocat Robert Lemieux, délégué par les deux cellules du FLQ.

14 octobre 1970 — À la tête d'une quinzaine de personnalités québécoises, René Lévesque et Claude Ryan suggèrent au gouvernement de libérer les 23 prisonniers politiques pour tenter de sauver la vie des otages.

15 octobre 1970 — Le Premier ministre Robert Bourassa demande l'intervention de l'armée canadienne pour assurer la sécurité de la population et des édifices publics.

16 octobre 1970 — À la Chambre des communes, le Premier ministre Trudeau proclame l'application de la Loi des mesures de guerre.

17 octobre 1970 — Le corps de Pierre Laporte est découvert dans le coffre d'une automobile stationnée près de l'aéroport de Saint-Hubert. La police émet des mandats d'arrêt contre deux felquistes: Paul Rose et Marc Carbonneau.

19 octobre 1970 — Le procureur de la couronne émet des mandats d'arrêt contre Jacques Rose, Bernard Lortie et Francis Simard, recherchés pour l'enlèvement et le meurtre de Pierre Laporte.

3 décembre 1970 — Un officier de la GRC découvre le lieu de détention du diplomate James Richard Cross à Montréal-Nord. En échange de sa libération, les ravisseurs bénéficient d'un sauf-conduit et s'envolent pour Cuba.

19 décembre 1970 — Adoption de la loi 65 concernant les districts électoraux. La loi 65 visait à abroger l'article 80 de l'Acte de l'Amérique du Nord britannique (AANB), une disposition empêchant l'Assemblée nationale de procéder à toute réforme de la carte électorale impliquant 17 comtés dits protégés.

28 décembre 1970 — La police découvre le repère des ravisseurs du ministre du Travail.

Deuxième rencontre

LES ANNÉES 1970

La Baie James ♦ La Commission Cliche ♦
La conférence de Victoria ♦ L'emprisonnement
des chefs syndicaux ♦ L'élection de 1973 ♦ La loi 22 ♦
Les Jeux olympiques ♦ La défaite de 1976

Mardi, le 21 février 1995 à 17 heures
dans la salle M-425 du pavillon principal
de l'Université de Montréal

PERSONNES PRÉSENTES

André J. Bélanger, Nicole Bernier, André Blais,
Gérard Boismenu, Guy Bourassa, Kathy Brock,
Édouard Cloutier, Bernard Cantin, Antoine Del Busso,
Francis Demers, Philippe Faucher,
André Guertin, David Irwin, Michael Keating,
Marc Lachance, Éric Lauzon, Brigitte Levy,
Pierre Martin, Pascal Mailhot, Antonia Maioni,
Louis Massicotte, Denis Monière, Sylvia Nadon,
Alain Noël, André Normandeau, Isabelle Petit,
Philippe Poulin, Stéphane Roussel, Payanotis Soldatos,
Daniel Turp, Alexis Valas

Nous traiterons aujourd'hui de la décennie 1970, laquelle n'a pas été la période la plus tranquille de l'histoire contemporaine du Québec.

Comme nous l'avons dit la semaine dernière, j'ai été élu en 1970, sur une plate-forme économique. On se souvient du slogan des «100 000 emplois». J'avais voulu, dès mon arrivée au pouvoir, appliquer cet objectif d'une façon concrète. On était alors axé sur une économie de ressources naturelles plutôt que sur une économie de développement technologique. Je m'étais donc déclaré, comme chef de l'opposition, et auparavant comme candidat au leadership du parti, pour le développement du Nord et des ressources hydrauliques qui comportait aussi, il faut le dire, certains avantages pour la technologie québécoise.

Il y avait eu des discussions de plus en plus suivies depuis une quinzaine d'années et, à Hydro-Québec, on était d'accord en principe sur un tel développement, mais aucun calendrier n'avait été fixé. On avait l'impression qu'il s'agissait d'un projet destiné à voir éventuellement le jour au cours des années 1970. Et, comme nous le verrons tantôt, plusieurs personnes favorisaient l'option nucléaire aux dépens de l'option hydro-électrique.

Je n'ai cependant eu aucune difficulté à convaincre les dirigeants d'Hydro-Québec que la priorité devait être accordée à l'hydro-électricité. Toutes ces discussions sur le développement de la Baie James, qui a été finalement reconnu par tous les dirigeants politiques du Québec comme étant l'une des grandes réalisations économiques du siècle, comportaient des aspects techniques et financiers et impliquaient la question des relations avec les autochtones. Au lendemain donc de la Crise d'octobre, plusieurs défis devaient être affrontés, dont le plus important, pour mon gouvernement et pour moi, était évidemment celui du progrès économique. À cause de cette violence politique qui avait secoué le Québec depuis quelques années, le contexte était moins facile.

Le gouvernement fédéral était prêt à collaborer mais ses priorités étaient davantage axées sur la réforme constitutionnelle. Monsieur Trudeau avait été élu en 1968 en obtenant, au Québec, une majorité absolue des voix, et 56 députés sur 74. Plus du tiers de sa députation canadienne venait donc du Québec.

On trouvait aussi à l'ordre du jour toute la question linguistique, puisque la Commission Gendron[1] poursuivait son enquête. Dans les semaines qui ont suivi la Crise d'octobre, il y a eu une élection partielle dans le comté de Chambly pour remplacer monsieur Laporte. Cette élection a permis à monsieur Jean Cournoyer[2] d'être élu député et confirmé comme ministre du Travail.

---

1. Commission d'enquête sur la situation de la langue française et sur les droits linguistiques au Québec, présidée par Jean-Denis Gendron (1972). La Commission Gendron avait pour mandat de faire enquête sur la situation du français comme langue d'usage au Québec, et de recommander les mesures propres à assurer: *(a)* les droits linguistiques de la majorité aussi bien que la protection des droits de la minorité; *(b)* le plein épanouissement et la diffusion de la langue française au Québec dans tous les secteurs d'activité, à la fois sur les plans éducatif, culturel, social et économique.

2. Jean Cournoyer, élu député de l'Union nationale en octobre 1969 (élection partielle). Ministre de la Fonction publique, puis ministre du Travail et de la Main-d'œuvre. Défait en 1970. Robert Bourassa le nomme au même ministère en octobre 1970 avant qu'il se fasse réélire comme député libéral en février 1971. Il sera aussi ministre des Richesses naturelles de juillet 1975 à novembre 1976.

C'est dans ce contexte qu'eut lieu, le 30 avril 1971, à l'occasion de l'anniversaire de mon élection comme Premier ministre, au Colisée de Québec et devant 8000 partisans et militants libéraux, l'annonce des travaux de la Baie James. Il n'y avait dans mon esprit aucune hésitation sur la supériorité de l'hydro-électricité par rapport au nucléaire, au charbon ou au pétrole. Les retombées économiques de l'hydro-électricité étaient nettement supérieures à celles des autres options. C'était une énergie propre, renouvelable et forcément protégée contre l'inflation puisqu'une fois les constructions terminées, les coûts d'opération étaient relativement minimes. Les barrages ont une espérance de vie qui dépasse largement les soixante ans. On fait, ces années-ci, des réparations à des barrages construits au début du siècle.

Les autres options comportaient par contre plusieurs inconvénients. Par exemple, le nucléaire posait des problèmes de déchets radioactifs et de sécurité, laquelle ne pouvait être entièrement garantie. Il y avait au Québec des dirigeants politiques qui proposaient l'option nucléaire. Les faits sont les faits. Monsieur Parizeau, notamment, insistait beaucoup sur cette option-là et m'avait vertement critiqué, au mois de mai 1971[3], suite à mon annonce sur le développement hydro-électrique, en disant que, selon ses calculs, l'énergie nucléaire coûterait trois fois moins cher que l'énergie hydro-électrique. C'était une erreur, comme il arrive à tout le monde d'en commettre en politique, car c'est plutôt l'inverse qui s'est avéré être exact. Son argument était que Hydro-Ontario s'orientait vers le nucléaire et que c'était l'énergie de l'avenir. On sait que, pour toutes sortes de raisons, c'est plutôt l'énergie hydro-électrique qui est apparue, et de loin, comme la

---

3. Guy Deshaies, «Prématuré pour Hydro-Québec, dépassé pour Parizeau», *Le Devoir*, 1er mai 1971.

forme d'énergie la plus avantageuse sur le plan économique et sur le plan de l'environnement.

Il y avait aussi le charbon, sur lequel on n'a pas besoin d'insister, puisque c'était une ressource épuisable, et le pétrole. Dans le cas du Québec, on s'approvisionnait en pétrole principalement au Moyen-Orient, région où la stabilité politique n'était pas toujours évidente, sans compter les mouvements liés au taux de change.

Malgré cela, il y a eu, durant plusieurs années, une opposition féroce à la politique de mon gouvernement, qui s'est manifestée dès la présentation du projet de loi à l'été 1971. Les partis d'opposition y étaient hostiles pour différentes raisons. Finalement, nous avons fait adopter le projet de loi le 14 juillet[4]. Nous avions alors accepté certains amendements qui se trouvaient à consolider le rôle d'Hydro-Québec dans le développement énergétique.

La mise en application de cette loi a entraîné des problèmes de coûts, de relations de travail et de rivalités entre les syndicats. Sur le plan des coûts, il est clair que les prédictions n'ont pas été respectées, surtout parce qu'il y eut une période d'inflation assez forte au milieu des années 1970. Il n'en demeure pas moins que toutes considérations étant faites, l'hydro-électricité s'est avérée être encore nettement avantageuse par rapport au nucléaire. Les relations syndicales ont été difficiles, vu la rivalité entre la CSN[5] et la FTQ[6]. Cette dernière centrale a été mise sur la sellette avec, en mars 1974, le saccage de la Baie James et la formation, par la suite, de la

---

4. Adoption du projet de loi 50 le 14 juillet 1971. La loi intitulée «Loi de développement de la Baie James» créa la Société de développement de la Baie James. Cette société devint l'organisme suprême dans les différentes phases du développement de la Baie James.

5. Confédération des syndicats nationaux.

6. Fédération des travailleurs du Québec.

Commission Cliche[7], chargée d'enquêter sur les événements entourant ce saccage.

Comme gouvernement, nous avons décidé d'établir une commission d'enquête parce que nous avions plusieurs indications à l'effet que le secteur de la construction était vulnérable à diverses influences peu rassurantes. Sa composition présentait une neutralité incontestable puisqu'en plus d'être présidée par Robert Cliche[8], ancien candidat du NPD, elle comportait Brian Mulroney[9], d'obédience conservatrice, Guy Chevrette[10], qui était à ce moment-là président de l'Association péquiste de Joliette, et Lucien Bouchard[11] qui, je crois,

---

7. Commission d'enquête sur l'exercice de la liberté syndicale sur les chantiers de construction présidée par Robert Cliche (1974-1975). La Commission Cliche avait pour mandat: «*(1)* d'enquêter et de faire rapport: *(i)* sur l'exercice de la liberté syndicale sur les chantiers de construction; *(ii)* sur le comportement des personnes qui œuvrent sur les chantiers de construction, empêchant le déroulement normal des opérations et entraînant des abus contre les personnes et la propriété, des retards dans les travaux, des majorations de coûts et autres inconvénients; *(2)* de faire des recommandations sur les moyens à prendre: *(i)* pour assurer le plein exercice de la liberté syndicale sur tous les chantiers de construction du Québec; et *(ii)* pour prévenir, dans l'avenir, les comportements ci-haut décrits des personnes qui œuvrent sur les chantiers de construction.»

8. Robert Cliche (1921-1978), avocat et chef québécois du Nouveau Parti démocratique de 1963 à 1968. Sera nommé juge en chef adjoint de la Cour provinciale du Québec le 26 juillet 1972.

9. Brian Mulroney sera élu chef du Parti conservateur le 11 juin 1983. Il sera Premier ministre du Canada de 1984 à 1993.

10. Guy Chevrette sera élu député du Parti québécois en 1976. Réélu à chaque élection, il a dirigé plusieurs minstères dans le cabinet de René Lévesque. Leader parlementaire de l'opposition après le retour au pouvoir de Robert Bourassa en 1985. Leader parlementaire du gouvernement, ministre d'État au Développement des régions, ministre des Affaires municipales et ministre responsable de la Réforme électorale depuis le 26 septembre 1994.

11. Lucien Bouchard, procureur en chef de la Commission Cliche, sera nommé ambassadeur du Canada en France en septembre 1985. Élu député du Parti conservateur à la Chambre des communes en juin 1988 (élection

m'avait appuyé en 1970 mais avait appuyé le Parti québécois à l'élection de 1973. Monsieur Bouchard fut nommé procureur en chef de la commission. Cette commission a fait un excellent travail et ses recommandations ont été, à toutes fins utiles, intégralement appliquées.

Cette période n'a pas été facile. Durant quelques semaines, un événement a monopolisé l'attention du public et des médias. Au cours des enquêtes, on avait intercepté une conversation téléphonique dans laquelle un chef de cabinet d'un ministre avait offert un poste moyennant un pot-de-vin de 2000 $. Cette écoute électronique était survenue durant la Crise d'octobre.

Monsieur Cliche et les commissaires tentèrent d'établir qui était au courant de cette écoute du gouvernement. Le ministre du Travail? Le ministre de la Justice? Le Premier ministre? Certains en faisaient une affaire d'État. Il faut dire que la Commission Cliche suivait de quelques mois la Commission Sirica[12] aux États-Unis. Certains commissaires, dont les ambitions politiques n'étaient pas mal servies par les feux de la rampe, pouvaient s'accomoder plutôt bien de ce pouvoir quasi judiciaire. Donc, pour certains, c'était dramatique et pour d'autres, c'était moins déterminant puisqu'il s'agissait d'une conversation téléphonique survenue en pleine Crise d'octobre, sur une question qui ne relevait quand même pas du mandat de la commission, à strictement parler, et qui n'impliquait pas d'une façon crédible l'intégrité du gouvernement.

Tout ça a été éclairé par le témoignage du ministre de la Justice, monsieur Choquette, qui a dit qu'il était au courant

---

partielle), il démissionne du Conseil des ministres le 22 mai 1990. Fondateur du Bloc québécois. Leader de l'opposition officielle depuis novembre 1993.

12. Commission américaine présidée par John Sirica en relation avec l'affaire du Watergate qui entraîna la démission du président américain Richard Nixon.

mais qu'il avait préféré ne pas en informer trop de personnes pour permettre que cette écoute électronique puisse révéler des pistes additionnelles de présumés réseaux de crime organisé. Finalement, l'énorme ballon s'est dégonflé rapidement et le gouvernement est sorti complètement blanchi sur cette question de l'intégrité. Sauf que, pendant quelques semaines, cette péripétie assez mouvementée avait constitué un bon test pour les nerfs des personnes impliquées.

Ce test était d'autant plus réel que, durant toute cette période, plusieurs médias d'information spéculaient sur le fait que certains dirigeants du Parti libéral fédéral pourraient ne pas être trop malheureux des soupçons entourant un Premier ministre du Québec qui, comme on le sait, s'était opposé à la Charte de Victoria et qui avait fait adopter une loi[13] établissant le français comme seule langue officielle, autant de politiques québécoises qui ne coïncidaient pas avec celles du gouvernement fédéral. Comme je vous l'ai dit, cet épisode a été désagréable sur le coup mais s'est terminé sans nuire au gouvernement.

Outre les difficultés liées au saccage du chantier et à l'infiltration d'éléments non désirables dans l'industrie de la construction, la Baie James et son développement ont conduit à de sérieux problèmes avec les tribunaux, notamment sur la question des autochtones. Au mois de novembre 1973, le juge Malouf[14] rend un jugement très important qui accorde une injonction interlocutoire sur les travaux de la Baie James en invoquant certains droits apparents des autochtones sur le territoire québécois et la possibilité, en l'absence d'une telle

---

13. La loi 22, adoptée le 31 juillet 1974. Cette loi confirme que «le français est la langue officielle du Québec».

14. Albert Malouf, d'abord nommé juge à la Cour des sessions de la paix du district de Montréal, le 27 août 1968, a été promu à la Cour supérieure le 24 mai 1972 et a accédé à la Cour d'appel du Québec le 23 juillet 1981.

injonction, que des dommages irréparables soient causés par ces travaux aux territoires réclamés par les Amérindiens.

Ce jugement se trouve alors à suspendre les travaux de la Baie James, événement assez dramatique dans le contexte et qui a surpris plusieurs milieux, y compris les milieux politiques. Plusieurs milliers de travailleurs se sont vu obligés de rentrer chez eux pour respecter l'injonction. Le gouvernement du Québec décide donc d'aller en appel. La Cour d'appel entend le plaidoyer du gouvernement dès le 22 novembre, soit à peine une semaine après le jugement original, et donne raison au gouvernement. L'argument qui est invoqué par la Cour — certains pourraient même dire l'astuce — est que la loi 50, adoptée par l'Assemblée nationale, mentionne qu'il faut faire «l'exploitation des richesses naturelles du territoire délimité dans la loi et l'aménagement de ce territoire en donnant priorité aux intérêts québécois». Donc, la Cour d'appel, dans un jugement assez bref, dit que cette loi-là n'est pas anti-constitutionnelle, puisqu'elle a dûment été adoptée par l'Assemblée nationale, et que les besoins de 6 000 000 de consommateurs québécois devraient primer sur ceux des 2000 requérants.

La Cour d'appel suspend donc l'injonction interlocutoire tout en se disant prête à entendre les arguments relatifs au fond de la décision du juge Malouf. Les travaux reprennent. Il y a ensuite, en décembre 1973, appel à la Cour suprême de la décision de la Cour d'appel. Un mois plus tard, la Cour suprême, par une décision assez serrée de trois juges contre deux, confirme le jugement de la Cour d'appel qui suspendait l'injonction interlocutoire. Le juge en chef Gérald Fauteux[15]

---

15. Gérald Fauteux (1900-1980) est nommé juge de la Cour supérieure en 1947, puis juge de la Cour suprême du Canada en 1949, dont il devient le juge en chef en 1973.

et le juge Douglas Abbott[16], qui avait été ministre des Finances sous Mackenzie King et député d'une circonscription de la région de Montréal, étaient deux juges du Québec parmi les trois juges qui ont confirmé le jugement de la Cour d'appel.

Cette bataille juridique aurait pu mal tourner pour le gouvernement puisqu'elle impliquait des milliers de travailleurs et un projet clé pour l'avenir économique du Québec. Comme Premier ministre, j'avais décidé de commencer les travaux puisque les discussions paraissaient interminables et qu'il était important d'agir. Mais, à la suite de ce succès juridique pour le gouvernement, les négociateurs des autochtones ont décidé d'accélérer les discussions et ont négocié ce que l'on a appelé l'entente de la Baie James. De mon côté, j'avais demandé à M. John Ciaccia d'être mon représentant personnel à la table des négociations. Monsieur Ciaccia[17] venait tout juste d'être élu député québécois. Il avait été sous-ministre de Jean Chrétien[18], alors ministre des Affaires indiennes, et avait, à ce titre, aidé financièrement les autochtones lors de leur opposition au gouvernement du Québec. Une entente a été conclue le 15 novembre 1975.

Cette entente[19] accordait aux autochtones certains droits,

---

16. Douglas C. Abbott (1899-1987), juge à la Cour suprême du Canada de 1954 à 1973. Avait été ministre fédéral des Finances de 1946 à 1948.

17. John Ciaccia, député libéral depuis 1973. Représentant du Premier ministre lors de la négociation de la Convention de la Baie James et du Nord québécois en 1975. Il été titulaire de plusieurs ministères entre 1985 et 1994.

18. Jean Chrétien, est élu à la Chambre des communes pour la première fois en 1963 et a dirigé plusieurs ministères dans le gouvernement fédéral. Absent de la Chambre des communes de 1986 à 1990, il devient chef du Parti libéral en 1990 et Premier ministre du Canada le 4 novembre 1993.

19. Après deux ans de négociations, la convention de la baie James a été signée le 15 novembre 1975 par le gouvernement du Québec, les Cris de la Baie James et les Inuit du Nord québécois. Par cette entente, les Cris et les Inuit renoncent à toute revendication territoriale, de même qu'à tous droits

dont, par exemple, des droits de pleine propriété, assez semblables à ceux que le gouvernement actuel du Québec a reconnu aux Montagnais sur certaines terres, des droits partagés de chasse et de pêche sur un plus grand territoire et une compensation financière de plusieurs centaines de millions de dollars. Comme résultat, le Québec a aujourd'hui en main un document, entériné par une loi fédérale et une loi de l'Assemblée nationale, qui stipule que, sur une importante partie du territoire du Québec, les autochtones ont légalement renoncé à leurs droits ancestraux. Je mets cet aspect en relief parce que je vous ai signalé plus tôt comment, sur le plan juridique, cette affaire aurait pu prendre une tout autre direction.

Outre ses incidences sur les relations de travail et sur les relations avec les autochtones, le projet de la Baie James a eu des effets proprement politiques puisqu'il a été très fortement contesté par tous les partis d'opposition jusqu'à l'élection de 1976. Il y a eu par la suite des ajustements dans l'attitude de ces partis.

Revenons donc à 1971, pour traiter du dossier constitutionnel. La priorité du gouvernement Trudeau était alors de rapatrier la Constitution, c'est-à-dire d'établir l'indépendance juridique du Canada. Le Québec n'avait pas d'objection de principe, d'autant plus que monsieur Trudeau avait eu un mandat populaire assez explicite. Mais, sur le plan historique, le Québec avait toujours demandé que cela s'accompagne

---

et titres au Québec. En retour, l'entente prévoit des droits exclusifs d'usage de certaines terres, un nouveau régime de chasse, de pêche et de trappage, une compensation financière. Le territoire concerné par l'entente comprend les vastes étendues faisant autrefois partie des Territoires du Nord-Ouest et cédées au Québec par acte du Parlement en 1898 et en 1912. Elle prévoit aussi que le Québec prendra des mesures en vue du développement planifié des régions visées.

d'un nouveau partage des pouvoirs. La volonté du gouvernement fédéral de rapatrier la Constitution était une opportunité pour accroître le rapport de force du Québec au sein de la fédération. Outre le poids politique et économique du Québec, qui est très important, il y avait aussi cette volonté tout à fait compréhensible du Canada de cesser d'être dans une situation de colonisé sur le plan juridique où tout amendement constitutionnel requérait une loi du Parlement britannique. Selon le gouvernement du Québec, cette volonté ne pouvait se réaliser que si l'on parvenait, en même temps, à établir un nouveau partage des pouvoirs entre le gouvernement fédéral et les provinces. Notre gouvernement a toujours été très clair à ce sujet. Dès l'ouverture de la conférence, le 14 juin 1971, j'avais fermement exprimé cette position.

La Charte de Victoria[20] comportait des éléments intéressants. Il y avait tout d'abord un droit de veto régional, qui était différent de ce que le Québec obtiendra par la suite dans l'Accord du lac Meech[21]. Meech, en effet, accordait un droit de veto à toutes les provinces, alors qu'avec Victoria, ce droit était accordé à quatre régions, dont le Québec. Par rapport à Victoria, Meech permettait à de plus nombreuses entités, soit

---

20. La Charte de Victoria contenait des dispositions ayant trait aux sujets suivants: les droits fondamentaux; les langues officielles et les droits linguistiques, la péréquation et les disparités régionales, les mécanismes des relations fédérales-provinciales, la Cour suprême, la modernisation de la Constitution, la sécurité du revenu, les services sociaux, la procédure de modification et le rapatriement de la Constitution.

21. L'Accord du lac Meech de 1987 comprenait cinq conditions formulées ainsi: *(1)* la reconnaissance du Québec comme société distincte; *(2)* la garantie d'un rôle accru des autorités provinciales en matière d'immigration; *(3)* la participation du gouvernement québécois à la nomination des juges de la Cour suprême du Canada; *(4)* la limitation du «pouvoir de dépenser» du gouvernement fédéral; *(5)* la reconnaissance d'un droit de veto au Québec sur la réforme des institutions fédérales et la création de nouvelles provinces.

les plus petites provinces, de bloquer l'évolution constitutionnelle du Canada, mais sur un nombre limité de sujets,
et comportait un droit de retrait pour les provinces dissiden-
tes. Concernant la Cour suprême, nous avions la garantie,
avec Victoria, d'avoir trois juges provenant du Québec. On
a constaté tantôt, concernant les droits des autochtones à la
Baie James, cette présence du Québec au sein du Tribunal,
cela dit en reconnaissant l'impartialité de la Cour suprême.
Il y avait également dans Victoria un début de partage des
pouvoirs. Nous demandions la priorité dans le domaine
social, c'est-à-dire que, dans toutes les politiques sociales,
les lois du Québec aient priorité sur les lois fédérales avec
pleine compensation dans le cas où la loi fédérale prévoyait
que des dépenses auraient pu être effectuées au Québec.
Dans la Charte de Victoria, on accordait ce qu'on appelait
une «préséance» dans le secteur des allocations familiales, des
allocations à la jeunesse et de la formation professionnelle
où les lois fédérales ne devaient pas contredire les lois provinciales. Cette préséance ne correspondait pas à ce que nous
demandions.

En plus, il y avait de nouveaux droits linguistiques pour
les minorités francophones. Le Québec ne pouvait quand
même pas se désintéresser de leur sort.

Cependant, Victoria offrait très peu en matière de réaménagement des pouvoirs et le gouvernement du Québec
insistait sur cette opportunité unique pour établir un meilleur
équilibre. Sur le plan historique, je devais, comme Premier
ministre du Québec, saisir une occasion d'améliorer le fonctionnement du fédéralisme. J'ai donc tiré les conclusions qui
s'imposaient et décidé de ne pas accepter Victoria. Plusieurs
personnes ont soutenu que j'avais accepté Victoria avant de
revenir sur ma parole. Selon le compte rendu des séances du
Conseil des ministres tenu à mon retour de la conférence, les

21 et 22 juin, il est clairement exprimé qu'aucune acceptation n'avait jamais été faite.

Ce n'était évidemment pas toujours facile de participer à des discussions à onze. Je me souviens que certains Premiers ministres de l'Ouest disaient: «Nous, on aimerait ça avoir un droit de veto sans condition comme le Québec et l'Ontario.» Ma position consistait plutôt à dire: «Même si nous avions un droit de veto, ça ne serait pas suffisant. Il faut un réaménagement significatif des pouvoirs.» Les partenaires répondaient alors: «Réglons la question du rapatriement. C'est une situation assez ridicule que de devoir soumettre une loi ou une entente du Canada à l'approbation du Parlement britannique. Entendons-nous pour établir l'indépendance juridique du Canada. Après, on pourra s'attaquer au partage des pouvoirs.»

Le dialogue n'était donc pas toujours facile entre les partenaires parce que, alors, je devais reconnaître que le Québec restait, au plan juridique, un pays colonisé puisque nous ne pouvions pas obtenir un réaménagement des pouvoirs pour actualiser la constitution canadienne. La position que j'ai prise à cette conférence était quand même solidement appuyée par la population du Québec. J'ai reçu l'appui de mon caucus, du Conseil des ministres, de la plupart des leaders d'opinion dans le domaine des affaires comme dans le domaine syndical. Je comprends que le Premier ministre du Canada était déçu de ma position puisque Victoria constituait une priorité pour lui, mais j'avais un mandat différent du sien et j'ai donc agi en tant que Premier ministre du Québec.

J'avais donc, sur ce plan, opté pour la prudence. Je me rendais bien compte que ça ne réglerait pas le problème. Je me souviens d'un commentaire du père Richard Arès qui disait, dans les jours qui ont suivi la conférence de Victoria: «Plus on retarde la solution de ce problème, plus ça va être long, plus ce sera difficile à régler.» Je me souvenais aussi que Jean Lesage et René Lévesque, en acceptant la formule Fulton-Favreau[22], qui était une formule d'amendement soumise par monsieur Pearson, s'étaient placés dans une position assez délicate. Ces exemples me consolidaient dans la prudence et dans l'importance de ne pas faire preuve de la moindre témérité sur cette question du partage constitutionnel des pouvoirs et des revendications historiques du Québec.

Plusieurs disent que si Victoria avait été réglé, il n'y aurait pas eu de rapatriement unilatéral et, conséquemment, nous n'aurions eu ni Meech ni Charlottetown. C'est le point de vue de monsieur Trudeau qui, dans ses mémoires, exprime sa profonde déception. Je demeure encore convaincu que je ne pouvais pas renoncer à l'atout — et le Québec n'en avait pas plusieurs, dans le contexte de l'Amérique du Nord — que constituait pour le Québec la possibilité de lier le rapatriement de la constitution avec un nouveau partage des pouvoirs.

L'argument de l'engagement préalable à discuter du partage des pouvoirs une fois la constitution rapatriée ne me semblait pas tellement convaincant non plus. Il faut quand même aussi souligner qu'à cette époque, nous sortions à peine de la Crise d'octobre, laquelle, indépendamment du fond de la question, ne pouvait faciliter ma tâche de négociateur sur des questions constitutionnelles.

La pierre d'achoppement dans cette rencontre constitutionnelle, c'était donc la priorité législative sur les politiques sociales qui, comme je vous le disais tantôt, aurait permis au

---

22. La formule Fulton-Favreau est une formule de modification de la Constitution. La formule restreint la capacité pour le gouvernement fédéral d'agir seul, prévoit une majorité des deux tiers des provinces pour modifier l'essentiel des institutions fédérales, établit la règle de l'unanimité pour ce qui est des juridictions provinciales et propose un «système de délégation» du pouvoir législatif touchant un nombre limité de provinces.

Québec d'apporter un changement significatif au partage des pouvoirs. Peut-être que, vingt-cinq ans après, on peut dire que la pression des finances publiques va donner le même résultat, mais c'est prématuré de l'affirmer pour l'instant même si c'est vraisemblable. La conférence s'est terminée. Les différents gouvernements ont donc décidé de reporter tout le débat constitutionnel.

Finalement, ces débats constitutionnels ont été repris avant l'élection de 1976. Monsieur Trudeau en était alors venu à la conclusion qu'il fallait rapatrier unilatéralement la constitution. Il l'avait annoncé et, dans ce contexte-là, je me trouvais dans une position très difficile puisque, s'il avait rapatrié unilatéralement la constitution canadienne, ça aurait plus ou moins bloqué les droits du Québec et ça aurait aussi constitué un recul important sur le plan historique. Monsieur Trudeau en avait parlé aussi à monsieur Callaghan[23], qui était alors Premier ministre britannique, pour le prévenir de ce qui se préparait. Monsieur Callaghan m'avait alors confié que, s'il y avait une loi du parlement fédéral, il suivrait la tradition et accepterait la loi du Parlement. Il l'avait d'ailleurs dit publiquement. Pour cette raison et plusieurs autres, j'ai décidé de déclencher des élections, même si je n'avais été élu que trois ans auparavant, afin de soumettre cet important enjeu à la population. On connaît le résultat. Nous pourrons en parler tantôt.

Alors, voilà pour l'année 1971 et la Charte de Victoria. L'année suivante est aussi une année assez turbulente, particulièrement dans le secteur des relations de travail. Depuis une dizaine d'années, il y avait une situation plutôt tendue.

---

23. (Leonard) James Callaghan avait succédé à Harold Wilson comme Premier ministre travailliste du Royaume-Uni (1976-1979).

Monsieur Lesage et monsieur Johnson[24] avaient connu des grèves difficiles. Il y avait une certaine politisation du syndicalisme qui s'était accrue au début des années 1970. On se souvient du front commun FTQ-CEQ-CSN. Avec la syndicalisation du secteur public et parapublic, l'État devenait un gros employeur et l'un des objectifs des syndicats, c'était d'obtenir le maximum du secteur public, de manière à pouvoir en faire bénéficier le secteur privé d'au moins une partie.

Pour le gouvernement du Québec, il fallait tenir compte, dans toute cette question-là, du niveau de la compétition québécoise par rapport à nos concurrents. Nous exportions 40% de notre production; nous ne pouvions donc avoir, à l'intérieur du Québec, une politique sociale ou des dépenses publiques qui soient radicalement différentes de celles de nos voisins.

Du côté syndical, on disait: «Maintenant qu'il y a une syndicalisation importante et nouvelle par rapport au passé, nous détenons un pouvoir considérable. Nous avons la possibilité d'appliquer les résultats de notre négociation publique dans le secteur privé. Nous avons aussi un pouvoir politique, car des centaines de milliers d'électeurs sont syndiqués. C'est donc le temps d'agir.» Le gouvernement ne pouvait accepter l'arbitrage obligatoire, une solution que plusieurs experts proposaient à cette époque, étant donné que les salaires du secteur public et parapublic équivalaient à environ 50% des dépenses de l'État. Comment soumettre la moitié du budget à l'arbitrage obligatoire? On a vu d'ailleurs ce que cette formule a donné par la suite dans certaines municipalités.

---

24. Daniel Johnson (1915-1988). Élu pour la première fois en 1946. Devient chef de l'Union nationale le 23 septembre 1961. Premier ministre du Québec du 16 juin 1966 jusqu'à sa mort au barrage Manic 5, le 26 septembre 1968.

Il y avait aussi le cas des services essentiels. Le gouvernement avait la responsabilité d'assurer les services essentiels mais les syndicats refusaient alors souvent de respecter la loi, y compris dans les services essentiels, pour faire céder le gouvernement. C'était une attitude d'usurpation, de défiance. Je pense notamment aux hôpitaux ou à l'électricité. La situation était très délicate pour le gouvernement du Québec. La stratégie syndicale pouvait se résumer ainsi: «On est syndiqué et on a des services essentiels qui sont syndiqués. Par exemple le gouvernement peut, pour un temps, nous tenir tête dans le secteur de l'enseignement ou dans d'autres secteurs mais, dans le cas des services essentiels, il est obligé, à toutes fins utiles, de céder rapidement à nos demandes.»

Le gouvernement a alors fait face à une situation très tendue. Le 21 avril 1972, lorsque les syndicats ont décidé de refuser de respecter les injonctions dans les services essentiels, nous avons adopté un projet de loi[25] qui mettait fin à la grève. Les chefs syndicaux ont accepté de respecter le projet de loi, mais ils ont été poursuivis pour outrage au tribunal, étant donné qu'ils n'avaient pas respecté les injonctions. Les trois principaux chefs syndicaux ont été condamnés à un an de prison. Vous vous imaginez le climat politique! C'était une situation unique au Canada et probablement en Occident.

Après la condamnation, il y a eu des moments de fébrilité politique. Je me souviens de Sept-Îles, par exemple, qui était devenue une ville fermée. Les syndiqués avaient envahi les postes de radio et paralysé les services publics. On se retrouvait dans une situation potentiellement explosive. Mais ça n'a pas duré tellement longtemps. Les chefs syndicaux ont

---

25. La loi 19 adoptée le 21 avril 1972 forçait le retour au travail des travailleurs du Front commun.

décidé d'en appeler de la décision de la Cour supérieure. Ils ont perdu en appel au mois de février. Ils se sont ensuite présentés en Cour suprême, où ils ont perdu à nouveau. Ils ont finalement décidé de purger leur sentence de prison.

Au même moment, et je souligne cet événement pour démontrer dans quel climat on se trouvait alors au Québec, il y eut une mini-crise ministérielle. Deux ministres m'avaient annoncé leur intention de démissionner pour des raisons totalement indépendantes des négociations dans le secteur public: le ministre des Communications et de la Fonction publique, Jean-Paul L'Allier[26], et le ministre des Affaires sociales, Claude Castonguay.

Monsieur Castonguay avait toujours insisté, à juste titre, notamment à Victoria, sur une coordination entre les politiques sociales du gouvernement fédéral et du gouvernement provincial. Or, à ce moment-là, le ministre fédéral des Finances, John Turner[27], avait rendu public un budget qui accordait des augmentations de pensions aux personnes âgées de plus de 65 ans, cela sans consulter le gouvernement du Québec qui devait, par la suite, tenir compte de l'augmentation fédérale au moment de fixer les allocations provinciales qui étaient versées à ceux qui n'avaient pas 65 ans. Monsieur Turner invoquait le secret budgétaire comme raison pour ne pas avoir consulté monsieur Castonguay, mais ce dernier l'a très mal accepté. Monsieur L'Allier l'appuyait pour des raisons de principe.

---

26. Jean-Paul L'Allier, élu député libéral en 1970 et réélu en 1973. Dirige plusieurs ministères, dont celui des Affaires culturelles d'août 1975 à novembre 1976. Délégué général du Québec à Bruxelles de 1981 à 1984. Élu maire de Québec le 5 novembre 1989 et réélu le 7 novembre 1993.

27. John Turner, élu à la Chambre des communes en 1962, sera chef du Parti libéral du Canada de 1984 à 1990, et Premier ministre du 30 juin au 17 septembre 1984.

Ils ont voulu protester en démissionnant du gouvernement du Québec, lequel n'était pas directement impliqué dans cette question-là, car ce n'était pas la responsabilité directe du gouvernement québécois si monsieur Turner, le ministre fédéral des Finances, ne consultait pas le ministre québécois des Affaires sociales. Ils ont donc décidé de démissionner. Je les ai rencontrés, je les ai placés en face de leur responsabilité en raison de la crise d'ordre public que nous connaissions et ils ont demandé un délai de 24 heures. Leur décision a été rapidement rendue publique et cela a soulevé des tollés dans le parti, dans le caucus et dans une partie de la population. Ils se sont ravisés et j'ai décidé, par la suite, de nommer Jean Cournoyer ministre de la Fonction publique.

Si le conflit avec le front commun a certainement été le plus important des années 1970, ce ne fut pas le seul qui ait impliqué le respect des services essentiels. Il y eut, à ce moment-là, des grèves dans le métro et une grève des pompiers de Montréal, qui rejetaient une sentence arbitrale qui ne tenait pas compte de l'inflation. En tant que Premier ministre du Québec, donc responsable ultime de l'ordre public, j'ai été obligé d'intervenir à l'occasion de ces conflits.

Il ne semblait pas y avoir de limites pour les chefs syndicaux. Par comparaison, le contexte d'aujourd'hui est totalement différent. Je me souviens notamment d'une rencontre avec Marcel Pépin[28], président de la CSN, où on discutait de «temps triple» pour le dimanche. Pas de «temps double»: de «temps triple»! Comme il me le disait lui-même: «On ne peut pas me blâmer d'essayer!» Dans le contexte de l'époque, avec les problèmes financiers qui s'annonçaient et les effets

---

28. Marcel Pépin, secrétaire général puis président (1965-1976) de la Confédération des syndicats nationaux (CSN).

d'entraînement des augmentations du secteur public dans le secteur privé, ce n'était pas des demandes réalistes. Ça reflétait toutefois bien la période délicate que nous traversions et la fragilité du consensus social.

L'été et l'automne qui ont suivi ont été plus calmes, surtout dans le secteur hospitalier où des ententes ont été signées entre le ministre du Travail, M. Cournoyer, et les syndicats du secteur public.

Puis il y a eu les élections fédérales de 1972 qui ont mobilisé l'attention. Monsieur Trudeau a été réélu à la tête d'un gouvernement minoritaire, mais avec encore une solide majorité au Québec. Il ne faut jamais oublier, dans le contexte des tensions Québec/Ottawa, que monsieur Trudeau a toujours eu un appui très prononcé au Québec. Dans le cas de cette élection-là, la majorité de son caucus, soit 56 députés sur 109, provenait du Québec. En 1974, ce fut plus de 40%.

L'année 1973 fut moins mouvementée que les trois autres et ce fut bienvenu. Cette année a été caractérisée par la plus forte création d'emplois de l'histoire du Québec, soit 125 000 nouveaux emplois. Les travaux de la Baie James en étaient en partie responsables, mais évidemment pas totalement. J'ai donc décidé, après trois ans et demi de pouvoir et quatre budgets, de déclencher des élections. Monsieur Lesage l'avait fait aussi en 1966, c'était la moyenne des mandats au Québec.

Il y avait un bon climat économique et une accalmie dans le domaine social. Je devais agir sur le plan linguistique et souhaitais pouvoir le faire à la suite des élections. Il n'y avait plus d'affrontement constitutionnel puisque Victoria avait été mis au rancart et que, monsieur Trudeau étant minoritaire, il n'était pas en bonne situation pour réamorcer le débat. Il y avait aussi une opposition très divisée à Québec. De plus, des réformes importantes avaient été adoptées dans plusieurs secteurs tels que la santé, la justice, l'agriculture, les allocations familiales avec la collaboration du gouvernement fédéral, sans compter plusieurs budgets très populaires.

La campagne électorale, commencée assez durement, s'est terminée facilement avec une victoire marquée par la plus importante majorité parlementaire de l'histoire du Québec. Outre le bon état de l'économie, plusieurs facteurs ont pu jouer: la division des partis d'opposition et le fait que le Parti québécois se soit aventuré à publier ce que l'on a appelé le «Budget de l'an 1[29]». À cet égard, j'avais vu une déclaration au printemps 1973 du Parti québécois qui s'était engagé à publier le «Budget de l'an 1» et, par la suite, j'avais insisté constamment en disant qu'il fallait tenir parole. Ils se sont mis à l'œuvre et ils l'ont publié, trois semaines avant les élections. Je crois que c'était un risque électoral, qu'ils n'ont d'ailleurs jamais répété car c'était se placer sur la défensive alors qu'ils n'étaient pas au pouvoir. Ils me permettaient de terminer la campagne le budget en main, comme je l'avais fait par exemple dans la région du Saguenay-Lac-Saint-Jean. Mon argument pour les électeurs de cette région: «Dans le budget qu'ils vous ont soumis, il n'y a à peu près rien pour les routes du Saguenay-Lac-Saint-Jean.» On a, de fait, remporté quatre comtés sur cinq dans cette région. Cela ne s'est jamais répété par la suite. Sur le plan de la stratégie, le Parti québécois a quelquefois été un peu maladroit...

Il y avait aussi évidemment toute la question du dollar québécois, parce que cet élément a toujours été l'objet d'un débat permanent. Si on est indépendant et qu'on garde la monnaie canadienne, est-ce que l'on ne devient pas colonisé économiquement? Est-ce que le bilinguisme va être appliqué sur le billet de banque canadien? Toute une série de problèmes

---

29. Le Budget de l'an 1 a été rendu public par le Parti québécois le 9 octobre 1973 en pleine campagne électorale.

étaient évoqués. Comme on l'a vu par ailleurs, avec la monnaie québécoise, il y a toute la question du taux de change et le fait que les épargnants, qui s'attendent à un taux de change fixé à un niveau inférieur — monsieur Parizeau admettait lui-même, dans le débat, que ça pouvait être 85 cents par rapport au dollar canadien et que ça serait bon que ce soit ainsi afin de favoriser les exportations —, seraient incités à transférer leurs fonds pour bénéficier de la prime du taux de change. Comment gérer la fuite des capitaux? Il y avait eu un débat très écouté entre Jacques Parizeau, Fabien Roy (Crédit social), Marcel Côté (Unité-Québec) et Raymond Garneau qui était ministre des Finances. La campagne s'est finalement terminée avec environ 55% des voix pour le Parti libéral et 102 députés sur 110. C'était pour moi une excellente opportunité d'affirmer la souveraineté culturelle.

L'événement de 1974, ce fut donc la loi 22, déposée au printemps par le ministre de l'Éducation, François Cloutier[30]. C'était la première fois, depuis la Conquête, que le français était rétabli comme seule langue officielle sur notre territoire. Pour moi, c'était un objectif fondamental. Fédéralisme, néo-fédéralisme, quasi-fédéralisme, souveraineté-association, tout cela finalement, au-delà de la satisfaction symbolique, n'est que technique de gestion. Mais que le Québec soit reconnu comme État français en Amérique du Nord, avec le français comme seule langue officielle, ça me paraissait un objectif essentiel au plan historique. Je savais qu'on prenait un risque chaque fois qu'on touchait aux questions linguistiques. Je me souvenais de la loi 63, qui avait entraîné la chute de Jean-Jacques Bertrand. Mais je considérais qu'avec une majorité de 102 députés sur 110, c'était ma responsabilité d'agir,

---

30. François Cloutier, élu député libéral en 1970 et 1973. Titulaire de plusieurs ministères jusqu'en octobre 1976.

d'autant plus que la Commission Gendron avait publié son rapport en février dans lequel toutefois on ne parlait pas de «langue officielle», mais de «langue nationale». D'ailleurs, monsieur Trudeau aurait souhaité qu'on parle de «langue principale» ou de «langue nationale» mais pas de «langue officielle».

Le Parti québécois était évidemment un peu déjoué sur les objectifs. Il a quand même fait une lutte très dure sur cette question-là. Je me souviens des déclarations de René Lévesque et des autres dirigeants du Parti québécois, pour qui c'était «une grande trahison nationale[31]». Du côté anglophone, c'était «inadmissible et intolérable». Dans le contre-projet de loi qu'ils avaient soumis, le Parti québécois disait: «Le français est la seule langue officielle.» Ce n'était pas conforme à la langue française car lorsqu'on affirme dans un texte de loi que le français est «la langue officielle», il est superflu de dire que le français est «la seule langue officielle».

Tout ça pour vous dire que ce n'était pas facile pour eux, sur le plan des principes, de critiquer cette législation. Monsieur Lévesque était intervenu et il n'était pas toujours très à l'aise. Je me souviens d'une conversation avec lui où il m'avait souligné sa réticence vis-à-vis des lois linguistiques trop contraignantes. D'ailleurs, on verra le même malaise avec la loi 101[32]. Mais il était chef du parti et il a donc appuyé la lutte féroce menée par l'aile parlementaire du Parti québécois.

Au même moment, le PQ était plus intéressé, à l'occasion des élections fédérales, à promouvoir une campagne d'annulation. À chaque élection fédérale jusqu'à la venue du

---

31. Gilles Gariépy, «Le PQ et le projet de loi 22 — "Une espèce de trahison nationale"», *La Presse*, 23 mai 1974.

32. Charte de la langue française adoptée par le gouvernement du Parti québécois le 26 août 1977.

Bloc québécois, c'était toujours embêtant pour les péquistes. Comment voter? Ils avaient favorisé l'abstention en 1972, l'annulation en 1974. Ils avaient alors prévu un budget de 25 000 $ pour inciter les Québécois à annuler leur vote. Ils avaient obtenu un succès mitigé: 160 000 votes annulés, quand on tient compte du fait qu'il y a toujours une certaine proportion d'annulation... Cela n'avait pas empêché monsieur Trudeau d'obtenir une majorité absolue des voix au Québec.

La loi 22 a été adoptée le 31 juillet 1974. Le Québec devenait alors une terre officiellement française en Amérique du Nord. J'avais d'ailleurs fait une déclaration publique pour mettre en relief l'importance historique de l'événement.

Mon gouvernement avait alors trois grandes réalisations à son crédit: la loi 22, le développement de la Baie James et l'établissement de l'assurance-maladie qui était, au début des années 1970, une réforme fondamentale au plan social, sans compter d'innombrables autres mesures et lois qui portaient sur différents secteurs sociaux, économiques et culturels.

Je termine avec un événement qui a caractérisé la dernière année de mon second mandat au pouvoir: le sauvetage des Jeux olympiques. Ces jeux avaient créé une situation très difficile pour le gouvernement du Québec. Je vous rappelle les faits pour vous donner le contexte. Monsieur Drapeau[33] avait décidé de soumettre la candidature de Montréal pour l'obtention des Jeux olympiques. La décision a été rendue au même moment où j'ai été assermenté comme Premier ministre, le 12 mai 1970. Monsieur Drapeau avait une grande crédibilité parce qu'il avait réussi, d'une façon spectaculaire, l'Expo 67.

---

33. Jean Drapeau, élu pour la première fois maire de Montréal en 1954. En septembre 1960, il fonde le Parti civique de Montréal et sera maire jusqu'en 1986.

Cependant, avec l'inflation, les problèmes techniques et les grèves dans le domaine de la construction, les syndicats détenaient une force extraordinaire, parce qu'ils agissaient à l'intérieur d'un calendrier à échéance fixe: il fallait que tout soit prêt pour juillet 1976. Ils pouvaient donc demander des augmentations, liées au respect du calendrier.

À l'automne 1975, nous devions intervenir parce que les jeux étaient très sérieusement menacés. Je me rappelle très bien qu'à la fin de l'année, des responsables du chantier me disaient: «Vaut mieux annuler les jeux, parce qu'il va être impossible de respecter l'échéance.» Comme chef politique des Québécois, je trouvais inconcevable que l'on puisse annuler les jeux. Cela aurait porté un coup terrible, du moins pour un certain temps, à la fierté du Québec, puisque l'on aurait été les premiers dans l'histoire moderne des jeux à être incapables de mener le projet à terme. Ce furent des mois très inquiétants parce que, sur le plan technique, ça paraissait extrêmement difficile à réaliser, et que sur le plan politique, il était impensable d'annuler. Et je ne pouvais pas en parler publiquement parce que Mexico, où les jeux de 1972 avaient eu lieu, était prêt à nous remplacer au pied levé.

Finalement, on a pu s'entendre avec les syndicats. C'était coûteux mais, à compter du moment où ils ont eu une entente, ils ont fait un travail exceptionnel. La productivité s'est accrue de 300%. On a réussi à tenir les jeux et à en faire un grand succès. On a aussi géré le financement du déficit en établissant, dans le budget de 1976, une taxe sur le tabac, laquelle dure d'ailleurs encore.

Au plan politique, j'étais devenu le bouc émissaire. Monsieur Drapeau avait, avec raison, obtenu le mérite de la réalisation, puisque c'était lui qui s'était battu pour les Jeux olympiques depuis dix ans. Le sauvetage accompli par le gouvernement du Québec est devenu moins visible à partir du moment où on était assuré que les jeux auraient lieu.

J'ai quand même été rassuré lors de la parution du Rapport Malouf. En prenant le pouvoir en 1976, le Parti québécois avait décidé de faire une enquête publique sur les Jeux olympiques. Cette enquête, présidée par le juge Malouf, a conclu que l'administration municipale était tenue responsable du déficit et de la mauvaise administration des jeux mais que le gouvernement du Québec et son Premier ministre devaient être exonérés de tout blâme. Cela fut reçu de façon négative par le gouvernement du PQ qui avait fait sa campagne électorale de 1976 en partie sur la question des Jeux olympiques et sur la Baie James. Ils ont alors exprimé leur amertume, ce qui en a étonné plusieurs. Quant à la Baie James, la position du PQ concernant ce projet avait radicalement changé à la suite des élections et notamment le jour de l'inauguration de la centrale de La Grande, le 27 octobre 1979. À ce moment, la Baie James est, tout à coup, devenue une réalisation qui démontrait que le Québec était capable d'assumer les plus grands défis.

Voilà donc pour les années 1970. En octobre 1976 — j'y référais brièvement plus tôt — devant la menace d'un rapatriement unilatéral de la constitution par monsieur Trudeau, j'ai décidé de déclencher des élections qui ont porté le Parti québécois au pouvoir.

J'ai voulu être concis et présenter certains événements de manière à faciliter la discussion. Je m'en remets maintenant à vous pour que nous puissions discuter de ces années particulièrement mouvementées de la politique québécoise.

DÉBAT

ANDRÉ NORMANDEAU, *professeur en criminologie* — Vous avez mentionné John Ciaccia et son élection dans Mont-Royal en 1973. Alors, simplement pour s'amuser, notons que le jeune candidat péquiste de l'autre côté était un criminologue, qui est aujourd'hui en face de vous...

ROBERT BOURASSA — Quel courage!

ANDRÉ NORMANDEAU — Pour l'époque, c'était quand même quelque chose! Cela dit, il y a une question qui s'adresse à vous. Je vais me référer aux trois commissions d'enquête qui ont été tenues dans les années 1970 et qui vous amèneront peut-être à une réflexion qui touchera aussi l'ensemble de votre carrière. Je sais que ça concerne la science politique et bien d'autres disciplines, parce que des commissions d'enquête, il y en a à peu près sur tous les sujets et presque à chaque année. Si on réfère, par exemple, à la Commission Cliche sur le saccage de la Baie James, à la Commission d'enquête sur le crime organisé ou à la Commission Malouf sur les Jeux olympiques, il y a beaucoup de citoyens, y compris des universitaires, qui estiment qu'avec ces commissions, les gouvernements achètent la paix, gagnent du temps ou, selon l'expression populaire, mettent le problème sur les tablettes. Mais, vu du cœur du gouvernement, du bureau du Premier ministre et de son équipe, quel est le rôle véritable des commissions d'enquête?

ROBERT BOURASSA — Dans les cas que vous citez, on ne peut pas dire qu'on a gagné du temps. La Commission Cliche a été difficile, politiquement, pour le gouvernement du Québec.

La Commission Malouf n'a pas été facile pour le gouvernement du Parti québécois, puisqu'il s'attendait à une condamnation du gouvernement précédent et que ça a été le contraire. La Commission d'enquête sur le crime organisé a aussi exposé le gouvernement à la critique.

La raison fondamentale de l'existence de ces commissions, c'est qu'il est important, à un moment donné, quand des problèmes paraissent vraiment très difficiles à résoudre, de prendre un peu de recul, ce qui n'est pas toujours facile pour le gouvernement, qui doit assumer quotidiennement la gérance des activités ou des décisions avec toutes leurs conséquences. Dans le cas de la Commission Cliche, ça a permis de régler le problème de la construction. Les commissaires ont formulé des recommandations qui ont fait autorité. Ils ont pu faire enquête avec toute la liberté nécessaire. La FTQ a été durement secouée, particulièrement la FTQ-construction, par les recommandations de la Commission Cliche. Finalement, il y a eu un assainissement.

Mais c'est un risque politique. Ainsi, lors de la Commission Cliche, une simple conversation téléphonique a pu prendre des proportions démesurées.

C'est donc un outil bien spécifique et efficace. Et on a une garantie, lorsque ce sont des juges ou des personnes dotées d'une grande crédibilité, que les analyses et conclusions seront dénuées de partisanerie, alors que le gouvernement est toujours tenté de justifier son action.

ANDRÉ NORMANDEAU — Donc, c'est un outil de gouvernement?

ROBERT BOURASSA — Oui, mais à utiliser avec prudence.

ANDRÉ J. BÉLANGER, *professeur en science politique* — Monsieur le Premier ministre, en dépit de la réputation que l'on vous fait d'esquiver les questions que l'on vous pose, je dois dire que les deux seules fois que je vous ai rencontré, vous aviez été très explicite. En décembre 1965, vous m'annoncez dans le train, où je me trouve avec Paul Painchaud, que vous avez l'intention de devenir Premier ministre. Vous conviendrez avec moi que ça prenait pas mal d'audace et peut-être un petit peu de naïveté.

ROBERT BOURASSA — Ou de l'humour...

ANDRÉ J. BÉLANGER — C'est Painchaud qui vous avait arraché ça, très habilement d'ailleurs. Vous voyez comment les politologues parviennent, parfois, à leurs fins. La seconde fois, c'était pendant votre traversée du désert, suite à votre défaite de 1976. Nous sortions du CEPSUM — vous ne vous en souvenez certainement pas — et je vous ai posé quelques questions sur l'organisation de votre cabinet. Vous avez alors cassé du sucre sur le dos d'un de vos ex-ministres, que je ne nommerai pas pour des raisons de discrétion. Donc, les deux fois que je vous ai rencontré, vous avez été très explicite.

Aujourd'hui, je ne vous demande pas d'être aussi explicite mais j'aimerais que vous dépassiez l'événement ou l'anecdote, jusqu'à un certain point. J'ai lu les journaux comme tout le monde. Je connais le fonctionnement des institutions grâce à des livres comme celui d'André Bernard[34]. J'aimerais donc apprendre quelque chose de, disons, un peu plus personnel de votre part sur des notions plutôt générales. De 1970 à 1976, vous avez sûrement dû apprendre des choses, c'est-à-dire

---

34. André Bernard, professeur de science politique à l'Université du Québec à Montréal.

que le Robert Bourassa de 1977 devait être bien différent de celui de 1970.

Par exemple, qu'est-ce que vous avez alors appris concernant les rapports d'un Premier ministre avec les médias ou avec les intellectuels, parce que vous êtes souvent en communication, entre 1970 et 1976, avec un certain nombre de gens. On prétend que vous communiquiez assez facilement avec monsieur Ryan et d'autres. Qu'est-ce que votre expérience vous a appris sur les rapports entre un Premier ministre et son parti? Un Premier ministre et son caucus? Un Premier ministre et son propre cabinet?

Jusqu'ici, dans nos rencontres, vous avez nommé très peu de gens. On a toujours l'impression que c'est votre gouvernement qui agit, qu'il n'y a jamais de personnes spécifiques. Je n'ai pas envie de vous amener sur un terrain particulier, mais j'aimerais savoir ce que vous avez appris à l'occasion de votre premier mandat et dont vous vous êtes servi par la suite pour le second.

ROBERT BOURASSA — J'ai parlé très rarement contre mes collègues, bien au contraire. Probablement que je faisais référence à la première phase lorsque je vous ai rencontré.

ANDRÉ J. BÉLANGER — C'était la traversée du désert... Quand je parle de mandat, il ne s'agit pas des mandats gouvernementaux, mais simplement de la période de 1970 à 1976.

ROBERT BOURASSA — Ce que je retiens d'abord, c'est le pouvoir considérable du Premier ministre dans notre système parlementaire. Quand vous êtes élu avec les deux tiers des députés, ou avec 102, vous avez un pouvoir énorme dans notre système parce que le caucus vous est, a priori, loyal, de même que le Conseil des ministres. C'est vous qui nommez les ministres, les sous-ministres. L'un des contre-pouvoirs majeurs, ce sont les médias d'information. Dans ce contexte, ils jouent un rôle essentiel au fonctionnement démocratique.

Donc, ce que j'ai appris, c'est le pouvoir du Premier ministre, sa responsabilité et la possibilité pour lui de faire des choses. Ainsi la loi 22, j'aurais pu décider de ne pas en parler et d'esquiver la question. En 1976, Rodrigue Biron[35], alors chef de l'Union nationale, a obtenu 18% grâce au vote des anglophones. Si l'on ajoute, au 34% des votes obtenus par le Parti libéral, les trois quarts de ce 18%, j'aurais peut-être été réélu si mon gouvernement n'avait pas fait adopter la loi 22. La Commission Gendron avait, bien sûr, fait des recommandations mais je n'avais pas de pressions très fortes de la part de mon caucus ou de mon Conseil des ministres. Pas plus que je n'en avais du gouvernement fédéral puisqu'eux, ça les embêtait. La loi sur la langue officielle a donné lieu à la question des Gens de l'air[36], organisation des corps de métiers affectés au trafic aérien (pilotes, agents de bord, contrôleurs de circulation aérienne) qui réclamaient le respect du français dans la pratique quotidienne de leurs tâches. Ils invoquaient la loi 22 quand ils ont décidé d'intervenir: «On

---

35. Rodrigue Biron, élu chef de l'Union nationale le 23 mai 1976, démissionne pour joindre les rangs du Parti québécois en 1980. Réélu en 1981, il sera entre autres ministre de l'Industrie et du Commerce.

36. En mars 1976 débute le conflit entre le ministre fédéral des Transports, Otto Lang, les dirigeants des associations nationales des aiguilleurs de l'air (CATCA) et des pilotes de ligne (CALPA) et ceux de l'Association des gens de l'air du Québec (AGAQ) provoqué par l'implantation progressive du bilinguisme dans les services de contrôle du trafic aérien au Québec impliquant ainsi la loi 22. Ce conflit dégénère sur le plan juridique et, parallèlement, le gouvernement fédéral met sur pied la Commission sur l'implantation du bilinguisme dans les communications aériennes au Québec présidée par les juges Sinclair, Heald et Chouinard et dont le rapport sera déposé en juillet 1977.

veut parler en français au Québec, maintenant que le français est la langue officielle du Québec.» Je me faisais plus d'ennemis que d'amis du côté fédéral et du côté du vote minoritaire mais le gouvernement a décidé de le faire parce que c'était un moment opportun pour affirmer la souveraineté culturelle. En outre, il y avait à plus court terme la menace du Parti québécois, il y avait le contexte.

Même chose pour la Baie James. J'aurais pu décider de ne pas bousculer les choses et de laisser Hydro-Québec fonctionner avec des centrales thermiques, des développements hydrauliques éparpillés et, finalement, faire comme d'autres gouvernements.

Autre exemple: l'assurance-maladie. Quand le gouvernement a décidé d'affronter les médecins, c'était risqué. On se rappelait les grèves dans d'autres pays où des médecins avaient déposé leurs instruments et retardé des opérations. C'est un peu comme les syndicats dans le secteur des services essentiels: ils avaient un pouvoir nouveau et très important.

Donc, la leçon que je tire, c'est que le pouvoir exécutif est énorme dans notre système, où le parti ministériel jouit d'une majorité habituellement confortable, contrairement aux États-Unis, où le président partage le pouvoir avec le Congrès, et contrairement à l'Italie, où le pouvoir exécutif repose sur une coalition de partis. En contre-partie de cela, il doit y avoir des contre-pouvoirs. L'Assemblée nationale en est un mais, quand vous avez la majorité, c'est plutôt rare que vous y soyez en difficulté.

ANDRÉ J. BÉLANGER — Donc, vous y preniez un certain plaisir?

ROBERT BOURASSA — C'est un débat intellectuel où vos adversaires essaient de vous prendre au piège. D'ailleurs, il s'agit d'un système plutôt exceptionnel. En France, notamment, le gouvernement répond aux questions le mercredi avec avis de la question. Même chose en Angleterre, où les réponses sont apportées deux jours de la semaine avec préavis. Chez nous, on peut poser une question sur n'importe quel sujet, sans préavis. La députation adverse se présentait en face de nous et nous nous demandions sur quel sujet ils allaient attaquer. Il fallait être prêt à réagir rapidement à l'occasion, notamment lorsque l'intégrité du gouvernement était en cause. Ce sont là les leçons que je tire des rapports entre le Premier ministre et l'Assemblée nationale.

Il y a aussi les médias. Souvent, dans la deuxième partie de mon mandat, je rappelais à mes collègues, qui étaient parfois très affectés par une manchette, une chronique ou un éditorial, la citation de Léon Bloy[37] qui disait: «Il n'y a rien de plus vieux que le journal de la veille.» Quand je constatais qu'un ministre prenait ça trop à cœur, je lui disais: «Oublie ça. Demain, on s'en reparlera.» Voilà une autre leçon: en politique, le temps fait souvent des miracles.

Lors de ma défaite en 1976, on m'a enterré sans certificat de décès, comme la suite des choses l'a démontré. Le soir, même du 15 novembre, je disais à mon épouse que j'étais intéressé à aller étudier les questions du Marché commun, parce que je trouvais extraordinaire ce qui se faisait en Europe sur le plan de l'évolution de l'histoire, en présumant aussi qu'un référendum aurait lieu et que je pourrais graduellement participer au débat public. J'ai eu un coup de chance, le 27 octobre 1979, lorsque le Parti québécois avait tenté de m'écarter de l'inauguration de la Baie James. Plusieurs commentateurs ont dit: «Trop, c'est trop.» Ils ont bien souligné l'incident, ce qui a contribué, en ressac, à ce que je sois très

---

37. Léon Bloy (1846-1917), écrivain français.

bien accueilli lors de cette inauguration. Après, j'ai eu un autre coup de main avec le Rapport Malouf qui a donné la manchette: «Bourassa totalement blanchi, exonéré de tout blâme». Ça arrivait quelques semaines après le référendum. C'est une autre leçon que je tire de mon exercice du pouvoir: les médias sont très importants et exercent une vigilance nécessaire.

Quant à votre remarque sur mes discussions avec M. Ryan, c'est bien connu que je communiquais souvent avec lui. Il était pour moi l'un des esprits les plus rigoureux au Québec et avait aussi une forte influence sur l'opinion publique québécoise. Il était ainsi logique que nous discutions à l'occasion sur des dossiers précis. Une anecdote: je me souviens que j'avais fait un remaniement ministériel, en 1974 ou en 1975. J'avais modifié les fonctions d'une demi-douzaine de ministres. Comme d'habitude, je me suis fait lire les éditoriaux dès la sortie des journaux. Celui du *Devoir* portait sur le remaniement avec un titre assez cinglant: «Le remaniement de monsieur Bourassa, le triomphe de la médiocrité». Là, j'ai constaté que, la prochaine fois, il y aurait intérêt à ce que nous échangions nos idées.

ANDRÉ J. BÉLANGER — On a l'impression qu'à l'occasion du premier mandat, vous étiez beaucoup plus visible, au point, peut-être, de faire même ce que l'on pourrait qualifier de «Overexposure». Est-ce que ça serait fondé de croire que vous avez volontairement modifié votre comportement suite au premier mandat?

ROBERT BOURASSA — Oui. Vous savez, parfois le silence est d'or en politique. Vous avez raison. Quand on est trop visible, on n'y gagne pas toujours. Ça, c'est une autre leçon que j'ai apprise. Surtout quand vous êtes Premier ministre, vous avez la visibilité que vous voulez, quand vous la voulez. Donc, ça ne vous donne rien d'être toujours à l'avant-plan. Mais parfois, j'étais nécessairement impliqué dans certains conflits comme, par exemple, celui de la United Aircraft, en 1975, où depuis vingt mois on se disputait concernant la formule Rand. Je ne pouvais pas laisser pourrir la situation indéfiniment. Alors là, je suis intervenu, évidemment avec l'accord du ministre responsable. Le conflit des pompiers, ça a été la même chose. Certains grévistes compliquaient la tâche des pompiers. J'étais dans mon bureau à Hydro-Québec, d'où je voyais la ville flamber en plusieurs endroits. J'étais obligé d'intervenir. Mais il est vrai que, dans le deuxième mandat, j'avais tellement d'événements pour maintenir ma visibilité que, parfois, je déléguais à d'autres la représentation publique des décisions.

Quand vous êtes élu trois ou quatre fois, il n'y a pas nécessité de toujours être à l'avant-plan. De plus, je n'appréciais pas particulièrement les mondanités. C'était souvent superficiel même si ça pouvait être agréable à l'occasion. On me voyait très rarement dans les bals ou des événements de ce genre.

ANDRÉ J. BÉLANGER — Face à l'organisation et au fonctionnement du cabinet, maintenant?

ROBERT BOURASSA — J'ai privilégié une organisation structurée autour des comités ministériels parce que ça libérait les ministres d'interminables discussions. Il y avait quatre comités ministériels: les affaires sociales, le Conseil du trésor, le développement économique et l'aménagement du territoire. Dans ces comités, les ministres pouvaient discuter de tous les projets de loi, de sorte que, quand les projets étaient présentés au Conseil des ministres, j'avais la recommandation du comité ministériel et j'en avais déjà discuté si nécessaire avec le ministre responsable. Cette façon de faire abrégeait de beaucoup les discussions.

ANDRÉ J. BÉLANGER — Est-ce qu'il serait indiscret de vous demander quels étaient ceux sur lesquels vous comptiez vraiment?

ROBERT BOURASSA — C'est en effet assez délicat de nommer des personnes puisque j'ai toujours eu, dans l'ensemble, de bons ministres, solidaires et consciencieux. Ça pouvait être inégal, mais il s'agissait alors d'appuyer le travail de chacun par une bonne expertise technique.

ANDRÉ J. BÉLANGER — Êtes-vous d'accord avec certains spécialistes qui prétendent qu'en régime parlementaire, lorsqu'un Premier ministre a deux ou trois bons ministres, il peut se compter chanceux?

ROBERT BOURASSA — C'est un point de vue un peu pessimiste. La politique est devenue une tâche plus difficile et plus ingrate, notamment avec la crise des finances publiques et les mesures impopulaires qui s'ensuivent. Ça peut donc devenir moins attrayant pour des gens de qualité, mais je n'ai pas eu à me plaindre sur ce plan ni sur celui de la solidarité. Il y a Jérôme Choquette qui a démissionné pour une question de principe en 1975, en disant que le gouvernement avait trop fait de concessions aux anglophones sur la question de la langue. Un an après, pourtant, il avait changé d'avis, se disant favorable au libre choix de la langue d'enseignement. C'est alors que sa crédibilité a été affectée. Il y a eu aussi les démissions de MM. Lincoln, Marx et French, à la suite de l'adoption de la loi 178 en 1985. Mais de façon générale, j'ai joui d'une très bonne solidarité ministérielle et les ministres savaient que, pour pouvoir donner leur pleine mesure et même pour pouvoir avoir des responsabilités plus importantes, ils n'étaient pas obligés de multiplier les points de presse. Ils savaient que le fait de faire les manchettes dans les journaux n'était pas une nécessité permanente.

STÉPHANE ROUSSEL, *étudiant en science politique* — Je vais continuer sur la même voie que celle sur laquelle monsieur Bélanger vous a amené. Quelle leçon tirez-vous de vos relations avec le caucus libéral fédéral du Québec? Vous avez mentionné, à deux reprises dans votre exposé, le fait que monsieur Trudeau avait obtenu la majorité absolue des sièges au Québec. On peut avoir l'impression que ça simplifie parfois les choses mais, aussi, que ça les complique sérieusement en d'autres circonstances. Quelles étaient vos relations avec ces députés québécois du Parti libéral fédéral? Vous souvenez-vous de cas précis qui illustreraient les difficultés de ces relations?

ROBERT BOURASSA — Les relations que j'ai eues avec les Premiers ministres Trudeau et Mulroney étaient personnalisées et continues. Je n'avais donc pas tellement à discuter avec les caucus. Avec monsieur Trudeau, je me souviens d'avoir accepté une intervention de certains militants du PLQ concernant le sauvetage des Jeux olympiques. Le gouvernement fédéral ne voulait pas augmenter sa contribution financière, malgré l'accroissement du déficit. Une résolution avait été présentée au congrès du Parti libéral fédéral contre la politique de monsieur Trudeau et il n'avait visiblement pas apprécié. Privément, monsieur Trudeau était très réservé et avare de critiques sur ses collègues ou ses adversaires politiques. Mais, quand il était contrarié, il pouvait parfois adopter, sur la scène publique, un comportement primaire pour régler des comptes ou pour des fins stratégiques. Il n'avait pas accepté qu'on fasse discuter une résolution contraire à sa politique en invoquant que le gouvernement québécois s'était engagé à ne pas demander de subvention spéciale.

Dans le cas de monsieur Mulroney, j'ai vécu des expériences — et on va en parler pour Meech et Charlottetown — où des membres du caucus ou du Conseil des ministres m'encourageaient dans les demandes traditionnelles du Québec. Ils voulaient convaincre M. Mulroney dont l'appui populaire dépassait alors à peine 15%, ce qui le plaçait en position délicate pour faire des concessions additionnelles que le Canada anglais n'aurait pas acceptées.

Donc, les relations que j'entretenais avec les caucus des partis fédéraux ne jouaient pas un rôle déterminant. Au plan des ministres, ça pouvait aider d'avoir des relations cordiales pour faciliter le règlement des dossiers. Mais les discussions sur les dossiers les plus importants s'effectuaient principalement au niveau des Premiers ministres.

STÉPHANE ROUSSEL — Je voudrais inclure dans ma question la dimension de la légitimité. Un gouvernement comme le vôtre, qui avait l'appui de 102 députés, possédait une légitimité énorme mais, quand il entrait en conflit avec un gouvernement fédéral qui avait aussi une très forte légitimité, vu sa grande assise électorale au Québec, ça devait être difficile de le court-circuiter?

ROBERT BOURASSA — Ce n'était pas facile. Ça pouvait compliquer les relations au niveau des chefs. J'ai vérifié les chiffres des trois élections fédérales sous Trudeau et il a obtenu entre 50% et 55% des voix, en 1968, 1972 et 1974. Sans le caucus québécois, il n'aurait jamais été Premier ministre. Il fallait en être conscient. Pour mes adversaires politiques, ça n'avait aucune importance. Mais j'étais obligé de constater que les électeurs du Québec votaient à la fois pour lui et pour moi. C'était donc une dimension de la situation mais qui affectait plus la forme que le fond.

STÉPHANE ROUSSEL — Est-ce que vous sentiez un courant au niveau de la base, entre les militants du Parti libéral provincial et ceux du Parti libéral fédéral?

ROBERT BOURASSA — Au niveau de l'organisation, oui, mais au niveau des objectifs politiques, c'était moins évident. À cet égard, les militants du Parti libéral du Québec ont toujours été très fidèles. Je n'ai jamais eu de problème, sauf avec la loi 22 où j'ai connu, vers la fin, certaines difficultés. J'ai eu un député qui m'a accusé d'être «le chef politique le plus détesté du Québec», George Springate[38]. On le cite à l'occasion, mais on peut ajouter qu'il avait été expulsé du caucus libéral parce qu'il avait voté contre la loi 22 qui faisait du français la langue officielle du Québec: ça pouvait expliquer son ressentiment.

Quand j'ai voulu redevenir chef du parti, la majorité des militants anglophones et la plupart des leaders fédéraux étaient plutôt hostiles à mon retour. Dans ce contexte, celui-ci a été un événement assez exceptionnel, comparable à mon élection, très jeune, en 1970 ou à ma réélection en 1973. En politique, la chance et la détermination convergent très bien.

DENIS MONIÈRE, *professeur en science politique* — Ma question ne portera pas sur un domaine couvert par le secret d'État. Vous avez été chef de parti pour cinq élections. J'aime-

---

38. George Springate, élu député libéral en 1970. Réélu en 1973 et 1976.

rais savoir comment s'élaboraient vos stratégies de communication politique et, plus particulièrement, pourquoi vous n'avez jamais participé à un débat télévisé. Vous savez sans doute que je me spécialise sur cette pratique électorale. Quand on observe ce qui se passait aux États-Unis ou au niveau fédéral canadien à la même époque, on constate qu'il y avait eu des débats au fédéral en 1968, en 1970, en 1979, en 1984 et en 1988. Durant tout ce temps, le Québec ne participait pas à ce mode de confrontation entre les chefs de parti. La France, les États-Unis et toutes les sociétés démocratiques ont des débats télévisés entre les chefs à l'occasion des élections, mais pas le Québec. Est-ce que vous pouvez nous expliquer comment s'organisait votre stratégie de communication pour une campagne électorale et comment, vous-même, vous perceviez la participation à un débat télévisé?

ROBERT BOURASSA — Vous êtes spécialiste, vous dites? Parce qu'en 1973, il y en a eu un.

DENIS MONIÈRE — Télévisé et radiodiffusé! À Sherbrooke.

ROBERT BOURASSA — Oui, c'est ça. Vous êtes vraiment un spécialiste! Je pensais vous prendre en défaut mais en 1973, il y en a eu un à Sherbrooke. C'était plutôt cordial. Il y avait René Lévesque, Gabriel Loubier et Yvon Dupuis, mais à quatre, ça donne rarement des résultats concluants. Moi, ce que je préfère, c'est un débat à la française, un face à face, comme le Mitterrand-Chirac[39] de 1988, qui était remarquable.

---

39. Jacques Chirac fut Premier ministre de la France de 1974 à 1976. Il devient maire de Paris en 1977 et Premier ministre de 1986 à 1988 sous la présidence de François Mitterand. Il est élu Président de la République en mai 1995.

En 1976, je réclamais un débat, mais Lévesque n'a pas voulu. Il y en a eu un à la radio, au milieu de la campagne. Au moment où on perdait du terrain, j'avais demandé un débat télévisé, j'avais talonné Lévesque, qui m'avait dit: «Il n'en est pas question. Ce n'est pas une élection sur l'indépendance. L'élection porte sur un bon gouvernement.» Les vieux trucs, quoi.

En 1985, je faisais face à Pierre-Marc Johnson[40] qui venait d'être élu et qui avait effectué une forte remontée dans l'opinion publique. Il était plus populaire que moi et plus télégénique. Il incarnait le changement dans la continuité. Je trouvais donc ça plus risqué et j'avais accepté que ça se fasse à la radio. Vous vous souvenez, le débat à CKAC avec Pierre Pascau. Là, j'avais tendu une perche, un peu comme l'a fait monsieur Bouchard lors du débat de la dernière élection fédérale. Pierre-Marc Johnson avait alors parlé de sa marge de manœuvre. Je soupçonnais fortement qu'il n'était pas au courant des chiffres. Alors, au début du débat, j'ai dit: «Monsieur Johnson, vous parlez constamment de la marge de manœuvre du gouvernement, mais c'est quoi le chiffre de l'augmentation des revenus cette année? Le montant?» Il a été un peu déstabilisé pendant la première partie du débat.

---

40. Pierre-Marc Johnson, élu député du Parti québécois en 1976. Réélu en 1981 et 1985. Ministre du Travail et de la Main-d'œuvre de juillet 1977 à novembre 1980. Ministre des Consommateurs, des Coopératives et des Institutions financières de novembre 1980 à avril 1981. Ministre des Affaires sociales d'avril 1981 à mars 1984. Ministre de la Justice de mars 1984 à octobre 1985. Ministre délégué aux Affaires intergouvernementales canadiennes de mars 1984 à décembre 1985. Élu président du Parti québécois le 29 septembre 1985. Premier ministre du Québec du 3 octobre au 12 décembre 1985. Chef de l'opposition officielle du 12 décembre 1985 au 10 novembre 1987, date de sa démission comme président du Parti québécois, chef de l'opposition officielle et député.

C'était un risque. Car Pierre-Marc Johnson nous chauffait au milieu de la campagne: c'était 49% – 46% dans les sondages. Avec la concentration du vote anglophone du Parti libéral, ça devenait très serré. Le débat de CKAC a probablement contribué à rétablir l'avance très importante que nous avions au début de la campagne. Finalement, on s'est retrouvé avec 56% et une centaine de députés. C'est toujours risqué de participer à un débat, mais j'ai été prêt à courir le risque en 1985.

Pendant le référendum de 1980, j'avais eu des débats avec Pierre Bourgault et j'avais adopté la même tactique. Ça peut se faire plus facilement à la radio. À la télévision, c'est moins intellectuel. J'étais cependant prêt à le faire en 1973. J'ai aussi été prêt à le faire en 1976, parce qu'à la fin de la campagne c'était devenu très critique. En 1985, j'étais moins prêt, mais je l'aurais fait. Cependant, même à la radio, Johnson hésitait à accepter. Il voulait qu'on fasse un débat à quatre, avec, entre autres, un ancien député de l'Union nationale, monsieur Léveillé[41], et un intellectuel très déterminé puisqu'il se présentait comme chef du Parti indépendantiste[42]...

En 1989, Parizeau hésitait. J'avais dit que j'étais prêt à débattre au plus tard le 31 août, mais lui préférait le 3 septembre. On ne s'entendait pas. C'était un peu rocambolesque. C'est clair que ni l'un ni l'autre, nous ne souhaitions vraiment un débat télévisé. J'ai accepté de débattre à l'occasion du référendum sur Charlottetown et là, vous vous souvenez probablement du résultat. Tous les sondages m'avaient été favorables!

---

41. André Léveillé, candidat de l'Union nationale.

42. Il s'agit de Denis Monière, professeur de science politique à l'Université de Montréal et... l'un des participants de ces rencontres avec Robert Bourassa.

DENIS MONIÈRE — Pour revenir plus spécifiquement à la communication en campagne électorale, comment votre stratégie s'élaborait-elle, à qui faisiez-vous appel?

ROBERT BOURASSA — Il y a toujours des spécialistes qui sont prêts à vous donner des conseils. Finalement, et ça va de soi, c'est le chef qui décide de la stratégie. Prenons l'exemple de 1973: j'ai tout de suite attaqué durement les chefs syndicaux à cause des événements de 1972 et pour mettre la droite sur la défensive. Parce qu'à l'élection de 1973, il y avait Yvon Dupuis[43], peu favorable aux syndicats, et Gabriel Loubier[44] qui faisait sa lutte aussi contre les syndicats, lesquels étaient plutôt impopulaires à l'époque. Vous vous souvenez que le slogan des chefs syndicaux lors de la campagne de 1973 était: «Faut abattre le régime Bourassa». Pour le PLQ, le slogan était «Bourassa construit». À cause de la Baie James, ça tombait pile.

«Il faut abattre le régime Bourassa», ce n'était pas de la dentelle, c'était assez rude comme combat politique. J'avais commencé la campagne, étant donné qu'ils m'avaient ouvert la porte, par une réplique cinglante à l'endroit des syndicats. De toute façon, je ne pouvais pas compter sur les votes de la gauche, étant donné le contexte. Ça, c'est le type de stratégie que vous décidez vous-même ou en cercle restreint. Il y a aussi de bonnes suggestions qui sont faites, au niveau notamment de la publicité. On doit cependant se souvenir que l'Unité-Québec de Gabriel Loubier a dépensé plusieurs millions de dollars en 1973 pour sa publicité, sans faire élire un

---

43. Après avoir été député et ministre libéral à Ottawa, Yvon Dupuis devient chef du Ralliement créditiste du Québec en 1973.

44. Gabriel Loubier, élu député de l'Union nationale en 1962. Réélu en 1966 et 1970. Ministre dans les cabinets Johnson et Bertrand, il sera chef de l'opposition de juillet 1971 à septembre 1973.

seul député. C'est toujours un exemple que je donnais quand mes collaborateurs me disaient qu'il fallait accroître les dépenses pour la publicité. Au niveau fédéral, combien a-t-on dépensé pour le OUI lors du référendum de 1992? On a vu le résultat! Il en faut de la publicité, mais sans être trop présomptueux quant aux résultats escomptés.

En 1970, l'accent sur l'économie semblait la meilleure stratégie et le slogan «100 000 emplois», qui a forcé toute la campagne à se jouer sur l'économie, allait dans le bon sens. C'était ma meilleure carte à ce moment-là. En 1973, le «Budget de l'an 1» du Parti québécois m'a donné un précieux coup de main. Il faut avoir l'aide de l'adversaire à l'occasion!

DANIEL TURP, *professeur de droit* — Vous avez parlé des erreurs de vos adversaires sur l'énergie nucléaire et sur les questions linguistiques. Est-ce que vous avez fait des erreurs qui vous ont appris à mieux exercer le pouvoir, pendant ces deux mandats ou plus tard dans les années 1980?

ROBERT BOURASSA — Je parlais tantôt de la personnalisation. Il faut faire attention pour ne pas trop s'impliquer. J'ai commis des erreurs puisque j'ai été battu, une fois à tout le moins. Il y a eu par exemple les modalités du projet de loi 22, comme les tests d'admission à l'école anglophone. Sur papier, ça paraissait une bonne chose parce que ça évitait de faire référence à la race ou à l'ethnie mais, dans la pratique, c'était très difficile d'application. C'était quand même un premier pas vers la francisation des immigrants. On sait que Camille Laurin[45] a déjà dit, en septembre 1977: «Sans la loi 22, il

---

45. Chef parlementaire du Parti québécois d'avril 1970 à octobre 1973. Membre important du cabinet de René Lévesque, dont il démissionne en novembre 1984. Réélu en 1994, il est nommé délégué régional de Montréal dans le gouvernement Parizeau.

aurait été plus difficile d'adopter la loi 101.» Donc, sur le plan électoral, c'était très risqué, même s'il fallait agir au plan politique. J'ai déclenché un débat très émotif et j'ai eu beaucoup d'adversaires.

Concernant la Commission Cliche, on m'a reproché, à l'intérieur du parti, d'avoir nommé des commissaires dont aucun n'était d'allégeance libérale. Mais il ne s'agissait pas là d'une erreur au plan de l'État, puisque la Commission Cliche a réglé le problème de la construction. Également, plusieurs années plus tard en 1988, j'ai appuyé Lucien Bouchard, quand il s'est présenté dans une élection partielle. Ce fut l'une de mes rares incursions en politique fédérale. (L'autre étant mon appui à M. Paul Martin à l'élection fédérale de 1984.) À un moment donné, c'était très serré et j'avais pris position pour lui. Je l'avais connu dans les sommets francophones, où il avait fait un excellent travail. Était-ce une erreur, monsieur Turp?

Quant aux Jeux olympiques, j'ai été exonéré de tout blâme et on a reconnu que j'avais eu raison d'accepter l'argument qui disait que, puisque c'était de juridiction municipale et que le maire Drapeau jouissait d'une grande crédibilité acquise à l'occasion d'Expo 67, le gouvernement ne pouvait intervenir plus qu'il ne l'a fait. Mais plusieurs se sont demandé si je n'aurais pas dû intervenir avant. On peut se poser la question, a posteriori.

Vis-à-vis de Trudeau, est-ce que j'aurais dû l'attaquer de façon plus partisane? Tandis qu'il pouvait aller chercher des appuis dans le Canada anglais quand il prenait le Québec de front, pour ma part, si je faisais une lutte partisane, je pouvais donner des arguments à mes adversaires qui pouvaient alors dire aussitôt: «Vous voyez, ça ne marche pas. Les deux fédéralistes ne s'entendent pas.» Lui, quand il nous attaquait, il pouvait affirmer: «Pas de privilège pour le Québec.» Il y avait là des situations assez délicates.

DANIEL TURP — Est-ce que l'on perd des élections comme celles de 1976 à cause d'erreurs ou est-ce que c'est une série de facteurs, qui ne sont pas des erreurs, qui font perdre des élections?

ROBERT BOURASSA — À mon avis, la loi 22 a été un facteur très important. De plus, sur la question du rapatriement constitutionnel, j'étais historiquement coincé. Trudeau avait dit qu'il y aurait un rapatriement unilatéral. J'étais convaincu qu'il pourrait le faire. D'ailleurs, c'est ce qu'il a fait, par la suite. Monsieur Lévesque a aussi dû faire face à la même menace, laquelle lui a causé beaucoup de problèmes. Le Parti québécois a reconnu le principe de l'égalité des provinces, le 16 avril 1981, et il a accepté une formule d'amendement où le Québec n'avait pas de droit de veto sur les institutions. Il a donc posé des gestes, avec de gros risques pour le Québec, pour éviter le rapatriement unilatéral, mais il a quand même eu lieu. C'est évidemment une analyse a posteriori. De mon côté, je croyais avoir besoin d'un mandat pour bloquer ce rapatriement. J'ai donc déclenché les élections de 1976 et j'ai été battu. On doit donc constater que ça n'a été bloqué que temporairement.

Quant aux élections, j'étais en fin d'un second mandat. Il y avait une certaine fatigue, des relations de travail très ardues, le déficit olympique, l'inflation, on avait semé des doutes sur l'intégrité du gouvernement à l'occasion de la Commission Cliche. On avait aussi attaqué la famille de ma femme à cause de quelques contrats. On me questionnait en Chambre parce que des cousins de ma femme avaient des actions minoritaires dans une compagnie de publicité qui avait obtenu des contrats du gouvernement. On cherchait loin. Petit à petit, goutte à goutte, ça pouvait créer des doutes sur notre intégrité. Avec un peu de recul, on peut se dire que ces élections étaient devenues difficiles à gagner.

DANIEL TURP — Il y a une chose que vous ne considérez pas comme une erreur, je pense que vous l'avez mentionné, c'est votre refus de la Charte de Victoria. J'ai des questions à vous poser sur cet épisode. Il y a un commentateur, vous le connaissez, qui a cherché à faire un lien entre la Crise d'octobre et la Charte de Victoria.

Premièrement, j'aimerais savoir si, selon vous, il y a un lien entre ce qui a pu se produire pendant la Crise d'octobre et ce qui est arrivé dans la négociation sur Victoria.

Deuxièmement, est-ce que le partage des pouvoirs était vraiment une dimension si importante de la négociation de Victoria? La Charte de Victoria ne concernait que très peu le partage des pouvoirs, si ce n'est cette dimension de politique sociale que vous aviez voulu introduire et qui avait été introduite comme sujet non constitutionnel, si vous vous le rappelez bien. Par conséquent, est-ce que c'est vraiment là le motif qui vous a fait rejeter la Charte de Victoria?

Dernière question: si on devait comparer la Charte de Victoria et l'accord de Charlottetown, est-ce que vous pensez que la Charte de Victoria était un instrument meilleur que l'accord de Charlottetown pour le Québec?

ROBERT BOURASSA — On reviendra sur l'accord de Charlottetown. Disons tout de même qu'il y avait plus de gains concrets dans cet accord que dans la Charte de Victoria. En 1992, ça c'était clair. Et on a obtenu à peu près autant de voix, soit 1 710 000, pour appuyer Charlottetown que le PQ n'en a obtenu cet automne, soit 1 750 000, pour appliquer un programme nettement plus radical. Mais ça, c'est l'actualité.

Pour la Crise d'octobre, ce qui a peut-être pu influencer, c'est que l'appui aux deux gouvernements était très élevé. Il ne faut pas oublier, et là-dessus ils ne peuvent pas se tromper à ce point, que les sondages nous donnaient en décembre

1970, soit avec un peu de recul, quelque 90% d'appuis. Cela a peut-être influencé monsieur Trudeau qui a pu penser que le temps était venu d'agir, avec un contexte comme celui-là. Par ailleurs, il avait été élu sur ce point, et je crois qu'il aurait agi quand même, parce qu'il ne lui restait qu'une seule année à son mandat électoral normal. Même s'il n'y avait pas eu la Crise d'octobre, il était en politique pour une raison majeure, tout comme moi. J'ai fait de la politique, entre autres, pour le progrès économique du Québec et sa sécurité culturelle et sociale. Lui luttait, entre autres, pour l'indépendance juridique du Canada, la Charte des droits et une société plus juste.

Au sujet du partage des pouvoirs, il faut se rappeler que, sur le plan historique, il n'y a pas un seul Premier ministre, auparavant, qui avait accepté le rapatriement sans celui-ci. Monsieur Godbout avait été durement critiqué pour les ententes de nature fiscale, pas pour le rapatriement de la constitution. Je me souvenais que monsieur Lesage s'était ravisé sur Fulton-Favreau, que René Lévesque s'était aussi ravisé sur cette formule et mes gènes ancestraux me rendaient très prudent.

Je me souviens de Claude Morin[46], qui me disait dans l'avion, au retour, et j'en étais étonné: «Si tu dis non, c'est l'impasse totale.» Il n'a pas insisté, mais ça m'est resté dans l'esprit. Il faut dire que le problème existe encore. Mais je ne pouvais pas assumer la décision historique de renoncer à l'atout qu'on possédait comme peuple, d'autant plus qu'on n'en avait pas beaucoup en Amérique du Nord.

Quant au droit de veto, on l'avait déjà exercé sur le plan politique. Monsieur Lesage l'avait fait avant moi. C'était fondamental pour l'avenir mais, sans réaménagement des

---

46. Claude Morin a été sous-ministre (1963 à 1971) avant d'être ministre des Affaires intergouvernementales de novembre 1976 à décembre 1981. Démissionne comme député le 29 décembre 1981.

pouvoirs, ça demeurait très incomplet. Il en était ainsi pour les minorités francophones et la garantie des trois juges à la Cour suprême. Donc, la situation était assez complexe sur le plan politique. Durant la Crise d'octobre, les choses étaient claires, au plan des principes. On ne pouvait pas céder sur les prisonniers politiques. On ne pouvait pas accepter que ceux qui avaient commis des crimes étaient des prisonniers politiques et qu'on allait les libérer, même si, sur le plan humanitaire, c'était une tout autre question. Par contre, concernant Victoria, il demeurait quand même évident qu'en signant, j'affaiblissais le Québec si on n'obtenait pas un nouveau partage significatif des pouvoirs. En tant que Premier ministre du Québec, je ne pouvais pas l'accepter.

Le partage des pouvoirs, c'est quoi si on regarde ça aujourd'hui? C'est l'aspect culturel et social. Au plan économique, on a le libre-échange, largement grâce à l'appui du Québec. Mais sur le plan social, il fallait avoir une coordination, car le Canada est aussi un espace de solidarité. On réalise encore aujourd'hui, avec le budget Martin, la pertinence de cette demande.

DANIEL TURP — Vous n'avez tout de même pas mené, à Victoria, une bataille sur le partage des pouvoirs? Pensez-vous avoir mené une bataille sur le partage des pouvoirs?

Cette question de politique sociale, c'était d'abord un «gros paquet» qui comprenait la sécurité du revenu, la formation de la main-d'œuvre et, peut-être aussi, des arrangements administratifs en matière d'allocation familiale. Alors, si vous avez vraiment mené une bataille là-dessus, moi je ne la vois pas et je vois par conséquent mal le motif de votre rejet.

Vous souvenez-vous de la formule d'amendement proposée dans Victoria? Elle donnait un veto à l'Ontario, aux Provinces maritimes et aux provinces de l'Ouest, avec un aménagement pour la Colombie-Britannique. Cette formule d'amendement empêchait, ou aurait empêché, le Québec d'obtenir des pouvoirs additionnels dans l'avenir.

ROBERT BOURASSA — J'ai ici la Charte de Victoria. C'étaient des régions, plutôt que chacune des provinces, qui avaient un droit de veto et, comme je le rappelais, M. Bennett[47] le soulignait souvent en disant: «On n'a pas la même situation que le Québec et l'Ontario.»

On avait un énorme problème de coordination dans les politiques sociales et le gouvernement fédéral voulait intervenir constamment. On a décidé qu'il fallait y introduire de la coordination. Le Rapport Castonguay[48] venait d'être publié et il avait trait, comme on le sait, aux questions sociales. Dans les autres secteurs, je trouvais que l'union économique se défendait parce que nous avions un poids relatif à notre population, le quart des députés et une situation géographique avantageuse.

Je n'ai pas souvenir que la formule d'amendement ait été débattue longtemps. Dans les médias, on en a très peu parlé

---

47. William A. C. Bennett, Premier ministre (Crédit social) de la Colombie-Britannique de 1952 à 1972.

48. Présidée par Claude Castonguay, la Commission d'enquête sur la santé et le bien-être social était chargée de faire enquête sur tout le domaine de la santé et du bien-être social, et en particulier sur les questions relatives: *(a)* à la propriété, à la gestion ainsi qu'à l'organisation médicale des institutions dites de bien-être social; *(b)* à l'assurance-hospitalisation telle qu'appliquée à ce moment-là; *(c)* à l'établissement de l'assurance-maladie; *(d)* à l'acte médical ainsi qu'à l'évolution de l'activité médicale et paramédicale; *(e)* aux mesures d'aide sociale et à leur développement; *(f)* à la structure et au rôle des divers organismes ou associations s'occupant de la santé et du bien-être social; *(g)* aux mesures d'hygiène et de prévention; *(h)* aux effectifs médicaux et paramédicaux ainsi qu'à l'équipement; *(i)* à l'enseignement et à la recherche.

aussi. Si on lit les éditoriaux du temps, ils portaient surtout sur le partage des pouvoirs. Quant à moi, j'avais été très ferme à l'ouverture de la conférence sur les demandes traditionnelles du Québec. Pour vous rafraîchir la mémoire, si vous lisez mon discours, vous verrez que j'ai été très clair là-dessus. Sauf que je me demandais aussi ce qui arriverait si on disait NON. Même si j'ai été accueilli en héros à l'Assemblée nationale, quand je suis revenu de Victoria, je me disais: «Ce n'est que partie remise. On demeure avec un problème très aigu.»

Bref, je ne pouvais pas me convaincre, comme Premier ministre, de signer Victoria sans qu'il y soit associé un nouveau partage des pouvoirs. Je n'y voyais pas l'intérêt supérieur du Québec, dont j'étais alors le premier responsable.

DANIEL TURP — Une dernière question là-dessus: est-ce que vous aviez consulté monsieur Ryan avant de prendre cette décision?

ROBERT BOURASSA — Je discutais, comme je l'ai dit plus tôt, avec plusieurs experts. Je voyais que, parfois, ça pouvait aider à la compréhension de nos politiques. Sur le plan linguistique et sur le plan constitutionnel, j'avais beaucoup de respect pour monsieur Ryan, qui était l'un des meilleurs experts sur ces questions, mais la décision politique, c'est évidemment le gouvernement qui la prenait. Je gardais donc le contact avec ces experts, y compris Léon Dion[49] et d'autres, pour donner mon point de vue et entendre le leur.

---

49. Léon Dion, professeur de science politique à l'Université Laval et auteur de plusieurs ouvrages, a été un conseiller respecté de divers gouvernements.

ANDRÉ BLAIS, *département de science politique* — J'ai deux questions. Premièrement, lorsque vous avez déclenché les élections de 1976, pensiez-vous les gagner?

ROBERT BOURASSA — On avait des sondages qui nous donnaient des chances raisonnables. Ce qui est arrivé, c'est que Rodrigue Biron, chef de l'Union nationale, qui se maintenait généralement à 4% ou 5% d'appuis, a vu tout à coup beaucoup de monde se rassembler derrière lui. Il a présenté une politique un peu bizarre. En français, c'était l'unilinguisme et, en anglais, c'était le bilinguisme. C'est invraisemblable, mais il a réussi à passer au travers et il est allé chercher 18% des voix! C'est ça qui a renversé la tendance. J'avais une chance, moins grande qu'en 1973, mais on était dans la course. J'avais convaincu mes collègues.

Ce qui s'annonçait, c'était des fermetures d'usines, des relations de travail difficiles, un rapatriement unilatéral de la constitution. Il n'y avait rien, dans les dix mois qui s'annonçaient, qui pouvait faire augmenter nos chances. Sur le plan électoral, c'était mon opinion.

Le seul argument qui pouvait nous favoriser, c'était la division au sein du Parti québécois. Monsieur Lévesque avait été défait à deux reprises dans son comté et il avait pris ses distances sur la langue, ce qui était assez discuté dans le parti. Je ne pouvais pas concevoir, connaissant monsieur Lévesque, qu'on cherche quelqu'un pour le remplacer. Si ça avait été le cas, l'élection aurait probablement été plus facile pour nous. Mais cet argument n'était pas convaincant pour moi. Nous avions une chance de perdre mais, de toute façon, elle aurait été plus forte plus tard.

ANDRÉ BLAIS — La deuxième question porte sur Victoria. Si je me souviens bien, lors du lancement du livre de monsieur

Trudeau ou de l'émission au magazine *Le Point* qui a suivi, Marc Lalonde a affirmé qu'il avait eu une entente avant la réunion, que vous aviez donné votre accord à un projet d'entente avant la rencontre de Victoria. Est-ce vrai?

ROBERT BOURASSA — Est-ce que Marc Lalonde disait que je lui avais dit ça à lui?

ANDRÉ BLAIS — Il avait eu une rencontre entre lui et, probablement, un de vos conseillers, je ne sais pas lequel.

ROBERT BOURASSA — J'ai relu les procès-verbaux des Conseils des ministres. Comment aurais-je pu donner un accord sans en avoir parlé au Conseil des ministres, sans avoir eu l'accord du caucus? Et puis, j'aurais donné cet accord au chef de cabinet du Premier ministre? C'est complètement invraisemblable. Ce n'est pas mon genre de les mettre dehors à coup de bâtons, mais de là à dire, après les expériences de Jean Lesage et René Lévesque, que je me serais engagé, sans consulter mon gouvernement, sans consulter mon caucus, et au cours d'une rencontre, il y a une marge.

ANDRÉ BLAIS — Ce que j'ai compris, ce n'est pas que c'était un engagement. C'était plutôt une discussion et que, dans l'ensemble, vous étiez d'accord avec le projet.

ROBERT BOURASSA — J'ai évidemment toujours des discussions. Peut-être que je suis trop réservé, mais il était facile de conclure que je n'étais pas en position de donner un accord.

ANDRÉ BLAIS — Mais il y a eu des discussions sur le projet d'accord de Victoria avant la rencontre.

ROBERT BOURASSA — Sûrement, sur la formule d'amendement avec Julien Chouinard. J'avais dit que, pour la formule d'amendement, ça allait en autant que nous avions le droit de veto. Il y avait eu de nombreuses discussions. Il y a eu une conférence au mois de février et une conférence au mois de juin, donc de nombreuses discussions. Mais jamais je n'ai engagé le gouvernement ou le caucus sans avoir eu auparavant un minimum de discussion. Comme je le disais tantôt à monsieur Turp, il ne faut pas oublier que j'étais très conscient de la dimension historique de la décision. Ce n'est pas lors d'une rencontre avec le chef de cabinet ou l'un de ses conseillers que vous pouvez engager l'avenir du Québec.

DANIEL TURP — Et j'ajouterais qu'il y avait un délai de douze jours en plus pour donner une réponse aux autres gouvernements.

ROBERT BOURASSA — Nous étions tout à fait d'accord pour ce délai. J'avais dit qu'on se donnait dix jours pour examiner la question. Si on avait à dire non, c'était plus facile de le faire sur notre terrain. Ça prouve que je n'avais pas donné mon accord.

ALAIN NOËL, *professeur de science politique* — Pour poursuivre dans la même direction, il faut dire que dix jours, c'est mieux que trois ans pour ratifier un accord. À l'époque, à la fin des années 1960, on construisait le système de protection sociale. Il y a des ententes qui se font, mais ça laisse à peu près tout le monde indifférent, parce que c'est plutôt technique.

Vous nous dites que, dans l'accord de Victoria, ce qui était en jeu, c'était des politiques sociales ou culturelles. On sait, par ailleurs, que Trudeau tenait beaucoup à conclure un accord. Compte tenu qu'il y avait eu plusieurs ententes et que d'autres accommodements suivront par la suite, on se demande quels sont exactement ces pouvoirs que vous demandiez avec tant d'insistance dans le cadre de cette négociation et qui ne pouvaient être offerts par le gouvernement fédéral. Quelle était la demande sur la table qui faisait finalement impasse, quand on pense que le gouvernement fédéral était prêt à faire un bout de chemin pour des questions relativement techniques?

ROBERT BOURASSA — C'était l'amendement à l'article 94a qui donnait une priorité législative. Dans ses mémoires, Trudeau a soutenu que, dans une telle situation, le fédéral se serait retrouvé simple percepteur d'impôt. Mais c'est l'approche subsidiaire dont on parle beaucoup aujourd'hui: chaque gouvernement doit administrer les programmes là où il est le plus efficace. C'est donc tout l'aspect de la priorité législative dans les politiques sociales qui était en cause.

D'ailleurs, c'est pour ça qu'en 1972, monsieur Castonguay avait menacé de démissionner. Il disait: «Voilà la preuve du manque de concertation. Ottawa décide d'augmenter les pensions de vieillesse et nous on se trouve dans une position politique délicate si on n'a pas les fonds nécessaires.» C'est pourquoi il fallait qu'on ait la priorité législative, soit que le Québec décide de la pertinence des programmes sociaux et que le fédéral nous rembourse sous forme de points d'impôt ou sous forme de paiements de transfert.

ALAIN NOËL — Est-ce que Castonguay n'avait pas l'impression, justement, que cette question-là vous laissait indifférent? Que ce n'était pas pour vous une grande priorité, une fois la négociation passée? Que les affaires sociales occupaient une place mineure dans vos priorités?

ROBERT BOURASSA — J'avais situé ça dans le débat général, mais c'est évident que c'était l'une des nombreuses priorités du gouvernement. Pour moi, ce qui était important, c'est que le rapatriement soit accompagné d'un réaménagement réel des pouvoirs, en particulier dans le domaine des politiques sociales, qui sont de juridiction québécoise. C'était là le fond du problème et je m'étais dit: «Si nous gagnons ce point, peut-être que, dans l'immédiat, les changements seront limités mais, au moins, on aura avancé dans le partage des pouvoirs.» On n'a pas tellement avancé depuis cette époque, sauf dans quelques secteurs comme l'immigration, qui reste cependant à être «constitutionnalisée». Donc, à cette époque, notre position établissait, dans le domaine constitutionnel, la priorité du Québec dans les questions sociales. En d'autres termes, ça actualisait la constitution, relativement au pouvoir de dépenser du fédéral dans le domaine social, un peu comme on l'avait fait, lors du lac Meech, sur d'autres aspects du pouvoir de dépenser. Mais, comme je viens de le souligner, Trudeau répliquait: «C'est le fédéral qui va collecter les taxes et c'est le Québec qui va avoir le bénéfice social.» Et ma réponse était: «C'est comme la péréquation ou une extension du principe de la péréquation auquel pourrait s'ajouter, pour parler en termes plus contemporains, le principe de la subsidiarité.»

GÉRARD BOISMENU, *professeur de science politique* — On va continuer sur cette lancée. Si vous aviez eu le choix en 1970-1971, auriez-vous initié un processus constitutionnel? Ou avez-vous pris le train parce qu'il était en marche?

Vous étiez, d'une certaine manière, fataliste et vous deviez emprunter la voie de la négociation constitutionnelle. Est-ce que vous étiez convaincu de l'importance de cette négociation ou l'avez-vous entreprise parce qu'elle était déjà commencée depuis 1968?

ROBERT BOURASSA — Ça continuait. Il y avait eu sept ou huit conférences.

GÉRARD BOISMENU — Vous avez parlé de votre ordre de priorité tout à l'heure.

ROBERT BOURASSA — Pour moi, ce n'était pas la première priorité mais je savais que ça faisait partie du programme du gouvernement Trudeau, qui avait un appui populaire important au Québec et je savais que le problème devait se régler un jour ou l'autre. Je savais aussi que nous avions une opposition qui était pour le démantèlement de la fédération. Donc, je me disais: «Allons-y!»

GÉRARD BOISMENU — Tantôt, vous disiez avec un peu d'ironie que René Lévesque était toujours un peu mal à l'aise de parler des lois linguistiques. Moi, je poursuivrais en disant qu'on sent aussi un malaise quand vous parlez des questions constitutionnelles et, particulièrement, quand vous dites: «Quand j'ai à défendre la position du Québec par rapport aux autres, j'ai un droit de veto. D'autres n'en ont pas nécessairement en tant que province. Et je demande, en plus, des pouvoirs.» Quand vous discutiez avec eux, comment justifiez-vous vos demandes de repartage des pouvoirs ou de nouvelle division des pouvoirs à votre avantage ou impliquant des pouvoirs différents et probablement supérieurs à ceux que vous aviez à l'époque? Évoquiez-vous des problèmes d'ordre fonctionnel du fédéralisme canadien ou était-ce plutôt une question qui se rapprochait de la tradition de Lesage ou de Johnson, par exemple, sur le fait qu'un État français d'Amérique doit avoir des pouvoirs particuliers?

ROBERT BOURASSA — État français d'Amérique: ça, c'était contraire à la pensée de Trudeau! Début 1976, j'avais publié un article dans *Le Monde diplomatique* intitulé: «Québec, État français dans un Marché commun canadien». Ce n'était pas sa politique! Quant aux Premiers ministres, ils comprenaient que le Québec ait un droit de veto. Ce n'était pas toujours facile, mais ils comprenaient que le Québec était dans une situation particulière. Il faut dire aussi qu'ils l'ont reconnu, en août 1986 à Edmonton, quand ils ont admis qu'il fallait corriger 1982, ce qui a conduit à l'Accord du lac Meech. Comme argumentation, j'invoquais que le fonctionnement du fédéralisme était souvent inefficace, de même que la situation particulière du Québec, comme je viens de le rappeler. Mais il y avait le principal argument avancé par plusieurs théoriciens du fédéralisme que le fait d'avoir deux niveaux de gouvernement qui se concurrencent, c'est un avantage pour le citoyen qui a la liberté de choisir ou de pouvoir bénéficier de deux gouvernements. Mais, au niveau de l'agencement et de l'efficacité des programmes, c'est une autre histoire et je ne manquais pas d'arguments à cet égard.

GÉRARD BOISMENU — Est-ce que vous cherchiez, par le fait même, à faire en sorte qu'ils se rallient à une position commune en disant: «Mes intérêts sont vos intérêts»? Cherchiez-vous essentiellement à les amener à avoir une perception commune de leurs intérêts en tant que gouvernements provinciaux ou est-ce que vous misiez sur la carte «État français d'Amérique»?

ROBERT BOURASSA — Dans le domaine social, je pouvais difficilement invoquer la question culturelle d'une façon absolue. Je pouvais le faire indirectement. J'invoquais davantage l'efficacité des programmes. Plusieurs étaient d'accord. Il n'était pas toujours nécessaire d'invoquer le statut particulier du Québec.

GÉRARD BOISMENU — Vous n'avez pas mentionné que la Charte de Victoria comprenait aussi des droits politiques et individuels. Cette question des droits individuels et des droits de la personne, qui était beaucoup moins développée que dans la réforme de 1982, est-ce que ça vous heurtait ou est-ce que vous étiez parfaitement en accord avec l'idée d'une charte des droits individuels, même si, par après, lors de Meech, vous avez demandé, par exemple, qu'elle soit interprétée eu égard à une conception de la composition sociale ou de la composition politique du Canada, c'est-à-dire de la société distincte?

ROBERT BOURASSA — La Charte dont vous parlez traitait de la liberté de conscience, de religion, d'expression. Il n'était pas question de société distincte. La liberté de se rassembler, la tenue d'élections libres, à tous les cinq ans, etc. c'était assez concis, même plutôt court. Il n'y avait que neuf sujets. Les durées de session et les durées de mandat, le suffrage universel, tout cela ne créait pas de problème.

GÉRARD BOISMENU — Juste une question pour terminer. On va jusqu'en 1976, élections qui portent sur l'opposition au rapatriement unilatéral. Au cours de l'année 1976, il y a des discussions entre Pierre Elliott Trudeau et les Premiers ministres provinciaux. Il leur ébauche un certain nombre d'hypothèses de rapatriement. Certains Premiers ministres proposent un menu différent, des priorités qui sont différentes pour cette révision constitutionnelle. Vous, vous demandiez, semble-t-il, une protection constitutionnelle pour la situation du Québec. Quelle était l'idée de cette protection constitutionnelle?

ROBERT BOURASSA — À vrai dire, ma priorité n'était pas un débat constitutionnel sur cette question ou une autre. Quand il a décidé de parler du rapatriement unilatéral, nous avions déjeuné ensemble à mon bureau à Québec, début mars 1976. Il était insatisfait parce que je n'avais pas soulevé la question constitutionnelle. Il en parle dans ses mémoires et le confirme. Je n'ai pas souvenir de ses autres remarques dans ce tête-à-tête. D'ailleurs, sa mémoire me paraît supérieure lorsqu'il parle de la qualité du vin que nous avions bu! C'était du Château Haut-Brion que j'avais reçu en cadeau, lors d'un voyage à l'étranger. À la fin de la rencontre, il m'avait dit: «Tu ne me parles pas de constitution?» et il était déçu. Durant cette mémorable rencontre, il m'avait aussi demandé si j'étais d'accord pour que la reine Elizabeth inaugure les Jeux olympiques. C'était prescrit par les règlements du Comité international olympique et j'étais d'accord. Restait à décider des modalités de son arrivée au Québec, par avion à Montréal ou par bateau (le *Britannia*) à Québec, près des Plaines d'Abraham, à l'instar du Général de Gaulle qui était arrivé à Québec sur le *Colbert* en 1967. Mon choix s'est arrêté sur Montréal, même si certains à Ottawa auraient préféré Québec. Les questions protocolaires ont parfois de l'importance.

Nous parlions donc, en conclusion de notre rencontre, de son intérêt pour la négociation constitutionnelle et il m'a prévenu que ce serait un thème important du discours qu'il s'apprêtait à prononcer le soir même. Je l'ai alors prévenu de l'interprétation qui pourrait être faite de ses propos par les journalistes et il m'a répondu par une boutade à leur endroit.

Je m'attendais à un discours assez dur de sa part, ce qui a été le cas: la loi 22, les Jeux olympiques, la constitution, etc. Ça faisait partie du métier.

On avait donc peu parlé de constitution parce que ce n'était pas une priorité pour moi. J'en avais d'autres: les relations de travail, la loi 22, les échéances des Jeux olympiques. Des problèmes, j'en avais plein les bras et ce n'était donc pas une priorité de me lancer à nouveau dans un affrontement constitutionnel dans un contexte où j'étais accaparé par d'autres défis.

GÉRARD BOISMENU — N'y a-t-il pas eu un échange de lettres là-dessus où vous demandiez d'avoir des garanties sur la sécurité culturelle du Québec?

ROBERT BOURASSA — Je parlais, dans mes discours, de la souveraineté culturelle. J'étais bien conscient que, si on mettait ce principe dans les textes, ça serait aussi difficile qu'à Victoria. Je n'étais pas intéressé à discuter de constitution. Il s'en est aperçu et c'est pourquoi il s'est orienté vers un rapatriement unilatéral.

GÉRARD BOISMENU — Est-ce que cette idée d'une garantie constitutionnelle pour la sécurité culturelle du Québec serait un peu l'idée qui serait à l'origine du principe de la société distincte?

ROBERT BOURASSA — Dans la mesure où on parle de culture, c'est clair qu'on parle aussi de société distincte ou d'un statut particulier ou des deux peuples fondateurs ou de la souveraineté culturelle. Mon credo politique a toujours été que, dans cette question, le vrai problème pour les Québécois, c'est la sécurité culturelle, le Québec étant le seul gouvernement responsable à une majorité francophone. Vous verrez, lorsque je parlerai des relations internationales la prochaine fois, les gestes que mon gouvernement a posés concernant les liens culturels du Québec avec des pays francophones, même si ça ne soulevait pas alors beaucoup d'intérêt.

J'étais sûr que si je me présentais à la table constitutionnelle avec le gouvernement fédéral, on n'arriverait pas à s'entendre parce que nous étions profondément en désaccord. Trudeau était en désaccord avec la loi 22, qui confirmait le français comme seule langue officielle. Il ne pouvait pas l'accepter. C'était contre sa politique de deux langues officielles au Canada. Alors, vous voyez une discussion constitutionnelle avec, au départ, cet affrontement qui ne pouvait que conduire à une impasse.

GÉRARD BOISMENU — Sachant ce que vous savez aujourd'hui, est-ce que vous regrettez d'avoir refusé Victoria?

ROBERT BOURASSA — Ça n'a plus de pertinence aujourd'hui.

GÉRARD BOISMENU — Mais c'est important de connaître votre jugement après tous ces événements. C'est hypothétique et je sais que l'on ne peut pas refaire l'histoire.

ROBERT BOURASSA — Si on avait accepté Victoria en 1971, le Parti québécois ne serait pas disparu. Il avait obtenu près de 25% des voix en 1970. Du premier coup, il était devenu le premier parti de l'opposition en terme de votes obtenus. L'adoption de la Charte de Victoria aurait évité le rapatriement unilatéral, mais la croisade nationaliste aurait pu se développer avec force et avoir possiblement un impact sur l'élection déjà très serrée de Trudeau en 1972 et peut-être aussi sur celle de 1973 au Québec.

PHILIPPE POULIN, *étudiant en histoire* — Justement, moi, je voudrais revenir sur la question de la souveraineté culturelle. Pour vos prédécesseurs, c'était le statut particulier ou, à défaut de l'indépendance, c'était l'égalité. Pour vous, c'était d'obtenir la souveraineté, mais culturellement parlant. Essentiellement, cela touchait la langue, les communications et l'immigration.

Dans quelle mesure la souveraineté culturelle n'a-t-elle pas été un échec comme programme lors de votre deuxième mandat? Il y a eu un tribunal de la culture qui avait été instauré à l'époque et le verdict de ce tribunal avait été de dire que la souveraineté est un concept indivisible, que c'est une symbiose du culturel, de l'économique et du politique. Gil Rémillard[50] avait abondé en ce sens-là, Léon Dion aussi. Dans quelle mesure l'idée de la souveraineté culturelle est-elle une réussite ou un échec? Ou n'était-ce qu'un slogan pour contrecarrer le Parti québécois qui, lui, parlait de souveraineté-association?

ROBERT BOURASSA — Nous pouvons en parler de la souveraineté culturelle, si vous voulez. Ce n'était pas qu'un slogan parce que, concernant l'immigration, on a obtenu des pouvoirs très importants et spécifiques au Québec, notamment pour la sélection des immigrants.

Au plan international, le Québec fait partie de la francophonie. Le gouvernement québécois entretient des relations directes avec les gouvernements francophones. On a signé plusieurs ententes culturelles. On pourra revoir tout ça. Dans les communications, il faut respecter l'évolution de la technologie. On ne peut pas penser d'une façon réaliste

---

50. Gil Rémillard, député libéral de 1985 à 1994. A dirigé plusieurs ministères, dont celui de la Justice, de 1988 à 1994.

qu'on pourra avoir, dans ces secteurs, une pleine autonomie d'action.

La loi 22, c'est ce qu'on retrouve aujourd'hui à toutes fins utiles, et c'est ce qu'on accepte aujourd'hui: le français obligatoire sans prohibition des autres langues dans le secteur privé. Et cela est de plus en plus accepté, au moins tacitement, par plusieurs opposants d'antan. Je ne peux pas dire mission accomplie; on ne peut jamais dire ça, mais on a fait du chemin. Sur le partage de la souveraineté, on y reviendra...

PHILIPPE POULIN — Dans le cadre du fédéralisme canadien, il apparaît qu'il a été impossible pour vous d'obtenir cette souveraineté culturelle. La loi 22, oui vous avez pu la passer, mais dans le domaine des communications?

ROBERT BOURASSA — La priorité du français a été confirmée par la Cour suprême. Le jugement de décembre 1988 a confirmé que le Québec avait le droit d'établir le français comme langue officielle. Quant aux communications, les jugements des tribunaux ont été moins favorables.

PHILIPPE POULIN — Vous avez pu l'obtenir, mais au niveau de la langue, seulement. Dans le domaine des communications, c'était faible.

ROBERT BOURASSA — Dans le secteur des communications, les pouvoirs au Québec auraient été accrus, compte tenu de la nature du dossier, si les accords de Charlottetown avaient été acceptés. Dans le domaine de l'éducation, la Constitution est claire. Dans le secteur de la formation, il est souvent utile de convenir de normes pour fins de mobilité de la main-d'œuvre. C'est vrai que le gouvernement fédéral exerce certains pouvoirs au niveau de la culture, mais Charlottetown nous aurait donné la maîtrise d'œuvre. Quant aux subventions du Conseil des Arts, le Québec en bénéficie au-delà de son poids démographique et sans plus de contraintes que si elles provenaient de généreuses fondations privées. La langue, la culture, l'immigration, la francophonie internationale, les progrès sont indéniables et le combat continue.

REPÈRES CHRONOLOGIQUES

30 avril 1971 — Annonce des travaux de la Baie James par le Premier ministre Robert Bourassa au Colisée de Québec devant 8000 partisans libéraux. Le projet de 6 milliards de dollars devait permettre la création de 125 000 emplois.

14, 15, 16 juin 1971 — Conférence constitutionnelle de Victoria.

14 juillet 1971 — Adoption de la loi 50, créant la Société de développement de la Baie James.

Septembre 1971 — Grève des policiers de la Sûreté du Québec et grève des pompiers de la Ville de Montréal.

24 décembre 1971 — Adoption de la Loi sur les services de santé et les services sociaux.

28 mars 1972 — Première grève générale de 24 heures déclenchée par le Front commun des travailleurs des secteurs public et parapublic: fonctionnaires, employés d'hôpitaux et du réseau des affaires sociales, enseignants, employés de soutien du secteur scolaire, employés d'Hydro-Québec et de la Société des alcools, etc.

11 avril 1972 — Déclenchement d'une grève générale illimitée qui durera 10 jours. Le Front commun décide de défier les injonctions.

21 avril 1972 — Adoption d'une loi spéciale (loi 19) pour forcer le retour au travail des travailleurs du Front commun.

8 mai 1972 — Condamnation à un an de prison de Marcel Pépin, Louis Laberge et Yvon Charbonneau, les présidents des trois grandes centrales (CSN-FTQ-CEQ) par le juge Pierre Côté. (Incarcérés le lendemain, ils en appellent du jugement et seront libérés le 23 mai, mais devront retourner en prison du 2 février au 16 mai 1973.)

27 septembre 1972 — La Commission sur le crime organisé est créée par un arrêté en conseil. Dépôt du rapport de la Commission, le 2 août 1977. Celle-ci avait pour mandat d'enquêter principalement «sur les activités des organisations ou réseaux, les ramifications de ces organisations ou réseaux et les personnes qui y concourent, dans la mesure où ces organisations ou réseaux opèrent dans les domaines du jeu et du pari illégaux, dans les domaines du prêt usuraire (shylocking), de l'extorsion, du trafic illégal de la drogue et des stupéfiants, de la contrefaçon», etc.

30 octobre 1972 — Tenue des élections générales fédérales. Pierre E. Trudeau dirigera un gouvernement minoritaire.

9 octobre 1973 — Publication du Budget de l'an 1 du Parti québécois.

29 octobre 1973 — Tenue des élections générales au Québec. Les libéraux sont reportés au pouvoir avec 102 sièges sur 110.

15-23 novembre 1973 — Suspension des travaux à la Baie James à la suite d'une ordonnance d'injonction interlocutoire émise par le juge Albert Malouf, de la Cour supérieure.

17 mai 1974 — Création de la Commission d'enquête sur l'exercice de la liberté syndicale sur les chantiers de construction et les comportements de certaines personnes sur ces chantiers (Commission Cliche).

8 juillet 1974 — Tenue des élections générales fédérales: les libéraux de P. E. Trudeau obtiennent une majorité absolue de sièges.

31 juillet 1974 — Adoption de la loi 22.

21 mars 1974 — Le chantier de construction du barrage LG-2 est saccagé et mis à feu.

17 juillet 1976 — Ouverture des Jeux olympiques de Montréal.

mai 1975 — Rapport de la Commission Cliche.

11 novembre 1975 — Signature de la convention de la Baie James.

mars 1976 — Début du conflit avec les Gens de l'air.

15 novembre 1976 — Tenue des élections générales au Québec. Le Parti québécois prend le pouvoir avec 41,4% des votes exprimés et 71 sièges sur 110.

26 août 1977 — Adoption de la Charte de la langue française et de la Loi régissant le financement des partis politiques et modifiant la loi électorale.

27 octobre 1979 — Inauguration de la centrale LG-2 à la Baie James.

Troisième rencontre

LES ANNÉES 1980

L'énergie ♦ *La crise des finances publiques* ♦
La loi 160 ♦ *Le rôle international
du Québec* ♦ *Le libre-échange nord-américain* ♦
La loi 178 sur la langue d'affichage

Mardi, le 7 mars 1995 à 17 heures
dans la salle M-425 du pavillon principal
de l'Université de Montréal

PERSONNES PRÉSENTES

Réal Bourque, Sylvie Brunanchon, Édouard Cloutier,
Bernard Cantin, Robert Cléroux, Éric Couture,
Stéphane Dion, James Iain Gow, André Guertin,
David Irwin, Marc Lachance, Éric Lauzon,
Louis Maheu, Pierre Martin, Pascal Mailhot,
Louis Massicotte, Sylvia Nadon, André Normandeau,
Payanotis Soldatos, Céline Stehly.

Comme nous l'avons vu à la dernière rencontre, les années 1970 ont donné lieu à des événements majeurs assez turbulents aux plans social, culturel et constitutionnel. Tout cela a abouti à la défaite de mon gouvernement le 15 novembre 1976. J'ai déjà expliqué les principales raisons de cette défaite: le fait que je sollicitais un troisième mandat de gouvernement mais, également, la question linguistique qui avait joué un rôle important au niveau électoral, en éloignant un bon nombre d'anglophones du Parti libéral.

J'ai été défait dans mon comté et je me suis retiré de la politique dans les semaines suivantes. Durant les années qui ont suivi, j'ai décidé d'aller examiner de près le développement de l'Europe, à l'Institut d'études européennes à Bruxelles et à l'Institut européen d'administration des affaires (INSEAD), une école d'administration des affaires qui s'intéresse au développement européen. Après avoir connu, pendant sept ans, une vie publique particulièrement intense, j'ai cessé, à toutes fins utiles, mes apparitions publiques.

Je suis revenu sur la scène publique quelques années plus tard, d'abord par une présence discrète dans quelques régions. Je traitais essentiellement de deux sujets: l'intégration économique, et ses liens avec l'intégration politique, et le développement économique, notamment les exportations d'électricité chez nos voisins, que ce soit en Ontario ou aux États-Unis. J'ai fait une entrée assez remarquée le 27 octobre 1979, lorsque l'on a inauguré la Baie James. J'ai aussi participé très activement à la campagne référendaire de 1980, durant laquelle j'ai eu des débats avec monsieur Parizeau dans son comté, avec monsieur Bourgault[1] et avec monsieur Landry[2].

Tout en multipliant ces interventions au début des années 1980, je poursuivais mon enseignement universitaire, à l'Université Laval et à l'Université de Montréal, mais aussi à l'Université Yale et à John Hopkins à Washington. Je combinais à la fois la réflexion et l'action, de manière à être éventuellement disponible pour un retour en politique.

Si je vous parle de cette question, c'est parce qu'à ce moment-là, ça paraissait invraisemblable que je puisse faire un retour en politique. D'ailleurs, il n'y avait pas de précédent, dans l'histoire parlementaire britannique, d'un chef de parti qui avait été battu, qui avait démissionné, qui avait été remplacé par un autre chef et qui, éventuellement, aurait succédé à celui qui l'avait remplacé.

J'étais donc disponible pour un retour, à l'une ou l'autre fonction, et je multipliais les interventions, aussi bien à l'occasion du référendum que lors de la campagne électorale de 1981. J'étais disponible pour être député à l'Assemblée nationale après la démission de monsieur André Raynauld[3] à l'automne 1980, mais Claude Ryan, pour plusieurs raisons assez compréhensibles, était plus ou moins intéressé à ce que l'ancien chef revienne et fasse partie de son équipe.

---

1. Pierre Bourgault, président du Rassemblement pour l'indépendance nationale (RIN) de 1964 à 1968. Journaliste et professeur au Département de communication de l'UQAM.

2. Bernard Landry, élu député du Parti québécois en 1976 et en 1981. Dirige plusieurs ministères à vocation économique de 1976 à 1985. Réélu en 1994, il est vice-Premier ministre et ministre des Affaires internationales, de l'Immigration et des Communautés culturelles dans le cabinet de J. Parizeau.

3. André Raynauld, professeur émérite au Département de sciences économiques de l'Université de Montréal, a été député libéral à Québec de 1976 à 1980.

Il y avait des tensions au sein du parti, tensions qui se sont aggravées à la suite de la défaite du PLQ, en avril 1981. Cette défaite était d'ailleurs imprévue, peut-être pas au moment de la campagne électorale quand il est apparu que le Parti québécois avait d'excellentes chances de triompher, mais sûrement à la fin de 1980 et au début de 1981, dans la foulée de la victoire référendaire du NON. Alors, comme dans toute situation où le parti est défait, les tensions se sont rapidement développées et le leadership de monsieur Ryan a été remis en question.

De manière à pouvoir mettre en relief certaines idées bien concrètes concernant le développement économique, j'avais publié en 1981 un livre qui s'intitulait *Deux fois la Baie James*[4]. J'arguais dans ce livre qu'il fallait miser essentiellement sur la supériorité de l'énergie hydro-électrique, très attrayante, étant donné les coûts des alternatives qui s'offraient, comme par exemple les centrales nucléaires, les centrales au charbon ou au pétrole.

Je plaidais sur toutes les tribunes, dans une période où la crise économique était très préoccupante, la possibilité de faire du Québec une sorte d'Alberta de l'Est. J'invoquais l'intérêt pour le Québec de hâter la construction des centrales hydro-électriques, en disant que nous allions en avoir besoin de toute façon, que c'était la meilleure forme d'énergie, que chaque jour qui passait était une perte nette et irrémédiable en termes de développement économique, qu'en somme ça profiterait à l'économie du Québec si nous pouvions avancer la construction des centrales pour exporter l'électricité à nos voisins à des prix très avantageux.

---

4. Robert Bourassa, *Deux fois la Baie James*, Montréal, La Presse, 1981, 157 p.

On voit ce qui s'est passé depuis. Nous avons pu signer quelques contrats qui rapportent des montants très importants. La récession nous a toutefois privés de quelques contrats très profitables. Près de 10% des revenus d'Hydro-Québec proviennent des exportations d'électricité. C'est très avantageux lorsque le dollar canadien perd de sa valeur face au dollar américain: si on a emprunté à 85 cents et que l'on rembourse à 70 cents, ça augmente le montant des remboursements. Dans ce contexte, il était utile pour nous de pouvoir augmenter nos exportations, nous pouvions alors bénéficier de revenus additionnels si le dollar canadien perdait de sa valeur. Il y avait une sorte d'équilibre que nous pouvions établir entre les risques d'emprunter à l'étranger et les avantages de pouvoir développer nos exportations. Même si le coût des remboursements était supérieur aux revenus d'exportations, au moins il était fortement atténué par ces exportations.

Le devancement de la construction de ces centrales avait également comme avantage d'attirer ici des entreprises, comme on l'a fait par la suite dans le secteur de l'aluminium, qui a produit plusieurs milliards d'investissements à compter du milieu des années 1980. Ces investissements ont permis de créer des milliers d'emplois directs et indirects. On sait que l'aluminium est de plus en plus considéré, d'un point de vue environnementaliste, comme un matériau d'avenir. Pour l'automobile, par exemple, vous avez des constructeurs, comme Ford, qui misent sur le remplacement de l'acier par l'aluminium de manière à réduire, au début du siècle prochain, le poids des véhicules et à respecter les normes environnementales concernant la pollution de l'air. Il y a là, pour le Québec et son développement économique, un atout stratégique exceptionnel qui lui permet de pouvoir développer ces entreprises et créer des emplois en profitant de ses richesses naturelles renouvelables.

Il est vrai que nos adversaires politiques ont, récemment, tenté d'exploiter les variations dans le prix de l'aluminium. Il y a deux ans, on a remis en cause tous ces contrats d'aluminium en disant qu'ils coûteraient des milliards de dollars à Hydro-Québec. Le prix de l'aluminium était alors fixé à 47 cents. C'était des arguments assez faibles puisque, un an après, le prix a presque doublé et que, présentement, le prix tourne autour d'un dollar. Ces contrats demeurent donc très avantageux. D'ailleurs, après les avoir dénoncés vigoureusement, on veut maintenant les prolonger (aluminerie Alouette)! Ce sont des choses qui arrivent en politique. Nous avons pu, à ce moment-là, non seulement créer des emplois et augmenter les revenus mais également accroître notre surplus commercial avec les États-Unis de façon très substantielle.

Revenons donc au début des années 1980. À cette époque je privilégiais, dans les débats publics, des idées très concrètes que je pouvais faire valoir lors de mes différentes rencontres, surtout en région, et ça me permettait d'accroître ma visibilité sur le plan économique. Tout le monde se souvenait que la Baie James avait été l'une des réalisations les plus importantes dans l'histoire économique du Québec. Je pouvais, en même temps que je défendais ces idées, rencontrer les militants du Parti libéral et préparer un éventuel retour en politique active.

En 1982, Claude Ryan démissionne et Gérard D. Lévesque[5], collaborateur indéfectible et distingué parlementaire, devient chef intérimaire. J'accentue alors ma présence. Dans les études d'opinion publique, je suis toujours en tête comme

---

5. Gérard D. Lévesque (1926-1993), député libéral de 1956 à 1993. En plus de diriger plusieurs ministères, dont celui des Finances (1985-1993), il a été à deux reprises chef intérimaire du Parti libéral, de janvier 1977 à avril 1978 et de août 1982 à octobre 1983.

remplaçant de monsieur Ryan pour les prochaines élections, mais il n'en demeure pas moins que plusieurs milieux et groupes s'opposent à ma candidature. Il y a plusieurs libéraux fédéraux qui n'ont jamais accepté ma conception du fédéralisme, telle qu'illustrée par Victoria et la loi 22. Il y a aussi certains milieux anglophones qui, eux, se souviennent de ma législation linguistique. J'avais aussi quelques opposants dans le milieu des affaires en raison de certaines décisions passées.

La tenue du congrès du parti est fixée pour octobre 1983. À ce moment-là, mon principal opposant dans la lutte pour remplacer monsieur Ryan est Raymond Garneau[6] qui avait été défait par monsieur Ryan en 1978, mais qui avait encore plusieurs appuis au Parti libéral et au niveau fédéral. Monsieur Trudeau l'avait rencontré personnellement pour essayer de le convaincre de se présenter. Monsieur Garneau a hésité quelques semaines et a finalement décidé, à la fin de juin 1983, de ne pas se présenter.

Le congrès ayant été fixé au mois d'octobre 1983, cela laissait très peu de temps, et dans une saison peu propice, à ceux qui s'opposaient à ma candidature pour trouver quelqu'un qui pouvait avoir des chances de me battre à la convention. En octobre, j'ai été élu par 75% des délégués au premier tour. Mes deux opposants étaient Daniel Johnson[7],

---

6. Raymond Garneau, député libéral de 1970 à 1978. Il a été entre autres ministre des Finances et président du Conseil du Trésor. Il sera député libéral à la Chambre des communes de 1984 à 1988.

7. Daniel Johnson (fils), élu député libéral en 1981. Réélu en 1985, 1989 et 1994. Candidat défait à la direction du Parti libéral le 15 octobre 1983. Il a été entre autres président du Conseil du Trésor avant de succéder à Robert Bourassa comme chef du parti et Premier ministre (du 11 janvier au 27 septembre 1994). Chef de l'opposition officielle depuis septembre 1994.

aujourd'hui chef du Parti libéral, et Pierre Paradis[8]. Ce retour sans précédent avait été réalisé entre autres sur la base d'une forte crédibilité économique et d'une forte avance dans les sondages, c'est-à-dire un appui populaire très respectable.

Je décide de retarder mon entrée à l'Assemblée nationale pour être plus présent en région. L'année 1984 est une année très difficile pour le Parti québécois. Il y a la question du «beau risque[9]»: une dizaine de ministres quittent le Cabinet et l'actualité est fortement mobilisée par ces divisions internes. Au cours de cette année, les sondages sont très favorables au Parti libéral. Ainsi, un sondage SORECOM nous donne 48 points d'avance, soit 71% pour le PLQ et 23% pour le PQ.

Je profite de mon élection comme chef du Parti libéral pour relancer le débat sur la question énergétique, redevenue d'actualité, en publiant un autre livre que je lance, cette fois-là, à Washington parce qu'il vise essentiellement les acheteurs américains. Le livre s'intitule *Power from the North*[10] et est préfacé par James Schlesinger[11], une autorité aux États-Unis,

---

8. Pierre Paradis, député libéral depuis 1980. Candidat défait à la direction du Parti libéral le 15 octobre 1983. Ministre dans les cabinets Bourassa et Johnson. Leader de l'opposition officielle depuis le 27 septembre 1994.

9. Au lendemain de l'élection fédérale du 4 septembre 1984 portant les conservateurs au pouvoir, le Premier ministre René Lévesque avait parlé du «beau risque» dans une allusion à la collaboration qu'il s'apprêtait à offrir au nouveau régime en place à Ottawa. Le gouvernement du Québec, en réponse à l'ouverture manifestée par le nouveau gouvernement à Ottawa, proposait en 1985 dans un projet d'accord constitutionnel les conditions d'adhésion du Québec à la constitution canadienne.

10. Robert Bourassa, *Power from the North*, Scarborough, Prentice-Hall Canada, 1983, 181 p.

11. James R. Schlesinger a occupé divers postes de haut niveau dans le gouvernement des États-Unis, servant sous plusieurs présidents entre 1969 et 1979. Ancien Secrétaire d'État à la défense, il a également été le principal conseiller de l'administration Carter en matière d'énergie. À ce titre, M. Schlesinger élabora une politique énergétique nationale accompagnée d'un programme d'action pour le Département américain de l'Énergie. Il devient le premier Secrétaire d'État à l'Énergie des États-Unis (1977 à 1979).

ancien Secrétaire à l'Énergie, ancien Secrétaire à la Défense et ancien directeur de la CIA. Sa parution a créé un certain impact et consolidé ma crédibilité concernant les questions économiques.

Monsieur Lévesque traverse tant bien que mal l'année 1984. Il a des problèmes de santé au début de 1985 mais retrouve la forme. Je suis élu en juin 1985, à l'occasion d'élections partielles. Le même mois, René Lévesque quitte la politique d'une façon assez inattendue: très tard un vendredi soir, il envoie un communiqué déclarant qu'il se retire comme chef du Parti québécois.

Au congrès du leadership du PQ, Pierre-Marc Johnson est élu haut la main. La lutte électorale s'amorce immédiatement. Monsieur Johnson aurait pu attendre jusqu'au printemps. Peut-être que ses chances auraient été meilleures à cette période: il assurait un nouveau leadership au Parti québécois, avait de nombreux appuis et était plus rassurant puisqu'il avait changé la politique constitutionnelle du Parti québécois, remplaçant l'idée d'indépendance par une proposition d'affirmation nationale[12]. Il profitait en somme d'une certaine «lune de miel». Mais il décide de déclencher immédiatement les élections et la campagne électorale devient soudainement plus serrée. Des sondages sont publiés et paraissent inquiétants pour le Parti libéral.

Je profite de la campagne pour publier un autre livre, portant celui-là sur le défi technologique[13] et mettant en relief

---

12. L'Affirmation nationale fut adoptée au congrès national du Parti québécois en juin 1987. Cette proposition était une démarche d'affirmation nationale du peuple québécois et de consolidation de son identité dans le cadre du fédéralisme canadien. L'insertion de l'Affirmation nationale au programme du Parti québécois présupposait que les souverainistes prennent la mesure du temps et la mesure de la réalité.

13. Robert Bourassa, *Le défi technologique*, Québec/Amérique, Montréal, 1985, 145 p.

Robert Bourassa devient chef du Parti libéral du Québec
le 17 janvier 1970. De gauche à droite: Jean Lesage,
Andrée Simard, François Bourassa, Robert Bourassa.

La famille Bourassa à l'époque de la campagne électorale de 1970.
Dans l'ordre habituel: Andrée Simard, Michelle, Robert Bourassa
et François. (Photo Le Devoir)

Robert Bourassa en compagnie de Gérard D. Lévesque et de Thor E. Stephenson, président de United Aircraft, le 13 novembre 1970.

Signature de l'entente sur la Baie James avec les Amérindiens le 15 novembre 1964. De g. à dr.: Robert Bourassa, John Ciaccia, Jean Chrétien et Billy Diamond.

Photo prise lors du débat électoral télévisé à Sherbrooke en octobre 1973.
De g. à dr.: Robert Bourassa, Gabriel Loubier, Yvon Dupuis et René Lévesque.

Première visite au chantier de LG2, à la Baie James,
le 14 juillet 1973, jour de son anniversaire.

Conférence interprovinciale des Premiers ministres,
les 11, 12 et 13 septembre 1974.

Conférence des Premiers ministres des provinces à Edmonton,
les 17 et 18 août 1976.

Débat avec René Lévesque à la radio de CKAC pendant la campagne électorale de 1976. (Photo Le Devoir/Alain Renaud)

Le retour à la politique en 1983.

Le 21 mai 1985, lancement de L'énergie du Nord, *en préparation de l'élection du 2 décembre 1985. À l'arrière-plan, André Vallerand qui deviendra ministre d'État à l'Industrie et au Commerce. (Photo* Le Devoir*/Jacques Grenier)*

Robert Bourassa et Georges Pompidou, président
de la République française, avril 1971.

Robert Bourassa en compagnie de Jacques Chirac, Premier ministre de France, en décembre 1974 à l'occasion d'une visite officielle à Paris. Jacques Chirac avait alors publiquement appuyé la loi 22 établissant le français comme langue officielle au Québec. (Photo Le Devoir/Marthe Blackburn)

*Robert Bourassa lors d'une rencontre avec François Mitterand,
à Paris, le 23 janvier 1989.*

Robert Bourassa en compagnie de Jacques Delors, président de la Commission des Communautés européennes, en février 1992, à Bruxelles.

*Visite d'une école à Alma, le 5 octobre 1987.
(Photo Le Devoir/C. Keyser)*

Monsieur et madame Bourassa photographiés au bureau de scrutin le jour des élections du 25 septembre 1989. (Photo Le Devoir/Jacques Grenier)

Avec Brian Mulroney, au sommet de Québec en 1987.

*Rencontre avec Jacques Parizeau, chef de l'opposition officielle,
le 29 juin 1990, après l'échec de l'Accord du lac Meech.
(Photo Le Devoir/Jacques Grenier)*

Robert Bourassa photographié chez lui, rue Maplewood, à Outremont.

*Dernière photo officielle de Robert Bourassa alors qu'il présentait
ses vœux pour l'année 1994. Il est accompagné de son épouse,
Andrée Simard, et de ses petit-fils Mathieu et Simon.*

l'importance pour le Québec de relever le défi de la productivité et du développement technologique qui s'annonce primordial pour les années qui viennent.

Ce qui me donne un coup de main, c'est ce débat à la radio, dont j'ai déjà parlé, avec monsieur Johnson et deux autres participants, soit messieurs André Léveillé, chef de l'Union nationale, et Denis Monière qui était, à ce moment-là, chef du Parti indépendantiste.

Le 2 décembre, le Parti libéral fait élire 99 députés. Il en manque un: je suis défait dans le comté de Bertrand, qui est un château fort péquiste que j'avais néanmoins remporté aux élections partielles de juin 1985. Mon adversaire était Jean-Guy Parent[14], qui venait d'être nommé ministre par Pierre-Marc Johnson par calcul électoral. Cette défaite très serrée (quelque 200 voix d'écart) était un peu ennuyeuse mais vite oubliée. Je suis assermenté le 12 décembre et élu, avec une forte majorité, député de Saint-Laurent lors d'élections partielles tenues le 20 janvier suivant. Puis, c'est la rentrée à l'Assemblée nationale.

S'amorce alors un mandat qui est, par rapport à ceux qui ont précédé et à celui à venir, relativement tranquille au plan social et assez encourageant au plan économique avec des dossiers qui, sans beaucoup attirer l'attention de l'opinion publique, sont importants pour l'avenir du Québec.

L'une de mes premières activités, en février 1986, c'est le sommet de la francophonie. Il s'agit d'un événement très important pour le Québec, tant au plan historique qu'au plan de son rayonnement international. Après des années de négociation entre le gouvernement fédéral et le gouvernement

---

14. Jean-Guy Parent, maire de Boucherville de 1978 à 1985, il a été nommé ministre du Commerce extérieur avant d'être élu député du Parti québécois le 2 décembre 1985. Ne s'est pas représenté en 1989.

français, il y avait eu une entente[15], au mois de novembre, entre monsieur Johnson et monsieur Mulroney. Le gouvernement français insistait toujours pour que le Québec puisse être autonome et distinct aux sommets de la francophonie, alors que le gouvernement fédéral s'y opposait. Finalement, on a trouvé un compromis: le gouvernement du Québec serait admis comme gouvernement participant et distinct. Le même statut a été accordé au Nouveau-Brunswick[16]. Cette première entente nous permettait d'exercer certains pouvoirs et de jouer un rôle significatif. Sur les questions économiques et internationales, le gouvernement du Québec devait, pour participer, demander l'autorisation du gouvernement fédéral. Ce n'était pas le compromis idéal, mais c'était quand même un droit nouveau. Ça faisait suite à l'entente concernant l'Agence de coopération culturelle et technique[17], conclue en mars 1970.

C'était donc pour le Québec une nouvelle opportunité de s'affirmer sur le plan international, au niveau de la fran-

---

15. L'entente entre le Canada et le Québec au sujet du premier Sommet de la Francophonie a été signée par Brian Mulroney et Pierre-Marc Johnson le 7 novembre 1985. Le Sommet fut subdivisé en deux volets: *(a)* la situation politique et économique mondiale; *(b)* la coopération et le développement. L'entente fédérale-provinciale accordait, entre autres, au Québec un droit de parole sur les questions du deuxième volet de la conférence et, avec l'accord du gouvernement fédéral, un droit de parole sur certaines questions politiques et économiques du premier volet. L'entente devait permettre d'établir la nature de la participation du Québec aux Sommets de la Francophonie.

16. L'entente avec le Nouveau-Brunswick a été signée le 6 décembre 1985.

17. L'Agence de coopération culturelle et technique a vu le jour le 20 mars 1970. La Convention de l'ACCT a été signée à Niamey au Niger par 22 États, dont le Canada, avec comme but premier d'institutionnaliser la coopération multilatérale culturelle et technique des pays utilisateurs de la langue française. L'ACCT est la première organisation intergouvernementale francophone.

cophonie. L'intérêt pour cette présence internationale était d'ailleurs relativement récent. Dans notre histoire de plus de trois siècles, il avait commencé, à toutes fins utiles, avec l'établissement par Jean Lesage d'une délégation du Québec à Paris, au début des années 1960. Maurice Duplessis avait toujours été hostile à ce type de dépenses. Pour lui, cela constituait, assez curieusement, des dédoublements. Il s'opposait à ce que l'on ouvre à Paris une délégation du Québec parce que, disait-il, il y avait déjà une ambassade du Canada. Donc, il ne fallait pas investir des sommes pour des services qui pouvaient être rendus par le gouvernement canadien. L'activité internationale du Québec avait vraiment commencé avec la première entente[18] avec la France, conclue par monsieur Lesage en 1965, qui portait sur l'éducation avec M. Gérin-Lajoie comme ministre responsable.

Le Québec demeurait toutefois, en vertu de l'entente entre Mulroney-Johnson, distinct dans les secteurs qui relevaient de sa juridiction. J'avais donc décidé, à l'occasion du premier sommet, d'affirmer la présence québécoise. Je tenais à ce que le Québec puisse s'imposer sur la scène internationale d'une façon originale et nouvelle. Je ne pouvais pas participer au discours d'ouverture parce qu'il n'y avait qu'un représentant par continent. On m'avait offert par contre de prononcer

---

18. La première entente du Québec avec la France a été conclue en 1965. Il s'agissait d'un accord administratif en rapport avec un échange de professeurs et d'étudiants. Le ministre de l'Éducation de l'époque, Paul Gérin-Lajoie, était au centre d'une controverse. Le gouvernement d'Ottawa l'accusait d'avoir empiété sur un champ d'action fédéral. Le ministre avait alors affirmé que le Québec n'avait pas de permission à demander à Ottawa pour conclure des ententes internationales dans les domaines de sa juridiction et qu'il allait conclure d'autres ententes du même genre avec la France ou avec d'autres pays. P. Gérin-Lajoie avait alors jeté les bases politiques de l'internationalisation du Québec.

le discours de clôture et d'assumer le rôle de «rapporteur». Durant les discussions sur les questions économiques, j'avais toutefois demandé au gouvernement fédéral de pouvoir faire une intervention. J'ai donc proposé de créer une sorte de plan Marshall pour aider les pays d'Afrique, constitué à même des surplus alimentaires du Marché commun. Monsieur Jacques Delors[19], avec qui j'avais communiqué durant le sommet, avait déjà lancé cette idée quelques années auparavant. Cette proposition, qui se défendait fort bien dans le contexte, visait également à permettre que le Québec puisse, dorénavant, intervenir sur des questions qui ne concernaient pas strictement les juridictions qui lui étaient imparties par la constitution. Ma proposition avait créé un certain étonnement au niveau fédéral, sans encourir toutefois d'opposition.

Nous avons obtenu que le deuxième sommet francophone se tienne à Québec et que le Premier ministre du Québec puisse présider les séances sur la coopération. J'étais alors aussi intervenu pour faire des propositions qui ne concernaient pas spécifiquement les juridictions du Québec, en suggérant la création d'un fonds de restructuration pour le Liban. Dans ce deuxième sommet, le Québec formulait également une proposition qui permettait de modifier l'endettement des pays de l'Afrique en liant leur capacité de remboursement aux prix des matières premières. Cette proposition tenait compte du fait que leur endettement était considérable et que le prix de leurs matières premières avait tendance à baisser.

---

19. Jacques Delors, homme politique français (socialiste). Président de la Commission européenne de Bruxelles de 1985 à 1994, il s'est fait le partisan d'une union politique, économique et monétaire de l'Europe et a contribué à l'élaboration du traité de Maastricht.

L'un des objectifs de ces propositions, outre les mérites intrinsèques de celles-ci, était encore de permettre au Québec, à l'intérieur de la fédération canadienne, de s'affirmer de différentes façons sur le plan international.

Nous avions aussi obtenu, à la suite de négociations avec le gouvernement fédéral représenté notamment par Lucien Bouchard, la possibilité de pouvoir tenir les rencontres à l'Assemblée nationale. Les autorités fédérales auraient préféré que cela se fasse à l'extérieur de l'Assemblée nationale mais, finalement, en faisant preuve de détermination, nous avons obtenu gain de cause.

Lors de la tenue de l'autre sommet, à Dakar, le gouvernement du Québec et le gouvernement fédéral ont fait, entre autres, des propositions dans le secteur de l'environnement.

Finalement, j'insistais toujours pour que, lors des négociations avec les pays francophones, le gouvernement du Québec ou son Premier ministre puisse discuter directement avec d'autres gouvernements. Je me souviens à cet égard que, lors d'une rencontre avec monsieur Martens[20], qui était Premier ministre de Belgique, j'avais demandé à monsieur Asselin, qui était ambassadeur du Canada, de se retirer. J'en faisais une question de principe.

Le Québec devait, à travers la francophonie internationale, s'exprimer d'une façon autonome, sans pour autant susciter une opposition systématique de la part du gouvernement fédéral. D'ailleurs, on voit que cette politique se poursuit de sommet en sommet. Ainsi, à la dernière rencontre des ministres responsables des pays francophones il y a quelques

---

20. Wilfried Martens, homme politique belge, fut président du Parti social-chrétien flamand (CVP) de 1972 à 1979 et Premier ministre de 1979 à 1991 (avec une brève interruption en 1981). Il mena les réformes constitutionnelles de 1980 et 1988-89, renforçant la fédéralisation de la Belgique.

mois au Bénin, vous avez vu que le ministre Ouellet[21] avait un point de vue tout à fait différent du ministre Landry[22]. Les divergences ont été constatées, et le Québec en tant que gouvernement distinct au sein de la francophonie a pu s'exprimer différemment du gouvernement fédéral.

Je profitais également des forums internationaux tenus à Davos, d'abord pour encourager les investissements étrangers, puis pour établir des contacts avec les chefs d'États et signer des ententes. Je l'ai fait avec la Roumanie, toujours sans interférence fédérale, lorsque j'ai signé une entente de coopération technique et culturelle avec le président Iliescu[23]. Je rencontrais également de nombreux dirigeants d'autres pays dont Hans Genscher[24] et Jacques Delors. Il y avait aussi, toujours dans le secteur international, plusieurs discussions et négociations avec des États membres de fédérations, comme la Bavière et la Wallonie. À cela s'ajoutent enfin des ententes économiques avec les États de la Nouvelle-Angleterre.

---

21. André Ouellet est député libéral à la Chambre des communes depuis 1967. Il a dirigé divers ministères dans les cabinets Trudeau. Ministre des Affaires étrangères depuis novembre 1993.

22. Lors de la 4e Conférence ministérielle de la francophonie, en décembre 1994, le Québec, représenté par le ministre des Affaires internationales, monsieur Bernard Landry, a clairement montré que le Québec comptait désormais profiter au maximum de la marge de manœuvre que lui donne son statut de «gouvernement participant» à la francophonie. Deux faits le confirment: d'abord, le ministre Landry rencontre le président du Burkina Faso sans la présence d'un représentant du Canada et par la suite, il se dissocie d'une initiative canadienne visant à créer un «mécanisme de diplomatie préventive» au sein de la francophonie. Ainsi, le Québec manifeste une évidente volonté de sortir de la francophonie triangulaire Paris-Ottawa-Québec pour penser davantage en termes de relations et de solidarité Nord-Sud.

23. Ion Iliescu. Élu à la présidence de la République de la Roumanie en mai 1990 et réélu en septembre 1992.

24. Hans-Dietrich Genscher, chef du Parti libéral allemand (FDP), a été ministre des Affaires étrangères de 1974 à 1992. Il a été l'un des artisans de l'Ostpolitik et de la réunification allemande.

On peut affirmer que nous avons exercé toute notre liberté d'action dans nos relations, notamment culturelles, avec les pays étrangers, en utilisant le forum de la francophonie ou d'autres événements qui pouvaient se présenter. Je dois souligner qu'avec la France, ces rencontres étaient toujours directes et sans intermédiaire. Bref, on ne peut certainement pas accuser le gouvernement, sur cet aspect important de l'avenir du Québec, d'indifférence ou de négligence.

Au plan du commerce international, le rôle du Québec, dans le cadre canadien, a été souvent décisif au cours de ces années. Je donne trois exemples: le libre-échange, y compris l'entente avec le Mexique et le GATT[25]. Les intérêts du Québec, concernant les questions d'ordre économique, ont toujours été bien intégrés dans la négociation canadienne.

L'exemple le plus éloquent, c'est le libre-échange. On dit souvent que le Québec doit se retirer de la fédération canadienne parce qu'il aura des pouvoirs plus importants s'il accède à l'indépendance. Or la meilleure preuve que le Québec peut bien défendre ses intérêts, c'est l'exemple du libre-échange. On sait comment ce traité a été important pour nous et comment cette entente a contribué à relancer l'économie du Québec.

En 1987, le gouvernement de Brian Mulroney était modérément appuyé par l'opinion publique canadienne. Si le Québec avait décidé d'appuyer l'Ontario contre l'entente de libre-échange, les chances auraient été très minces que le Congrès américain ratifie l'entente puisqu'à ce moment-là, les deux principales provinces, plus quelques autres, auraient été opposées à l'entente. Le Québec a exercé son rapport de force et a décidé d'appuyer les provinces de l'Ouest plutôt

---

25. GATT, Accord général sur les tarifs douaniers et le commerce.

que l'Ontario. Le gouvernement fédéral a été capable de faire accepter l'entente sur le libre-échange avec tous les bénéfices qui pouvaient s'y rattacher pour nous.

Quand on regarde l'avenir économique et les exigences de la prochaine décennie, si l'on conclut qu'il est essentiel de mettre l'accent sur la productivité, sur le commerce international, sur la formation professionnelle et sur la force concurrentielle, il devient évident que l'accord de libre-échange était une condition sine qua non pour protéger notre avenir économique. Il faut constater qu'avec cette entente sur le libre-échange, il était possible que le taux de change du dollar canadien baisse sans que le gouvernement américain puisse invoquer ce changement du taux de change pour renégocier l'entente. Et, de fait, depuis quelque trois ans, le dollar canadien est passé d'environ 90 cents à environ 70 cents américains. Finalement, le libre-échange continue de s'appliquer avec toute la possibilité d'augmenter nos exportations à cause d'une baisse des prix. Il faut également constater que sur les questions du bois d'œuvre, des contrats d'électricité, le Québec a toujours eu gain de cause, et cela avec la collaboration du gouvernement fédéral. Tous ces secteurs sont très importants pour notre économie.

Durant ces années, l'appui au libre-échange a été presque unanime au Québec. Je dis presque, parce que même si des partis marginaux étaient contre, le Québec dans son ensemble était très conscient que le combat protectionniste était un combat d'arrière-garde. Le Québec a pris le leadership au niveau des provinces. C'était pour nous la seule option réaliste qui, entre autres, nous permettait de développer nos marchés non seulement en Amérique du Nord et avec le Mexique, mais aussi en Europe et en Asie.

En matière de commerce international, notamment à

travers le G7 [26] dont le Québec fait partie comme État-membre de la fédération canadienne, nous avions la possibilité, dans les négociations du GATT, d'obtenir des concessions qui auraient été difficiles à obtenir si nous avions été un pays souverain. En effet, si le Québec ne faisait plus partie du Canada, ce dernier serait probablement exclu du G7.

Cette ouverture au commerce international nous conduisait à une économie plus dynamique, plus productive, nous permettant de relever plus facilement le défi des finances publiques.

Quelques mots sur ce sujet des finances publiques, pour montrer l'évolution des années 1980 par rapport aux années 1970. Lorsque j'ai pris le pouvoir en 1970, la proportion du service de la dette dans le budget était de 4,7%. En 1976, lorsque j'ai quitté, cette proportion était la même, soit 4,7%. En 1985, à mon retour, puisqu'on parle des années 1980, la proportion avait atteint les 14%, proportion qui s'est maintenue jusqu'en 1993-1994 malgré la longue récession.

Au milieu des années 1980, au moment où je suis revenu au pouvoir, le gouvernement a réduit substantiellement l'endettement. Nous avons réussi, à quelques centaines de millions près, ce qui est quand même peu sur un budget de quelque 35 milliards, à avoir l'équilibre dans les dépenses courantes. Nous n'empruntions, à toutes fins utiles, que pour les investissements. La situation s'est détériorée par la suite, puisque nous avons eu la plus longue récession depuis les années 1930. Mais le gouvernement a réussi à réduire l'écart des impôts personnels avec l'Ontario, en partie grâce aux

---

26. G7, groupe des sept pays les plus industrialisés, c'est-à-dire, l'Allemagne, le Canada, les États-Unis, la France, l'Italie, le Japon, le Royaume-Uni.

hausses de taxes décrétées par le gouvernement de monsieur Rae. Nous avons rejoint l'Ontario pour ce qui est du taux marginal d'imposition. Nous avons développé une politique favorable à la famille en donnant des subventions pour stimuler la démographie et aussi en réduisant d'une façon radicale les impôts pour les jeunes familles à faible revenu.

On sait que, durant cette période, le gouvernement fédéral maintenait son déficit tout en essayant, sans beaucoup de succès, de le réduire. On ne parvenait jamais à réduire le déficit sous la barre des 3% du produit intérieur brut, critère établi par l'Union européenne. De plus on doit aussi constater que, dans le cas du Marché commun, lorsque l'on parle des 3%, on parle également d'un endettement cumulatif qui n'excède pas 60% du produit intérieur brut, ce qui n'est pas le cas de la situation canadienne, et de loin.

On doit constater aussi qu'au Canada, il y a une grande diversité parmi les provinces. On doit en effet constater la marge de manœuvre des provinces pour affronter le défi des finances publiques. Vous avez la situation de l'Ontario où, durant quelques années, on a stimulé la croissance par le déficit. Vous avez la situation de l'Alberta que vous connaissez bien, celle du Nouveau-Brunswick, où les modifications aux politiques sociales permettent de rechercher l'équilibre, et celle de la Saskatchewan, où l'on a décidé d'éliminer le déficit, entre autres moyens, par une augmentation des impôts durant un temps limité et des coupures très sévères.

Entre les années 1985 et 1990, le gouvernement du Québec a recherché un meilleur équilibre en recourant à différentes pratiques mais sans idéologie étroite, c'est-à-dire sans affirmer que nous allions réduire le déficit sans égard à la justice sociale ou que nous allions adopter une politique de déficit pour relancer l'économie. Nous avons donc recherché un équilibre entre différents facteurs, en tenant compte de la

situation sociale des Québécois et aussi de la situation économique. Un résultat concret, le poids du service de la dette
dans le budget, est demeuré le même. Donc, stabilité relative
des finances publiques réussie dans un contexte économique
particulièrement ingrat.

Le troisième mandat a été marqué non seulement par des
innovations au plan international, par des développements au
plan économique et par des progrès dans le domaine des
finances publiques, mais aussi par des événements importants
aux niveaux culturel et constitutionnel. Vous vous attendez
évidemment à ce que je parle de la loi 178[27]... Cette loi a été
adoptée le 22 décembre 1988, à la suite d'un jugement[28] de la
Cour suprême concernant l'interdiction de l'anglais dans
l'affichage commercial. Ce jugement du 15 décembre 1988
faisait suite à des jugements unanimes de la Cour d'appel et
de la Cour supérieure, lesquels disaient que la loi 101 allait à
l'encontre de la Charte des droits du Québec et de la Charte
canadienne, en prohibant l'usage de l'anglais ou en établissant
le caractère exclusif du français dans l'affichage public.

Le gouvernement du Québec se devait donc d'agir rapidement puisqu'un vide juridique avait été créé suite à ce
jugement. Le gouvernement a donc décidé d'adopter la loi
178, qui manifestait une certaine ouverture à l'usage d'autres
langues que le français. Le gouvernement aurait pu décider
d'appliquer intégralement le jugement de la Cour suprême.
D'autant plus qu'il jugeait qu'à ce moment-là, la loi 101, ou
l'établissement du français comme langue principale, n'était
pas encore suffisamment intégrée à la situation réelle. Le

---

27. La loi 178 modifiant la Charte de la langue française a été adoptée
le 22 décembre 1988.

28. Jugements de la Cour suprême dans la cause Singer et dans la cause
Brown's.

gouvernement devait choisir entre maintenir la loi 101, appliquer intégralement le jugement de la Cour suprême ou chercher un équilibre.

Les réactions ont été très vives à la suite du jugement. Les leaders nationalistes, y compris les leaders syndicaux, après avoir contesté la clause nonobstant[29] en 1982, se trouvaient maintenant en accord avec elle sur le plan culturel et demandaient que la loi 101 soit protégée intégralement. À court terme, sur le plan strictement politique, ça aurait été le choix le plus facile puisque la formule adoptée par le gouvernement ne se trouvait à satisfaire ni les anglophones, ou ceux qui pensaient comme eux, ni beaucoup de francophones. Nous avons cependant décidé qu'il était préférable de poser un geste d'ouverture. Il était difficile de concevoir, au plan pratique et au plan de la dialectique, qu'on puisse empêcher un commerçant d'annoncer, à l'intérieur de son commerce, dans sa langue ou dans la langue de ses clients, surtout si le français y demeurait obligatoire.

Le gouvernement a donc proposé de permettre un affichage non exclusivement français à l'intérieur, c'est-à-dire de permettre l'affichage dans d'autres langues dans la mesure où le français était nettement prédominant. À l'extérieur, le français demeurait la seule langue autorisée par la loi. À l'intérieur, pour les magasins à grandes surfaces, on en discuterait au moment de décerner les certificats. Toutes les entreprises qui avaient 50 employés et plus devaient négocier avec l'Office de la langue française pour l'obtention d'un certificat. Nous ne voulions pas que, dans les régions éloignées où la population

---

29. La clause nonobstant, ou clause dérogatoire, est une procédure par laquelle le Québec peut faire en sorte que certains articles de la Constitution canadienne de 1982 ne s'appliquent pas sur son territoire pour sauvegarder son caractère de société distincte.

est francophone à 97% ou 98%, on se retrouve avec le bilinguisme intégral à l'intérieur des grandes surfaces. C'était la même chose pour les magasins qui étaient franchisés. En plus de la loi, le gouvernement se donnait le pouvoir, par les règlements, de s'assurer que le français demeure nettement prédominant à l'intérieur des commerces.

Pour ma part, je trouvais, sans enthousiasme toutefois, que l'utilisation de la clause nonobstant pouvait être légitime pour un temps. Il y avait eu, depuis quelque temps, l'adoption de nombreuses chartes. Il y avait tout le débat, qui dure encore, sur le gouvernement des juges. La clause nonobstant pouvait se justifier parce qu'elle permettait d'atténuer la rigidité du processus.

Cette solution faisait preuve d'ouverture tout en protégeant les droits de l'Assemblée nationale sur la priorité du français, puisqu'on gardait tous les pouvoirs, en appliquant la clause nonobstant et qu'on était maître du contenu des règlements. J'avais donc conclu que je ne devais pas fonder mon action sur des réactions conjoncturelles, mais sur les objectifs réels de la société québécoise, qui étaient de consolider la position du français dans les commerces et dans le secteur industriel, en même temps que de faire un effort pour amorcer la réconciliation de la Charte de la langue française avec la Charte des droits et libertés du Québec. En d'autres termes, il paraissait prématuré et inopportun d'appliquer intégralement le jugement de la Cour suprême, car cela pouvait constituer un virage trop brusque par rapport à la situation qui existait à cette époque. Il était essentiel que le caractère français de l'État du Québec, qui a toujours été mon objectif, ne soit pas affaibli ou perçu comme tel.

Il y a eu des conséquences à la loi 178. C'est difficile d'en déterminer la portée, notamment sur l'Accord du lac Meech, mais on a vu par la suite que ça se limitait essentiellement au Manitoba. Si une province était mal placée pour donner des leçons au Québec concernant le traitement des minorités, quand on se souvient ce qui est arrivé aux Franco-Manitobains, c'était certainement le Manitoba. D'autant plus que, dans les dispositions de l'Accord du lac Meech, il était reconnu que la dualité linguistique était une caractéristique fondamentale du Canada. On ne pouvait pas invoquer que l'Accord du lac Meech aurait permis de contrecarrer la décision de la Cour suprême. Le lac Meech allait dans le sens de la position qui a été éventuellement prise par le gouvernement du Québec.

Tout cela s'est fait justement avec l'adoption de la loi 86[30], qui a été bien accueillie par la population, sauf évidemment par les traditionnels ténors nationalistes. Comme il y avait, à ce moment-là, à la fois négociation avec le secteur public et parapublic et amendement possible à la législation linguistique, les dirigeants syndicaux avaient alors décidé de privilégier la négociation avec le secteur public et parapublic, par rapport à la sauvegarde intégrale de la loi 101.

Mais revenons aux années 1980 pour traiter cette fois du dossier constitutionnel, à la suite du rapatriement unilatéral. En 1985, lorsque nous avons été élus, nous avons décidé de régler cette question, c'est-à-dire de réintégrer le Québec dans la constitution canadienne. Il y a eu d'abord l'adoption, par le Parti libéral, des cinq conditions dont, j'en suis convaincu, on se souvient. Il y a eu par la suite, et cela semble être oublié à l'occasion, la déclaration d'Edmonton[31] en août

---

30. La loi 86 modifiant la Charte de la langue française a été adoptée le 17 juin 1993.

31. La déclaration d'Edmonton: «Les Premiers ministres ont convenu à l'unanimité que leur première priorité en matière constitutionnelle est d'engager immédiatement des discussions fédérales-provinciales pour que le Québec puisse accepter de participer pleinement, et à part entière, à la Fédération

1986. Plusieurs se demandent pourquoi on a réouvert le dossier constitutionnel. Il y avait d'abord un nouveau gouvernement au fédéral qui était prêt à entendre les représentations du Québec et il y avait la volonté unanime de tous les Premiers ministres des provinces. À leur réunion annuelle de 1986 à Edmonton, tous les Premiers ministres provinciaux se sont dit d'accord pour accorder la priorité au règlement de la question québécoise sur la base des cinq conditions. Donc, le Québec se sentait pleinement justifié de réouvrir le dossier, fort de l'appui unanime des Premiers ministres provinciaux et du gouvernement fédéral.

Le 30 avril 1987, nous avons eu, au lac Meech, une rencontre plutôt cordiale, où on s'est entendu sur les cinq conditions. Puis, en juin 1987, il y a eu les débats sur les textes juridiques où c'est devenu un peu plus serré. Ça s'est toutefois terminé après une nuit de négociation et on a réussi à s'entendre. Évidemment, l'appui constant et tenace de monsieur Mulroney et de monsieur Peterson[32] a contribué à la réalisation de cette entente.

Le 23 juin 1987, le Québec est devenu la première province à adopter cette entente constitutionnelle. On aurait pu attendre d'être la sixième ou la septième, mais le gouvernement avait décidé que le Québec n'avait pas intérêt à attendre trop longtemps. Déjà, il commençait à y avoir de l'opposition à l'entente chez certains libéraux fédéraux, et de nouveaux gouvernements provinciaux pouvaient être élus, qui pourraient

---

canadienne, et cela sur la base des cinq propositions mises de l'avant par le Québec. Un consensus s'est aussi dégagé parmi les Premiers ministres à l'effet qu'ils seront alors en mesure de poursuivre la révision de la Constitution sur des sujets intéressant certaines provinces, qui comprendront notamment la réforme du Sénat, les pêches, les droits de propriété, etc.»

32. David Peterson, Premier ministre de l'Ontario du 26 juin 1985 au 1er octobre 1990.

forcer la reprise des discussions. Il y a eu effectivement de nouveaux gouvernements; McKenna[33] a remplacé Hatfield[34], Filmon[35] a remplacé Pawley[36] et Wells[37] a remplacé Rideout[38]. Durant toutes ces années, on a multiplié les rencontres et les négociations.

Puis monsieur Trudeau s'est lancé dans la polémique; il a encouragé l'opposition à l'Accord du lac Meech. J'ai été surpris et déçu. On aurait pu penser qu'après le lourd héritage qu'il avait laissé dans le secteur des finances publiques, il aurait été plus responsable dans le dossier constitutionnel. On pouvait difficilement croire que, en plus d'avoir cautionné l'endettement spectaculaire du Canada, que l'on doit encore assumer aujourd'hui, il aurait contribué à torpiller l'entente de l'Accord du lac Meech. Sans que l'on puisse affirmer que son intervention ait été déterminante pour faire échouer Meech, elle a suscité ou consolidé des oppositions importantes et doit donc être considérée comme l'une des causes de cet échec.

Et pendant toutes ces années, l'administration gouvernementale et l'intendance fonctionnaient à plein régime dans tous les secteurs d'activités. La question de l'environnement devenait de plus en plus présente. Au début des années 1970, cette question faisait à peine partie des discussions, mais c'était différent au cours des années 1980, alors que

---

33. Frank McKenna, Premier ministre du Nouveau-Brunswick depuis le 27 octobre 1987.

34. Richard Hatfield, Premier ministre du Nouveau-Brunswick du 12 novembre 1970 au 27 octobre 1987.

35. Gary Filmon, Premier ministre du Manitoba depuis le 9 mai 1988.

36. Howard Pawley, Premier ministre du Manitoba du 30 novembre 1981 au 9 mai 1988.

37. Clyde Wells, Premier ministre de Terre-Neuve depuis le 5 mai 1989.

38. Thomas Rideout, Premier ministre de Terre-Neuve du 22 avril 1989 au 5 mai 1989.

nous avons vécu des événements difficiles comme l'incendie des BPC de Saint-Basile-le-Grand. Des milliers de personnes furent évacuées en août 1988 et il y a eu cette crainte de contamination; mais, finalement, l'incendie a causé beaucoup plus de peur que de mal.

Au moment de l'incendie, la couverture des médias a contribué à dramatiser la situation, comme cela arrive souvent dans ce genre de situation. Nous étions dépendants des experts qui annonçaient les dangers et les risques qui pouvaient découler de l'incendie des BPC. Finalement, tout s'est rétabli.

Comme cet incendie constituait un phénomène très complexe, le gouvernement a misé sur la prudence. Nous avons établi une unité de commandement, ainsi qu'une unité de communications. Plusieurs ministères étaient en cause, dont ceux de l'Environnement, de la Santé, des Affaires municipales et de la Sécurité publique. Il fallait coordonner les actions de tous les ministères, étant donné les risques de pollution qui existaient. Mon chef de cabinet du temps, Mario Bertrand, était directement impliqué dans cette opération. Ce fut un précédent utile pour l'avenir, car nous sommes toujours à la merci de ces accidents écologiques.

Il n'y a pas de doute que l'environnement est un domaine où il faut s'entendre avec nos voisins et même avec les gouvernements plus lointains et cela, au-delà de la partisanerie. Il est très important que l'on puisse établir des politiques communes puisque, s'il y a un secteur qui n'a pas de frontière, c'est bien celui-là.

Cela nous amène, en terminant, à la campagne électorale de 1989. Je parle de l'environnement parce que cette campagne a été marquée, à ses débuts, par un problème environnemental très sérieux, lié précisément aux BPC. Au moment où la campagne a commencé, le gouvernement était à la recherche d'un pays qui aurait pu accepter de détruire ou d'enfouir des BPC. Vous aviez un bateau chargé de BPC qui naviguait, d'un pays à l'autre, de l'Angleterre à la France. La campagne commençait donc d'une façon plutôt rocambolesque et évidemment assez délicate pour le gouvernement. Nous avons finalement trouvé un endroit où entreposer les BPC, à Baie-Comeau. Le bateau a dû revenir au Québec et accoster à Montréal. Le gouvernement est intervenu pour convaincre Hydro-Québec d'entreposer ces BPC. Cela s'est fait au milieu du mois d'août, après plusieurs affrontements entre différents groupes.

Immédiatement après, le gouvernement fut aux prises avec de sérieux problèmes dans le secteur des relations de travail. Ce qui m'amène à vous parler de la loi 160[39], qui permettait au gouvernement du Québec, dans le cas de grèves dans les services essentiels, d'imposer automatiquement des sanctions aux syndicats et aux syndiqués, sans devoir convoquer le parlement pour adopter une loi spéciale.

J'ai eu l'occasion précédemment de montrer jusqu'à quel point la possibilité de ne pas respecter les services essentiels donnait un pouvoir considérable aux chefs syndicaux. En effet, dans la mesure où les services essentiels n'étaient pas respectés, la population sollicitait une intervention rapide du gouvernement. Cette action rapide exigeait très souvent une loi spéciale et, pour assurer le respect des lois spéciales, le gouvernement devait envisager de faire des concessions. La désobéissance civile avait ainsi tendance à se développer.

En 1985, je m'étais engagé, comme chef de parti, à faire adopter une législation qui permette au gouvernement de

---

39. La loi 160 assurant le maintien des services essentiels dans le secteur de la santé et des services sociaux adoptée le 11 novembre 1986 était considérée d'une grande sévérité: fortes amendes, perte d'ancienneté, suspension de la retenue syndicale à la source et réduction du traitement des contrevenants.

contrer cette désobéissance civile. Il faut dire que l'occasion était belle, en 1989, d'appliquer la loi 160 car, avec le déclenchement des élections, la législature était dissoute, ce qui rendait impossible l'adoption d'une loi spéciale pour faire respecter les services essentiels dans les hôpitaux. Les chefs syndicaux ont donc décidé de déclencher une grève illégale, y compris dans les services essentiels. C'est alors que j'ai pu, grâce à la loi 160, en pleine campagne électorale et sans possibilité de convoquer l'Assemblée nationale, contrer une désobéissance qui équivalait, de la part des syndicats, à un véritable abus de pouvoir.

Cette loi, qui avait été jugée très sévèrement par les chefs syndicaux lors de son adoption en 1986, donnait au gouvernement les outils pour agir car elle permettait d'enlever une année d'ancienneté par jour de grève, à quoi s'ajoutaient des amendes très lourdes, tant pour les individus que pour les syndicats. Finalement, on a pu calmer la fièvre et terminer la campagne électorale sans avoir, du moins dans la dernière semaine, à vivre dans un climat qui soit trop inquiétant pour la population.

Dans ce contexte, l'écart entre les intentions de vote avait beaucoup diminué. À un certain moment, les sondages nous mettaient presque nez à nez. C'était difficile pour le gouvernement de justifier son action dans un contexte de crise environnementale et de crise des relations de travail. Mais les choses se sont rétablies avec, entre autres, l'application de la loi 160, et nous avons été réélus.

Cette quatrième victoire était, en termes contemporains, un événement plutôt rare. L'usure du pouvoir, avec le développement des moyens de communication depuis 35 ans, est aujourd'hui beaucoup plus rapide que ce qui pouvait exister dans les années 1940 et 1950. Cette quatrième élection s'est soldée encore une fois par un résultat très favorable, soit

50% des voix et 92 députés pour le Parti libéral, 29 députés pour le Parti québécois et 4 députés pour le Parti Égalité. Ce fut sûrement dans le Québec moderne la première élection que le Parti libéral a pu remporter sans l'appui très majoritaire des communautés allophones ou anglophones. L'élection de quatre députés du Parti Égalité constituait une proportion importante du vote non francophone qui n'allait pas au Parti libéral. Malgré ça, on a pu faire élire 92 députés sur 125, soit près de 75% de la députation, permettant ainsi au gouvernement sortant de pouvoir gouverner pour un autre mandat de cinq ans et cela avec toute la liberté d'action inhérente à notre système démocratique.

Alors, voilà de façon aussi concise que possible plusieurs événements majeurs des années 1980. Mes réponses à vos questions permettront d'ajouter plusieurs éléments qui viendront compléter ce tableau.

DÉBAT

ÉRIC LAUZON, *étudiant en science politique* — Au cours des années 1960 et 1970, les théoriciens néo-libéraux professaient que l'une des politiques économiques qui devraient être adoptées était la privatisation. Non seulement considérait-on qu'idéologiquement, l'État devait être plus petit, mais on pensait aussi que les revenus tirés de la privatisation pourraient soulager les finances publiques en payant, par exemple, la dette.

Au cours des années 1980, on s'est rendu compte que, dans la pratique, que ce soit en Amérique latine, en Europe de l'Est ou dans l'ensemble des pays occidentaux, c'était plus difficile qu'on l'aurait cru de privatiser les entreprises publiques, non seulement à cause de la dimension considérable de ces entreprises mais aussi à cause de leur aspect non compétitif.

Dans un premier temps, j'aimerais que vous dressiez un bilan des privatisations qui se sont faites au Québec depuis 1985 et, par la suite, je voudrais connaître votre opinion sur la privatisation d'Hydro-Québec. Il y a quatre ou cinq ans, est paru, dans la revue *L'Actualité*, un article où on demandait aux gens du milieu syndical, du milieu politique et des entreprises ce qu'ils pensaient de la privatisation d'Hydro-Québec. Si je me souviens bien, c'était assez divisé. Alors, compte tenu de la difficulté de privatiser, et compte tenu aussi du fait qu'Hydro-Québec détient une quarantaine de brevets, dont le prototype d'un moteur électrique pour automobile qui intéresse les trois grands fabricants de cette industrie, est-ce qu'on ne devrait pas penser à privatiser Hydro-Québec?

ROBERT BOURASSA — Vous avez raison de souligner qu'il y a eu un changement assez radical par rapport aux années 1960, où les gouvernements avaient tendance à intervenir, selon une philosophie sociale-démocrate, dans ce qu'on appelait, en Grande-Bretagne, les «commanding heights» et, en France, les secteurs clés. Lorsqu'ils ont pris le pouvoir, Clement Attlee[40] et de Gaulle ont nationalisé plusieurs secteurs comme, par exemple, l'acier et une partie des banques dans le cas de la France. Cette philosophie est demeurée présente, je dirais, pendant une génération.

Au début des années 1980, le développement de l'économie internationale, l'importance de la productivité, le retrait du protectionnisme et l'impossibilité pour un État d'obtenir la prospérité en se repliant sur lui-même, tous ces facteurs ont rapidement amené un changement d'approche. Ça faisait partie de notre programme et de celui du Parti québécois, je crois, vers la fin de son premier mandat. Il y a eu Québécair et la raffinerie de sucre, dans notre cas. Il y a eu des entreprises de la SOQUEM[41], SIDBEC plus récemment, et des compagnies forestières.

Nous avons trouvé qu'il n'était pas justifié, en termes économiques, que l'État continue d'être aussi présent dans ces secteurs-là. Ce qui a accéléré le changement d'attitude, dans notre cas à tout le moins, ce sont les besoins de revenus. Finalement, on pouvait vendre dans un contexte qui était plutôt favorable. Ça permettait au gouvernement d'aller

---

40. Clement Richard Attlee (1883-1967), homme politique britannique. Chef du Parti travailliste de 1935 à 1955 et Premier ministre de 1945 à 1951. Son gouvernement fut marqué par une plus grande mainmise de l'État sur l'économie (nationalisations, développement de l'assistance sociale) et par l'émancipation d'une grande partie de l'empire britannique.

41. Société québécoise d'exploration minière.

chercher des revenus substantiels et c'était conforme à la nouvelle idéologie selon laquelle il était dorénavant essentiel de développer la concurrence et que la détention des actions de ses entreprises par les États ne constituait pas une garantie à cet égard.

Concernant Hydro-Québec, j'ai toujours soutenu, et je n'ai pas changé d'avis, que nous ne devions pas avoir une approche doctrinaire, qu'il y avait plus d'avantages que d'inconvénients à garder Hydro-Québec comme propriété de l'État. C'est le vaisseau amiral, c'est un levier vraiment important. On ne parle pas ici de certaines entreprises forestières ou minières locales, mais d'une entreprise majeure qui peut apporter des revenus substantiels au gouvernement. Hydro-Québec a toujours fait des profits chaque année. Nous bénéficions des contrats de Churchill Falls, qui sont un atout majeur. Je concluais donc que, sur le plan pratique, il y a plus d'avantages pour l'État québécois à en conserver la maîtrise qu'à la remettre au secteur privé. De plus, on est loin de s'entendre sur les sommes que l'on pourrait aller chercher avec la privatisation d'Hydro-Québec.

ÉRIC LAUZON — On a vu, récemment, que la privatisation du mont Sainte-Anne avait été assez difficile à réaliser. On a laissé aller le morceau nettement sous la valeur des évaluations. Quels commentaires avez-vous à faire à cet égard?

ROBERT BOURASSA — Dans le cas du mont Sainte-Anne, j'avais alors quitté le gouvernement. Je ne peux donc pas me prononcer. J'ai constaté que les déficits étaient élevés. Si, par hypothèse, vous avez cinq millions de déficit par année et s'il vous manque dix millions pour avoir la valeur comptable et que vous conservez l'entreprise, vous allez les perdre rapidement, vos dix millions!

ÉRIC LAUZON — Est-ce que des situations semblables se sont produites souvent dans des cas de privatisation?

ROBERT BOURASSA — Dans la mesure où les privatisations concernent les ressources naturelles, le moment de la vente importe beaucoup. Le prix des matières premières peut varier beaucoup. Il en est de même pour le taux de change. Dans le cas des entreprises forestières, il est aussi difficile de choisir le meilleur moment. Ce sont des entreprises reliées aux ressources naturelles et qui reposent largement sur des exportations. Dans les deux cas, c'est la conjoncture internationale, imprévisible, qui, en bout de ligne, influence la transaction.

Je parlais tantôt des variations de prix de l'aluminium. C'est un bon exemple. Il y a deux ans, je l'ai dit, on se faisait assommer par nos critiques qui disaient: «C'est l'erreur du siècle.» Finalement, l'investissement gouvernemental est devenu très avantageux, au point où l'on tente de signer d'autres contrats que l'on avait pourtant dénoncés. Donc, en ce qui a trait au principe de la privatisation, l'État a intérêt à se départir de ses avoirs dans les mines et les entreprises forestières en étant vigilant sur le moment choisi — et ç'a été le cas, généralement. Pour Hydro-Québec, je garde mes réserves.

LOUIS MASSICOTTE, *professeur de science politique* — Je voudrais revenir à cette conjoncture de décembre 1988 qui m'apparaît, en rétrospective, comme un point tournant dans votre deuxième mandat, avec la loi 178 et les répercussions qu'elle aura par la suite, tant à l'extérieur qu'à l'intérieur du Québec.

Vous savez que plusieurs commentateurs, à l'extérieur du Québec — je pense en particulier à Patrick Monahan[42], à

---

42. Patrick Monahan, professeur de droit à Toronto. Conseiller constitutionnel du Premier ministre de l'Ontario, David Peterson, en 1987.

Peter Russell[43] et à d'autres qui essaient de reconstituer la trame des événements qui ont abouti à l'échec de l'Accord du lac Meech —, considèrent que votre décision de faire adopter la loi 178 a largement détruit, au Canada anglais, le capital de sympathie sur lequel vous aviez échafaudé l'Accord du lac Meech.

Avant cette période-là, plusieurs personnes, dans les provinces anglophones, prenaient la défense des perspectives québécoises. L'opinion canadienne-anglaise s'était relativement assouplie sur cette question, mais après la loi 178, ça a changé. Moi, je peux vous dire, ayant été étudiant au doctorat dans une université canadienne-anglaise à l'époque, que la perception que nos interlocuteurs avaient de votre gouvernement avait complètement changé.

Je vous pose la question: est-ce que vous étiez conscient, à ce moment-là, que vous mettiez en branle toute une série d'événements qui, pour dire le moins, mettaient fortement en danger les chances de l'Accord du lac Meech d'être ratifié par le nombre requis de provinces?

ROBERT BOURASSA — Le gouvernement en était-il conscient? En ce sens, est-ce que le gouvernement n'a pas joué à l'apprenti sorcier avec la loi 178? En fait, ça m'a paru un prétexte. Je me souviens que lors des négociations en 1990, dont on va parler davantage plus tard, la clause nonobstant ne faisait pas tellement partie du contentieux. Ceux qui étaient alors opposés à la loi 178 disaient: «L'Accord du lac Meech va leur permettre d'éliminer l'anglais sur l'affichage, si on reconnaît le Québec comme société distincte.» Or, comme je le mentionnais tantôt, l'Accord du lac Meech affirmait que la

---

43. Peter Russell, professeur de science politique à Toronto.

dualité linguistique était une caractéristique fondamentale du Canada.

Donc, je dois vous dire qu'à cet égard-là, je trouvais que les arguments du Manitoba étaient un peu trop centrés sur sa propre politique. Ça ne me paraissait pas convaincant. J'avais à choisir dans l'intérêt du Québec. Je savais fort bien que c'était impopulaire également au Québec. Les sondages nous indiquaient une chute assez importante de la popularité du parti. Ce qui était essentiel pour moi, c'est que le Québec reste, au sein de la fédération canadienne, un État francophone en Amérique du Nord. Mon opinion était que le français n'était pas encore suffisamment consolidé comme langue prioritaire au Québec pour accepter intégralement le jugement de la Cour suprême. Ça, c'était ma priorité. Après, c'était de voir comment on pouvait concilier notre attitude avec l'adoption de l'Accord du lac Meech. Je n'ai pas souvenir que cette question-là ait été déterminante. Monsieur Trudeau, parmi d'autres, a entrepris sa croisade contre l'Accord du lac Meech bien avant l'adoption de la loi 178.

Pour répondre à votre question, ça a pu servir de prétexte à ceux qui étaient contre et qui avaient de la difficulté, devant le consensus politique qui s'était établi, devant l'unanimité des provinces, à s'opposer, à cette époque, à l'Accord du lac Meech, lequel avait été un moment de grâce sur le plan constitutionnel au Canada. En 1990, la question de la loi 178 était beaucoup moins présente dans le débat canadien.

En quelle année étiez-vous aux études au Canada anglais?

LOUIS MASSICOTTE — Entre 1987 et 1990. Je partage tout à fait votre avis, votre jugement sur les motivations de monsieur Filmon. Je pense que vous dites que c'est cousu de fil blanc. Moi, ce qui m'intéresse ici, c'est davantage l'impact sur l'ensemble de l'opinion publique. À partir du moment où vous avez, à l'extérieur du Québec, une opinion publique qui est aiguillonnée par cette loi 178, cela permet de faire remonter à la surface toute une série de vieilles frustrations. Tout y passe: le contrat des F-18 au Manitoba, la loi sur le bilinguisme en Ontario, que personne ne remarque au Québec mais que l'on remarque beaucoup dans la région de Cornwall. Toute une série de frustrations remontent à la surface et, personnellement, je crois que ça a contribué à braquer — c'est l'expression que je choisirais — à braquer un certain nombre de personnes contre tout ce qui était québécois, sans faire dans la dentelle, sans faire beaucoup de nuances.

Je m'excuse d'être un petit peu technique, mais j'aimerais avoir quelques précisions au sujet du nombre de provinces dont le consentement était requis pour l'Accord du lac Meech. Une théorie a circulé à l'époque où vous deviez prendre votre décision sur la loi 178. Je rappelle qu'il y avait, dans Meech, deux types de dispositions: certaines n'exigeaient le consentement que de sept provinces et d'autres en requéraient dix. Certaines personnes vous prêtaient l'analyse suivante: «Monsieur Bourassa est convaincu que Meech est divisible et que si, d'aventure, la loi 178 lui fait perdre en cours de route un ou deux joueurs, une ou deux provinces, tant et aussi longtemps que ce n'est pas l'Ontario, il aura au moins la chance de faire ratifier l'essentiel de l'Accord du lac Meech, dont notamment la clause de la société distincte. Il n'aura alors pas tout Meech, mais il en aura à tout le moins une partie et peut-être la partie la plus importante, au plan symbolique.»

Nous savons bien sûr que cette analyse n'était pas exacte puisqu'il a suffi que deux provinces manquent au rendez-vous pour que l'accord ne soit pas ratifié. Ma question est la suivante: est-ce qu'au sein de votre gouvernement, on donnait créance à ce type d'analyse, relativement au nombre de consentements qui était requis à l'époque?

ROBERT BOURASSA — Comme vous le dites, il existait deux types de conditions. Concernant la Cour suprême et le droit de veto, l'unanimité était requise. Concernant l'immigration, la société distincte et le pouvoir de dépenser, c'était 7/50, c'est-à-dire le consentement de sept provinces représentant au moins 50% de la population canadienne.

Politiquement, je ne pouvais toutefois pas accepter de réintégrer le Québec dans la constitution canadienne avec l'approbation de seulement trois éléments sur cinq. Donc, on acceptait l'indivisibilité parce qu'il était essentiel de récupérer le droit de veto sur les institutions que le PQ avait accepté de négocier en avril 1981. Monsieur Trudeau s'est d'ailleurs servi de cette erreur historique pour proposer, par la suite, une formule où ce droit était absent.

On disait donc: «Nous, on va récupérer le droit de veto.» On ne pouvait pas se présenter devant le peuple en 1989 en disant que puisqu'on avait obtenu l'appui de trois des cinq points on allait retourner dans le giron constitutionnel, et qu'on allait continuer à se battre pour récupérer les deux éléments qui nous manquaient. Nous n'aurions pas été crédibles et cela aurait été contraire à l'intérêt supérieur du Québec. Sur le plan politique, il fallait que ce soit indivisible, à cause du droit de veto que l'on voulait récupérer.

LOUIS MASSICOTTE — En terminant, une dernière question. Vous dites que «politiquement» c'était impossible, et je comprends votre raisonnement. Techniquement, est-ce que ça l'était plus? Est-ce qu'il aurait été possible de proclamer une partie de Meech, si on avait constaté que l'on avait les consentements requis pour au moins trois des cinq points?

ROBERT BOURASSA — Dans la mesure où nous, on aurait été d'accord, je suis convaincu que nous aurions pu trouver six provinces qui auraient été d'accord avec nous, si on avait accepté la constitution de 1982. Ce n'est jamais devenu un objet de discussion sérieuse, ça ne nous paraissait pas réaliste d'y songer car ils auraient dit: «D'accord, on va accepter 7/50, mais à la condition que vous laissiez tomber vos griefs vis-à-vis de 1982.» Ce à quoi on aurait dit: «Non!» Alors là, ça repartait le débat.

STÉPHANE DION, *professeur de science politique* — J'ai quatre questions portant respectivement sur la loi 178, l'Accord de Meech, les rapports des Sages et la Baie James II. Pour la loi 178, mon prédécesseur a un peu dit ce que je voulais vous demander. Mais j'ai beaucoup de difficulté à vous suivre parce que si l'objectif était de renforcer la place du français au Québec, il y avait tellement d'autres moyens que de s'en prendre à la liberté d'utiliser sa langue dans l'affichage commercial! Vous auriez pu doubler le budget de l'Office de la langue française, relancer la francisation des entreprises. Ça, ça aurait été faire œuvre utile. Mais bannir les autres langues dans l'affichage commercial n'a jamais aidé la langue française au Québec. Je suis sûr que c'est votre analyse à vous aussi. En tout cas, c'était l'analyse de votre parti, c'était dans votre programme!

Ce que je ne comprends pas, c'est pourquoi vous avez attendu le jugement de la Cour suprême. Vous vous y attendiez à ce jugement, c'était assez prévisible! Vous auriez dû agir avant qu'il ne survienne afin d'éviter justement qu'on vous accuse de vous coucher devant la Cour suprême!

Les sondages montraient que les Québécois ne voulaient pas que l'on touche à la loi 101. Mais, par ailleurs, quand on posait directement la question sur l'affichage commercial, les Québécois disaient en majorité: «Le français nécessairement, mais pas forcément le français seulement.» Ils n'aimaient pas l'idée de bannir les autres langues, eux non plus!

Donc vous auriez dû, à mon avis, bouger avant que la Cour suprême ne statue là-dessus. Et tant qu'à bouger après la Cour suprême, il aurait alors fallu voter la loi 86. Ça aurait été plus coûteux politiquement, mais ça aurait été plus facile à gérer parce que, finalement, c'est vrai qu'il y avait une minorité très convaincue qui avait fait des manifestations dans les rues, mais la majorité des gens, je pense, aurait accepté la loi 86. Vous auriez alors eu moins de dommages politiques et vous auriez probablement sauvé Meech.

Je suis tout à fait d'accord avec Louis Massicotte. Ça n'a pas été le seul élément, mais cela a peut-être été un des éléments qui ont fait basculer l'opinion publique dans une réaction anti-Québec. Les défenseurs de la loi 101 ne voulaient pas voir l'anglais dans les rues et ils nous demandaient une clause qui allait peut-être mettre en cause la Charte des droits et libertés. Cette attitude-là a beaucoup fait mouche dans l'opinion publique canadienne-anglaise.

Ça c'est ma première question. Je ne sais pas si c'est une question ou une réaction...

ANDRÉ NORMANDEAU, *professeur de criminologie* — C'est un éditorial!

ROBERT BOURASSA — Sur la question de savoir si une réaction plus conciliante à l'égard du jugement de la Cour suprême aurait pu faire accepter Meech, je reviens à ce que je disais à monsieur Massicotte. Huit provinces ont accepté l'accord. Monsieur Filmon n'a pu le faire accepter. Quant à Clyde Wells, son hostilité allait au-delà de la loi 178.

STÉPHANE DION — Mais ils étaient appuyés par une bonne partie de l'opinion publique canadienne-anglaise. Si l'accord était demeuré relativement populaire, probablement que monsieur Filmon n'aurait pas embarqué. Monsieur Wells se serait peut-être opposé quand même à Meech, parce qu'il est plus doctrinaire. Ça aurait été une partie politique différente.

ROBERT BOURASSA — Je ne suis pas sûr que, pour les autochtones, qui ont quand même joué un rôle déterminant dans les derniers jours avant l'échéance pour l'adoption de Meech, la loi 178 était un facteur important. Cette hypothèse qui lie l'échec de Meech à la loi 178 est une question d'opinion, de part et d'autre. Ayant vécu la négociation de juin 1990, je ne peux admettre qu'on établisse un lien entre la loi 178 et l'échec de l'Accord du lac Meech.

Quant à agir avant le jugement de la Cour suprême, il fallait être prudent, quoi que l'on fasse. J'essaie de me souvenir des années 1986 et 1987. Il y avait une certaine tension. Vous avez parlé de manifestations dans les rues. Il faut ajouter qu'il commençait à y avoir des actes de vandalisme dans l'ouest de Montréal à la suite du jugement de la Cour suprême. Il n'est pas dit qu'en 1988, une loi comme la loi 86 aurait pu régler le problème. Le climat était différent de celui d'aujourd'hui.

En 1993, ça a passé facilement. Les chefs syndicaux m'ont reproché d'avoir mis deux ou trois dossiers sur la table en même temps. C'est vrai qu'il y avait alors le dossier linguistique et celui des relations de travail. Ils ont choisi les relations de travail, évidemment, comme je l'ai déjà souligné. La question de la langue, on ne sait jamais comment ça peut tourner — ça peut devenir très émotif. Mon parti était assez partagé, à cet égard, entre ceux qui voulaient maintenir et ceux qui voulaient amender la loi 101. Le symbole de la loi 101, pour les Québécois francophones, était très profond. Ça incarnait, pour eux, la sécurité culturelle.

Il était déjà difficile de faire admettre le simple fait de

permettre, à l'intérieur des commerces, ce qui paraissait pour moi le sens commun. Je suis d'accord avec vous là-dessus: comment empêcher quelqu'un d'annoncer la vente de sa maison ou d'annoncer dans les murs de son propre commerce dans sa langue? C'était un argument utilisé lorsque je rencontrais les ténors nationalistes qui venaient me voir pour protester. Vous aviez, en mars 1989, des autorités ou des leaders comme, par exemple, Fernand Daoust[44] et aussi Guy Bouthillier[45] de l'Université de Montréal, qui venaient me voir et qui me disaient: «Ça n'a pas de sens.» Sur les tréteaux, ils disaient que c'était trahir les intérêts du Québec, mais ils ne reprenaient pas ces propos en ma présence. Et je leur disais: «Écoutez, des droits fondamentaux sont suspendus en vertu de la clause nonobstant.» Ce n'était pas suffisant et la loi 178 leur paraissait être un recul inacceptable, inadmissible. La plupart des francophones, à ce moment-là, s'étaient prononcés très nettement contre l'affaiblissement de la loi 101, bref, aller plus loin que l'ouverture de la loi 178 à l'intérieur des commerces me paraissait inopportun.

STÉPHANE DION — Si j'avais été votre conseiller à l'époque, je vous aurais dit: «Renforcez les aspects légitimes de la loi 101, les gens vont vous applaudir. Expliquez-leur qu'en laissant tomber un aspect contesté qui draine beaucoup d'énergie et qui affaiblit notre crédibilité, on renforcera le français au Québec.» Je suis sûr que, dans vos discours, vous auriez gagné la majorité des Québécois. De toute façon, vous n'auriez pas eu monsieur Bouthillier!

---

44. Fernand Daoust, vice-président de la FTQ de 1964 à 1969 et secrétaire général de 1969 à 1993.

45. Guy Bouthillier, professeur de science politique à l'Université de Montréal.

ROBERT BOURASSA — Ce n'était pas mon objectif! Si j'en ai parlé, c'est pour montrer le climat émotif de l'époque et comment des chefs nationalistes, apparemment sérieux, trouvaient que je faisais des concessions tout à fait inadmissibles, alors que je permettais à des commerçants, à l'intérieur de leur commerce, d'afficher dans la langue de leur client ou dans leur propre langue, mais avec le français comme langue obligatoire.

Je dois vous dire enfin que mes conseillers formulaient différentes propositions. Certains disaient: «On va respecter le jugement de la Cour suprême, mais en accordant une priorité de 3 contre 1 au français.» Et je répondais: «Comment va-t-on vérifier ce concept? Des lettres trois fois plus grosses?» Un concept aussi rigide était, à toutes fins utiles, inapplicable.

STÉPHANE DION — Vous auriez pu faire la loi 86 à cette époque-là... Mais, en tout cas, c'est fait.

Ma deuxième question concerne Meech. J'ai rencontré Howard Pawley, qui était Premier ministre du Manitoba, dans un colloque et je lui ai posé la même question que je vais vous poser. On avait là une concentration de politiciens de haut calibre, puisqu'ils se sont tous fait élire Premiers ministres dans leur province respective ou Premier ministre du Canada. Est-ce qu'il y a quelqu'un parmi eux qui a dit: «Maintenant, on se dépêche de passer ça parce que, si on attend, on ne sait pas comment les choses peuvent tourner. Il y aura de nouvelles élections. L'opinion publique peut changer. Trudeau peut s'ouvrir la trappe. Dépêchons-nous de faire passer ça en juin, ou du moins en septembre. Ne traînons pas.» Est-ce qu'il y a quelqu'un qui a proposé ça?

ROBERT BOURASSA — Pawley était presque minoritaire à ce moment-là. Il y avait aussi un problème de discipline dans son caucus. Quant à Terre-Neuve, elle avait adopté l'entente de Meech et ça n'a pas empêché Wells de renverser le vote de son Assemblée législative. Hatfield, qui a été battu quelques mois après l'entente, n'a donc pas eu le temps de la faire adopter. Mais la plupart des autres ont procédé assez rapidement. Quant à nous, comme je l'ai mentionné, on avait décidé de procéder les premiers, pour envoyer un message très clair à l'effet qu'il n'était pas question de renégocier le contenu et, finalement, on a tenu tête jusqu'au bout.

Deux Premiers ministres avaient une base plutôt fragile ou devaient aller en élection, dont Pawley. Devine a procédé sans problème, de même que Getty[46]. Pour Van der Zalm[47], ça a été un peu plus compliqué mais, finalement, il l'a fait. Peterson n'a pas eu de problème, Ghiz non plus. Buchanan[48] et Rideout l'ont fait rapidement.

Les provinces qui ont hésité, ce sont les provinces qui, au départ, étaient les plus hostiles. Je pense au Manitoba qui s'est révélé être, à la fin, la province la plus hostile à l'Accord, avec Terre-Neuve.

STÉPHANE DION — Les rapports des Sages. Pourquoi les avez-vous commandés? Quand vous les avez lus, quelle a été votre réaction? Et, troisièmement, estimez-vous avoir suffisamment encadré la direction de ces rapports?

ROBERT BOURASSA — Ça faisait partie du programme électoral et c'était important que l'on puisse moderniser l'administra-

---

46. Donald Getty, Premier ministre de l'Alberta du 1er novembre 1985 au 9 septembre 1992.

47. William Van der Zalm, Premier ministre de la Colombie-Britannique du 6 août 1986 au 2 avril 1991.

48. John Buchanan, Premier ministre de la Nouvelle-Écosse du 5 octobre 1978 au 12 septembre 1990.

tion publique et réviser ses modes d'application[49]. On a donc demandé à Michel Bélanger[50], Pierre Lortie[51], Yvon Marcoux et Paul Gobeil[52] de faire cette étude. Paul Gobeil était responsable du Conseil du trésor. Et, si vous regardez les chiffres, même en tenant compte de la croissance des dépenses, vous allez voir que l'on a appliqué le rapport, dans son esprit. Dans la lettre, ils y allaient un peu trop radicalement, dans le domaine de la santé et dans le domaine de l'éducation. C'était donc politiquement inopportun, du moins à court terme, mais on a appliqué une bonne partie du rapport. Paul Gobeil est d'ailleurs demeuré président du Conseil du trésor et a appliqué une politique de restriction des dépenses qui

---

49. Le groupe de travail sur la révision des fonctions et des organisations gouvernementales avait le mandat suivant: indiquer les programmes gouvernementaux qui, de l'avis du comité, ne rencontrent pas leurs objectifs statutaires ou qui sont inappropriés; identifier les moyens législatifs, réglementaires ou autres d'accroître l'efficience des programmes gouvernementaux et d'en réduire les coûts; formuler des recommandations sur les programmes permettant d'alléger la structure gouvernementale. Le groupe de travail était composé de Paul Gobeil, Michel Bélanger, Pierre Lortie, Yvon Marcoux et Jean-Claude Rivest. Deux rapports ont été remis, l'un sur *L'organisation gouvernementale* (mars 1986) et l'autre sur *La gestion des programmes gouvernementaux* (mai 1986). Ces documents ont été appelés «rapports des Sages».

50. Michel Bélanger, conseiller économique de Robert Bourassa au début des années 1970. Il fut président de la Bourse de Montréal avant de diriger la Banque Provinciale devenue, en 1979, la Banque Nationale du Canada, jusqu'en septembre 1990. Il a co-présidé, avec Jean Campeau, la Commission sur l'avenir politique et constitutionnel du Québec de septembre 1990 à mars 1991.

51. Pierre Lortie, président de la Bourse de Montréal de 1981 à 1985 avant de diriger l'entreprise Provigo. Président de la Commission royale sur la réforme électorale et le financement des partis politiques de 1989 à 1992.

52. Paul Gobeil, député libéral de 1985 à 1989. Ministre délégué à l'Administration et président du Conseil du Trésor de décembre 1985 à juin 1988. Ministre des Affaires internationales de juin 1988 à octobre 1989.

nous a permis d'avoir, à toutes fins utiles, jusqu'au début de la récession, l'équilibre dans les dépenses courantes.

On l'a fait parce qu'on était convaincu que c'était la bonne voie. Quant à l'application immédiate et totale du rapport, elle n'était requise par personne, y compris par le ministre responsable. On l'a donc fait par étape.

STÉPHANE DION — Vous n'auriez pas pu en faire plus? C'était des années de croissance et on savait que la récession allait, tôt ou tard, nous tomber dessus. Si on avait, au tout début de la récession, un déficit déjà très élevé, ça augurait mal pour la suite des événements au Québec.

ROBERT BOURASSA — Au début de la récession, la situation s'était nettement améliorée et personne ne prévoyait une récession de quatre ans. Malgré tout, on a éliminé plusieurs organismes dans l'administration publique et on a appliqué une bonne partie du rapport.

JAMES IAIN GOW, *professeur de science politique* — Je voudrais aussi parler des rapports des Trois Sages. Aujourd'hui, on nous dit que les gouvernements doivent savoir gérer et on incite les administrations publiques à prendre l'exemple sur l'entreprise privée. On parle beaucoup de management public. Ce qui me frappe toujours, c'est que beaucoup des fonctions de management relèvent, dans le secteur public, du niveau politique et non pas du niveau des gestionnaires permanents.

La question qui se pose d'abord, c'est celle de la préparation de la prise du pouvoir. J'aimerais savoir comment vous vous êtes préparé à prendre le pouvoir en 1985. Vous dites que les trois rapports faisaient partie du programme du parti, mais jusqu'à quel point est-ce qu'on a été dans les détails? Est-ce qu'on a organisé des rencontres avec les hauts fonc tionnaires? Jusqu'à quel point s'est-on préparé à prendre le pouvoir?

ROBERT BOURASSA — La commission politique du Parti libéral — et je crois que c'est la même chose dans les autres formations — a préparé des propositions, a rencontré des experts de différents secteurs, d'anciens hauts fonctionnaires. Les hauts fonctionnaires en poste, c'est plus délicat pour des raisons politiques. La commission établit un programme qui est, par la suite, présenté au public et soumis à l'adoption par le congrès du parti.

En 1989, par exemple, on avait un programme exceptionnel. À tous les deux jours, il était prévu d'annoncer un nouvel aspect du programme. Mais, en réalité, on s'est retrouvé en début de campagne avec un bateau rempli de BPC qui n'arrivait pas à accoster. C'est le genre d'événement qui suscite beaucoup d'impact dans les médias. Ou vous avez une grève illégale dans les hôpitaux ou on fait une émission spéciale à la télévision mettant en cause le responsable du financement du Parti libéral sur la question du favoritisme. Vous avez beau avoir les meilleurs programmes, vous ne contrôlez pas l'agenda d'une campagne électorale.

Pour répondre à votre question, nous avons travaillé à la commission politique et cette étape s'est faite sérieusement. C'est très encourageant pour la démocratie de voir l'intérêt que la plupart des milieux apportent à la rédaction du programme mais ce n'est pas sûr que, durant la campagne électorale, vous avez tout l'impact voulu. Mais nous étions bien préparés à prendre le pouvoir.

Même chose pour l'équipe. Vous voulez former une équipe. Vous allez chercher aussi des nouvelles figures mais, finalement, c'est le chef du parti qui est la vedette de la campagne. Quand j'ai été élu en 1970, ce qui a fait retourner la campagne, c'est le slogan «100 000 emplois». Tout le monde s'est mis à parler d'emploi, indépendamment du programme. L'expérience de quelqu'un qui a fait cinq campagnes électorales, deux référendums, me fait dire qu'il est impossible de prévoir le déroulement d'une campagne électorale.

JAMES IAIN GOW — La loi 160 était jugée très sévère et il me semble qu'elle ne faisait que systématiser ce qui avait déjà été fait sous la loi 111, avec le Parti québécois en 1982-1983. Sur ce plan, est-ce qu'un jour on va considérer que c'est avec la crise de 1982-1983 qu'on a vu la fin des belles années du syndicalisme dans le secteur public?

Il me semble qu'on n'est jamais revenu de cela. Le Parti québécois a, par la suite, fait adopter la loi 85 qui contient des clauses assez bizarres, dont celle qui permet au gouvernement d'établir par décret les salaires de deuxième et troisième années des conventions. Vous ne vous en êtes pas servi. Je me demande si vous êtes d'accord pour dire qu'on avait, avant 1982-1983, un syndicalisme des belles années? Depuis, on ne sait vraiment plus sur quelle base organiser la négociation avec les employés.

ROBERT BOURASSA — Au niveau du discours, la rhétorique syndicale n'avait pas changé dans mon cas. En 1972, on a dit: «Il faut abattre le régime» et, en 1992, on a dit: «Il faut le pendre sur la place publique.» Il faut dire qu'ils avaient passablement épuisé le vocabulaire quand j'ai pris ma retraite.

Il y a eu de fait une évolution très importante depuis une douzaine d'années, notamment avec le Fonds de solidarité de la FTQ[53], laquelle a été toujours assez ouverte au

53. Le Fonds de solidarité des travailleurs du Québec, mis sur pied par la FTQ en 1984, injecte du capital de développement dans des entreprises québécoises.

dialogue avec les employeurs. Avec la création du Fonds de solidarité, elle est, à toutes fins utiles, devenue un partenaire actif des employeurs. Même la CSN accepte maintenant d'évoluer dans sa conception du syndicalisme. Ce n'est plus la même époque.

Bien sûr, la loi 160 a été jugée «la loi la plus vicieuse» et Bourassa «pire que Duplessis». Encore là, c'est de la rhétorique syndicale. C'était nécessaire, comme je le disais dans mes remarques préliminaires, pour éviter que le gouvernement soit à la merci des syndicats.

Dans ce contexte-là, la loi 160 était tout à fait légitime. Elle était sévère dans le sens où elle touchait à l'ancienneté, jusqu'alors considérée comme sacrée par les syndicats.

Plus précisément, pour faire suite à votre question, nous connaissons un important changement de climat aujourd'hui et cela de la part de tous les syndicats. Il y a maintenant de l'ouverture, de la compréhension et la volonté d'arriver à régler les problèmes d'une façon réaliste, quels que soient les discours sur les tréteaux.

Pour ma part, je rencontrais souvent les chefs syndicaux, quelquefois dans des dîners à mes bureaux de Montréal ou de Québec, et c'était très cordial. Mais, sur la place publique, le ton était plus percutant...

ANDRÉ NORMANDEAU, *professeur de criminologie* — Je n'aurai pas de question criminologique aujourd'hui parce que les années 1980 sont la seule période où il n'y a pas eu d'événement criminel majeur. Nous en aurons sûrement avec Oka et le rôle qu'y a joué la Sûreté du Québec dans deux semaines.

Je vous pose donc une question beaucoup plus personnelle. Vous avez fait allusion à votre retour politique. C'est vrai que ce retour a été exceptionnel pour différentes raisons. Mais souvent — et cela s'applique à d'autres leaders politiques — on se demande: «Pourquoi revenir après tout ce qui s'était passé?»

ROBERT BOURASSA — Les circonstances s'y prêtaient. Il y avait, entre autres, l'âge. J'ai été éjecté de la politique à 43 ans, un âge qui me permettait donc, si les circonstances étaient favorables, de pouvoir y revenir. J'étais en politique depuis le début de ma vie d'adulte. Il y avait l'intensité du combat, la possibilité de contribuer directement au progrès de la société, le débat intellectuel très passionnant. Ça, c'étaient les raisons objectives.

Il y avait aussi une sorte de volonté de corriger l'histoire, parce que je n'étais pas sorti de façon idéale en 1976. Donc, sur le plan personnel, il y avait cette motivation de dire: «J'ai été battu. Si je peux revenir pour refaire ou compléter certaines choses, travailler sur de nouveaux objectifs, ça serait un beau défi.» D'autant plus que j'avais l'expérience.

Mais admettons que monsieur Trudeau aurait décidé de négocier avec Claude Ryan au lieu de négocier avec René Lévesque, comme il l'a décidé après le référendum. S'il avait décidé d'attendre l'élection de monsieur Ryan, peut-être que ce dernier aurait été élu et ça aurait complètement changé la conjoncture.

Si Pierre-Marc Johnson avait attendu quatre ou cinq mois de plus avant de déclencher les élections de 1985, il n'est pas dit que le résultat aurait été le même. Il avait une excellente image, il représentait le renouveau, il était sécurisant, il avait abandonné la question de l'indépendance, il était bien perçu à Ottawa. On se souviendra de l'annonce en pleine campagne électorale de l'investissement chez Hyundai autorisé par le gouvernement fédéral. On avait signé avec lui l'entente sur la francophonie. Il avait donc des appuis dans les milieux fédéralistes. Si Johnson avait déclenché les élections un peu plus tard, la lutte aurait pu être plus corsée.

Auparavant, quelques mois avant le début de la course au leadership de mon parti, j'avais dit à Raymond Garneau, lorsqu'il était venu me voir pour en discuter: «Si tu me convaincs que tu es mieux placé que je le suis pour remporter la victoire, je me retire immédiatement. Mais si c'est l'inverse, si je suis mieux placé pour gagner, je vais rester parce que j'ai toute ma liberté d'action et que je suis prêt à me battre.»

Ce sont un peu les raisons qui m'ont motivé à ce moment-là, sans prétendre que j'y travaillais jour et nuit. Quand monsieur Ryan a exprimé son désaccord sur ma candidature dans Outremont, je n'en ai pas perdu le sommeil. Je me suis dit: «On verra.»

Mais j'étais très déterminé, c'est clair. Ça prenait beaucoup de détermination pour faire des discours aux quatre coins de la province. Mais, fondamentalement, j'étais assez serein. Je me disais: «Si ça marche, tant mieux. Si ça ne marche pas, on fera autre chose.» Est-ce que je réponds à votre question?

ANDRÉ NORMANDEAU — Oui, très bien!

PIERRE MARTIN, *professeur de science politique* — Je voudrais qu'on parle un peu de l'accord de libre-échange. Vous nous avez fait, tout à l'heure, une histoire de votre engagement pour le libre-échange à partir de 1987, je crois. Mais il me semble que cette histoire commence un peu plus tôt et qu'en 1985, vous n'étiez pas si fermement favorable au libre-échange. Par exemple, au moment de la campagne de 1985, je n'ai repéré nulle part d'appui, de quelque nature que ce soit, au libre-échange. Toutes vos interventions au sujet du libre-échange étaient plutôt ambiguës, très sceptiques.

Le 6 décembre 1985, vous avez donné une entrevue[54] au *New York Times* où vous disiez carrément que le libre-échange était dangereux pour le Canada. Il s'est opéré probablement une conversion au cours de l'année 1986, parce qu'à partir de 1987, vous êtes devenu un très fort militant du libre-échange. J'aimerais savoir ce qui s'est passé entre 1985 et 1987.

ROBERT BOURASSA — Disons, d'abord, que j'ai toujours été très ouvert vis-à-vis des investissements étrangers et si on est pour la mobilité des capitaux, on peut difficilement être contre la mobilité des marchandises. Le libre-échange était un peu une conséquence d'une ouverture aux investissements étrangers, pour la création d'emplois. Selon mon souvenir, la position du gouvernement en place, à ce moment-là, n'était pas toujours univoque.

PIERRE MARTIN: Le gouvernement en place était assez fermement en faveur du libre-échange. En 1985, Landry, Lévesque étaient en faveur.

ROBERT BOURASSA — Lévesque peut-être un peu moins, mais Landry sûrement. C'était un pionnier à cet égard au Québec avec Rodrigue Tremblay[55]. C'était majoritairement le discours du gouvernement en place et le chef de l'opposition est habituellement toujours un peu sceptique vis-à-vis du discours du gouvernement en place. Ça peut peut-être expliquer le fait d'une certaine réserve.

---

54. Douglas Martin, «Trade Stirs Concern in Quebec», *New York Times*, 6 décembre 1985.

55. Rodrigue Tremblay, ministre de l'Industrie et du Commerce de novembre 1976 à septembre 1979. Professeur d'économie et de finances internationales à l'Université de Montréal.

PIERRE MARTIN — On parle de la même chose, on parle du même accord de libre-échange.

ROBERT BOURASSA — Oui, oui. Le principe du libre-échange, à ce moment-là, au début des années 1980, était un principe qui mettait en péril certains emplois, ce qui pourrait expliquer ma prudence vis-à-vis du libre-échange. Mais quand on a eu un texte devant nous et qu'on a eu la possibilité de pouvoir examiner les conséquences concrètes, à court, à moyen et à long terme, et qu'on a vu ce qui se passait ailleurs, on est rapidement devenu convaincu que le texte qui était devant nous était vraiment dans l'intérêt du Québec.

Ce n'était pas une question de vie ou de mort. C'était moins prioritaire que pouvait l'être pour moi l'énergie du Nord. J'avais écrit deux volumes sur l'énergie du Nord et un autre livre sur le défi technologique, mais le libre-échange était moins identifié au Parti libéral.

Par la suite, on a eu un texte, on a eu un gouvernement fédéral qui a décidé de l'appliquer, et des provinces qui ont décidé de l'appuyer et on s'est dit que c'était dans l'intérêt du Québec d'avoir ce traité de libre-échange. La prudence ou la réticence qui pouvait exister en 1984-1985, ça pouvait être lié à certains facteurs politiques et surtout à l'imprécision. À ce moment-là, on n'avait rien de concret pour décider. Le libre-échange, c'était l'ouverture de nos frontières.

PIERRE MARTIN — En 1985, vous sembliez dire que le libre-échange sonnait la fin de la souveraineté du Canada, ou quelque chose comme ça. Je reprends l'essentiel de ce que vous avez dit au *New York Times*, à ce moment-là. Est-ce qu'il y avait d'autres arguments? Évidemment, il y avait le rôle de chef de l'opposition qui vous portait à appuyer les travailleurs qui étaient sceptiques devant ça.

ROBERT BOURASSA — J'ai de fait toujours plaidé pour la dynamique interne de l'intégration économique, soit du libre-échange, de l'union douanière, de l'union monétaire, de l'union politique. Si j'ai exprimé de l'opposition au libre-échange, peut-être l'ai-je fait de façon conjoncturelle, mais de là à avoir pris une position de fond en disant: «Jamais le libre-échange», ça m'étonnerait beaucoup.

PIERRE MARTIN — La campagne du libre-échange a eu lieu simultanément avec une autre campagne qui, elle, s'est terminée moins favorablement pour vous, soit celle du lac Meech. Je suis curieux de savoir quel était le lien entre les deux. Est-ce qu'il y a eu, à un moment donné, un lien implicite ou explicite dans votre relation avec Brian Mulroney, entre votre appui très actif pour le libre-échange, qui vous a amené jusqu'à faire campagne pour l'accord dans les autres provinces durant la campagne électorale fédérale, et les appuis à l'égard du lac Meech qui était quand même un morceau électoralement important au Québec?

ROBERT BOURASSA — Il n'y avait pas de lien. C'est vrai que mon intervention en faveur du libre-échange n'a pas aidé Meech dans certains milieux anglophones, un peu comme la loi 178. Mais il ne faut pas oublier que, dans ces provinces-là, on avait déjà accepté l'accord. L'Ontario et Peterson n'étaient pas du tout favorables au libre-échange mais Peterson faisait sa bataille et moi, je faisais la mienne. Lui, il était tenu de faire cette bataille-là à cause de la situation géographique de l'Ontario. Pour le gouvernement fédéral, c'était dans son intérêt, au moins autant que dans le nôtre, parce qu'il s'était engagé à régler cette question-là. Il y avait de 35 à 40% de députés de son caucus qui provenaient du Québec et qui étaient des nationalistes québécois pour la plupart. Je pense à Marcel Masse[56] et à Lucien Bouchard. Il n'y avait pas d'arrière-pensée.

Il faut regarder les résultats. C'est toujours facile de discuter, a posteriori, mais s'il y a une province qui a profité du libre-échange pour contrer la récession, c'est bien le Québec. On a eu une augmentation spectaculaire de nos exportations et de notre surplus commercial avec les États-Unis et c'est ça qui nous a permis de créer, l'an dernier, 70 000 emplois et de contrer la récession. Donc, ce n'était pas du tout lié dans mon esprit. Ça pouvait l'être dans certains milieux anglophones qui disaient: «Toujours le Québec, la loi 178, le libre-échange.» Mais on retrouvait cette attitude dans les provinces solidement derrière l'Accord du lac Meech, dont l'Ontario. Ça ne pouvait pas nuire au sujet de l'Accord du lac Meech. Terre-Neuve était pour le libre-échange. La Colombie-Britannique était, avec Van der Zalm, d'une façon très déterminé pour le libre-échange.

PIERRE MARTIN — Mais il n'y avait pas de lien, ni implicite ni explicite, entre les deux. Il n'y a pas eu de discussion?

ROBERT BOURASSA — Non, c'était deux dossiers parallèles, tous les deux importants. Monsieur Mulroney n'avait aucun intérêt à me dire: «Appuie-moi sur le libre-échange et je vais t'appuyer sur le lac Meech.» Il voulait que l'Accord du lac Meech fasse partie de l'héritage de son gouvernement, en réparant l'injustice de 1982. Trudeau ne voulait pas que Mulroney corrige son erreur parce que, pour lui, il n'y avait pas d'erreur.

---

56. Marcel Masse, député et ministre de l'Union nationale de 1966 à 1970. Député et ministre fédéral conservateur de 1984 à 1993. Coprésident de la Commission sur l'avenir du Québec en 1994.

PIERRE MARTIN — N'y avait-il pas aussi, dans la campagne pour l'Accord du lac Meech, un rôle joué par la relation personnelle que vous aviez avec monsieur Mulroney? C'était quand même un ami de longue date, avec qui vous étiez assez proche. Quel a été, justement, le rôle du rapport personnel que vous aviez avec lui?

ROBERT BOURASSA — L'amitié en politique, il faut prendre ça avec philosophie. On peut avoir des relations très amicales, très personnelles comme j'ai eues avec monsieur Mulroney. J'ai eu aussi des relations très cordiales avec plusieurs chefs d'État européens. Mais, de façon générale, c'est le vieux principe de Bismarck (*real politik*) qui s'applique en cette matière. La politique est avant tout un rapport de force. Donc, les relations personnelles peuvent aider pour le climat et la compréhension mutuelle. Quant au fond des choses, c'est l'intérêt des peuples qui est de loin le facteur le plus déterminant.

Prenons l'exemple de la loi 178. Je savais que cette loi ne pouvait pas m'aider dans mes relations politiques avec Brian Mulroney parce qu'il était lui-même durement critiqué dans le Canada anglais à cause de cette loi. De plus, cela divisait son caucus. Lucien Bouchard était pour la loi 178. Comme ministre, il s'est abstenu de se présenter en Chambre pendant quatre ou cinq jours, pour vraisemblablement éviter d'avoir à répondre aux questions sur la loi 178. De mon côté, je pensais que c'était dans l'intérêt conjoncturel du Québec d'adopter la loi 178 et j'ai agi en conséquence.

LOUIS MAHEU, *professeur de sociologie* — J'ai été frappé par le fait que, parlant des cinq conditions de 1987, vous n'avez pas du tout mentionné le lien entre la question autochtone et les problèmes constitutionnels du Canada. Vous étiez pourtant, par rapport à cette question autochtone, sur le terrain au moins de deux manières, sur le plan constitutionnel et aussi sur le plan du développement hydro-électrique. Beaucoup de négociations étaient sans doute en cours avec les diverses composantes de la population autochtone. De ce point de vue, je me demande quelle était votre propre pensée politique et celle de votre gouvernement par rapport aux populations autochtones, par rapport à leurs revendications territoriales.

Ce n'est pas l'aspect de la sécurité publique d'Oka qui m'intéresse, mais plutôt l'aspect du rapport de force politique, justement. On prête à René Lévesque cette opinion que le gros problème constitutionnel du Québec, c'était les autochtones qui le présentaient, et que le gros défi se logerait éventuellement là. Je ne sais pas s'il a vraiment énoncé une telle idée ou si elle était prémonitoire, mais vous, qu'est-ce que vous retenez de ce dossier? Comment voyez-vous l'impact de cette variable-là sur la dynamique politique, québécoise et canadienne?

ROBERT BOURASSA — En 1987, dans les cinq demandes du Québec, il n'était pas encore question de l'aspect autochtone. Mais tous admettaient que c'était un problème primordial qui, dans les engagements pour l'avenir, deviendrait une priorité.

Dans les années 1980, j'avais refusé de participer aux conférences sur les autochtones, alors que René Lévesque y était allé en tant qu'observateur. Vous savez qu'en 1982, une conférence constitutionnelle a suivi celle du rapatriement, pour traiter entre autres choses de la question des autochtones. Monsieur Lévesque, qui était peut-être un des chefs politiques les plus sympathiques à la cause autochtone, avait décidé de ne pas boycotter cette conférence-là, si ma mémoire est bonne, alors que, dans mon cas, je n'étais pas allé à une conférence similaire, monsieur Rémillard m'ayant représenté.

Donc, au début, il y avait une attitude un peu différente de ma part. Il y avait lieu aussi de souligner, par mon absence, le caractère inacceptable du rapatriement unilatéral.

Il y avait des Premiers ministres, comme monsieur Rae, qui mettaient en garde contre l'indifférence. Il invoquait, avec raison, le taux de chômage dans les réserves ainsi que le taux de suicide chez les jeunes autochtones qui étaient beaucoup plus élevés que dans le reste de la population. Je crois que c'était une situation que l'on devait considérer avec beaucoup de vigilance et d'ouverture. J'en étais devenu très conscient.

LOUIS MAHEU — Est-ce que le Parti libéral a une politique sur les questions autochtones?

ROBERT BOURASSA — Le dialogue. Notre politique, ce sont nos réalisations. On a réussi à s'entendre avec certains groupes sur des objectifs: propriété en propre, droit de chasse et de pêche, droits partagés au-delà d'un certain territoire. C'était aussi ce qu'on essayait de faire avec d'autres groupes, comme les Montagnais et les Attikameks.

Évidemment, dans tout parti, il y a des réactions partagées vis-à-vis des autochtones. Je dois dire que, dans l'ensemble, nous avons appliqué une politique qui a permis un important rapprochement, sauf dans certains cas bien connus. Mais en ce qui concerne le territoire, son intégrité n'a jamais été négociable.

LOUIS MAHEU — Et quand il était question des négociations concernant les développements hydro-électriques, toutes sortes de formes de compensation ont été discutées. Est-ce que, dans le contexte de ces négociations, les questions gouvernementales ont été posées? Est-ce que les autochtones revendiquaient le droit d'exercer un certain contrôle quasi gouvernemental sur les territoires? On voit ça, de temps à autre, dans leurs revendications, et ça remet bien sûr en cause l'intégrité territoriale. Parce que l'intégrité territoriale, c'est aussi un principe selon lequel un seul gouvernement doit contrôler politiquement l'ensemble des lois sur le territoire du Québec.

ROBERT BOURASSA — Sauf que, dans l'accord de Charlotte-town, il fallait que les autochtones respectent l'ordre, la paix et le bon gouvernement. Ils acceptaient de respecter les lois des gouvernements provincial ou fédéral. Dans la mesure où ils acceptent de respecter les lois provinciales et fédérales, ça nous paraissait acceptable. Ça constituait un niveau d'administration *sui generis* avec des pouvoirs plus importants que ceux accordés aux municipalités. Mais l'accord a été rejeté et il faudra probablement attendre les conclusions de la Commission royale d'enquête sur les autochtones pour considérer d'autres options.

LOUIS MAHEU — Ma deuxième question concerne un aspect du développement — du non-développement, diraient certains — du Québec, qui s'est posé probablement à la fin des années 1980 et au début des années 1990. Cet aspect, perceptible via les rapports assurés du mouvement syndical avec le gouvernement, est, dans le fond, au cœur des problématiques que divers conseils ont commencé à mettre de l'avant autour des notions de dualité dans la société, d'appauvrissement, de problème des jeunes, de l'assistance sociale, etc. Il y a eu quelques tentatives d'intervention de la part du gouvernement de ce côté-là. J'aimerais savoir si vous étiez sensible à cette dimension-là. Que pensez-vous, par exemple, du rapport du Conseil du développement social du Québec, je crois, qui mettait en relief cette espèce de phénomène de dualité, impliquant l'appauvrissement d'une partie importante de la population qui pouvait difficilement suivre les objectifs de développement et qui soulignait qu'une fraction importante des jeunes était confrontée à des devenirs sociaux incertains? L'une des caractéristiques pas très heureuses de la population québécoise, c'est le nombre important de suicides, particulièrement chez les jeunes.

Donc, sur cet aspect important du dossier social qui est la vitesse avec laquelle certaines factions du territoire ou groupes de population suivent le développement ou ne le suivent pas, est-ce que vous aviez une perception précise des interventions possibles? Quel genre de jugement politique feriez-vous de votre gouvernement eu égard à ces questions-là?

ROBERT BOURASSA — À cet égard, il faut évoquer le rétrécissement des moyens d'action, à cause de la crise des finances publiques. L'administration publique, à la fin des années 1980 et par la suite, était en bonne partie constituée d'arbitrages entre le progrès social, l'équilibre des finances publiques, le court terme, le long terme, le développement économique, etc. Alors, même si ce n'était pas la quadrature du cercle, il fallait vivre avec la réalité des lois économiques. Le chômage chez les jeunes est extrêmement préoccupant et ce n'est pas parce que c'est partout le cas que ça atténue la situation au Québec.

Ce sont vraiment les problèmes réels qu'on devait affronter en toute priorité et, dans ce sens-là, appuyer le libre-échange me paraissait un bon moyen d'action pour accroître la richesse à partager. Nous avons aussi octroyé la parité de certaines mesures sociales aux moins de trente ans, sans compter l'établissement de nombreuses incitations au travail.

Régulièrement, le ministre responsable de ce secteur,

monsieur Bourbeau[57], présentait des propositions pour affiner constamment l'action de l'État. Au niveau des services proposés aux citoyens et au niveau des régions et de leur développement, on peut également référer aux mesures proposées par MM. Marc-Yvan Côté et Yvan Picotte et appliquées avec détermination et réalisme.

LOUIS MAHEU — Monsieur Bourbeau a été associé davantage à l'aspect répressif des choses. Ça vous a valu le quolibet qui est devenu fameux et que vous n'avez probablement pas beaucoup apprécié au cours de ces années-là.

ROBERT BOURASSA — Boubou-macoute?

LOUIS MAHEU — Oui, c'est ça!

ROBERT BOURASSA — Sur le plan de l'opinion publique, je crois qu'il y avait une certaine compréhension.

LOUIS MAHEU — Est-ce que, dans vos rapports avec le fédéral, certaines dimensions sociales ont été abordées? Je pense à la formation et à la nécessité de lier les politiques sociales à un meilleur contrôle des leviers, à la formation et à l'assurance-chômage. Est-ce que ce sont des dossiers que vous avez négociés?

ROBERT BOURASSA — Oui. Il y a tout le dossier de la formation de la main-d'œuvre et ses liens avec l'assurance-chômage, comme vous le mentionnez. La réplique du fédéral dans ce

---

57. André Bourbeau, député libéral depuis 1981. Il a été ministre des Affaires municipales, de la Main-d'œuvre et des Finances dans les cabinets de Robert Bourassa et Daniel Johnson.

dossier, c'est qu'il y a une contribution plus forte des provinces plus avantagées comme l'Alberta ou l'Ontario. Alors l'abandon de ses responsabilités devenait pour lui plus délicat. Mais nous avons quand même signé avec madame Campbell une entente qui paraissait satisfaisante au Québec.

Dans le même ordre d'idées, nous verrons plus tard que, sur la main-d'œuvre, avec l'entente de Charlottetown, un pas en avant très significatif avait été fait.

Ainsi quand on me demandait, deux semaines avant le scrutin référendaire, au moment où la défaite était très probable, ce qui m'attristerait le plus dans le cas d'un échec, je disais: «À court terme, c'est la main-d'œuvre.»

PANAYOTIS SOLDATOS, *professeur de science politique* — Vous avez souligné, lors de la première causerie, votre grand intérêt pour Jean Monnet et ses idées. Aujourd'hui également, vous avez fait référence aux questions européennes et indiqué votre intérêt très vif pour le modèle européen d'intégration.

Par contre, le simple libre-échange, du point de vue de la méthode Monnet, c'est plutôt mauvais; compte tenu du modèle européen, c'est mauvais parce qu'il n'y a pas d'ossature institutionnelle pour régler tous ces problèmes que nous avons avec les Américains. Tous ces panels que nous avons pour régler nos différends avec eux sont boiteux et posent des problèmes.

Dans l'ALÉNA, il n'y a pas de marché social avec l'ouverture des frontières. Ça, c'est le modèle anglais du libre-échange, ce n'est pas le modèle actuel européen majoritaire. Le modèle du marché européen comporte des accompagnements régionaux, sociaux, une politique de concurrence, un règlement des questions des barrières non tarifaires, enfin tout ce que les Anglais n'ont pas voulu parce qu'ils ont fait l'Association européenne de libre-échange au départ.

Moi, je m'attendrais à ce que, dans le débat, au Québec et au Canada, vous ayez véhiculé davantage — tout en concédant qu'à la fin il fallait s'aligner sur les Américains qui n'acceptent pas facilement toutes ces choses — un certain nombre de thèmes d'encadrement de ce libre-échange, de contenu selon une approche plus sociale, une sensibilité plus européenne qui permette à des partenaires asymétriques, justement, de fonctionner et d'éviter les problèmes qu'a le Mexique aujourd'hui, et que pourront avoir demain le Québec et d'autres parties du Canada, lorsqu'on ne fait qu'ouvrir les frontières, sans plus. Je n'ai pas vu l'insertion de cette préoccupation dans les débats. Est-ce que c'était cause perdue?

ROBERT BOURASSA — Le Congrès américain est très sensible à toute espèce d'empiétement sur la souveraineté des États-Unis. Quant au Canada, le Canada anglais n'est pas monolithique, comme le libre-échange l'a clairement démontré. On s'est associé à l'Ouest contre l'Ontario; preuve qu'on peut faire des alliances régionales à notre avantage à l'intérieur de la fédération, ce qui paraît plutôt invraisemblable si on est à l'extérieur. Par ailleurs, quand il y aura le Chili et le Brésil en plus du Mexique, on pourra avoir un meilleur équilibre. Mais maintenant ça me paraît assez théorique de parler de ces questions-là alors que déjà, au Canada, pour le simple libre-échange, il y a quand même une résistance assez forte et plus forte encore du côté américain.

Tant qu'il s'agit des États-Unis et du Canada, je ne pense pas qu'on pourrait parler de ces objectifs d'une façon utile comme on peut en parler pour le Canada, comme fédération et union économique. Comme je viens de le dire, il faut donc distinguer ici la situation nord-américaine de la situation européenne. Quand j'ai fait le débat à l'Université de Montréal sur Charlottetown et Maastricht en octobre

1992, je trouvais qu'il y avait plus de pertinence à examiner sous cet angle que sous l'angle nord-américain.

DAVID IRWIN, *étudiant en science politique* — Ma question, monsieur Bourassa, a trait à votre bébé, votre vaisseau amiral, qui est Hydro-Québec. Il y a quelques années, j'écoutais la télé, on présentait une belle jeune fille en robe de chambre qui allumait des lampes, faisait couler un bain, faisait jouer sa radio, etc. Il y a un peu moins longtemps, on a pu voir que la jeune fille n'a plus sa robe de chambre et qu'Hydro-Québec nous dit qu'il faut contrôler nos dépenses d'énergie. Il y a un mois, j'ai reçu dans ma boîte aux lettres un dépliant accompagnant ma facture d'électricité. Hydro-Québec me disait que je pouvais acheter un jeu de société qui est produit par Hydro-Québec. Il y a deux jours, parce que je suis un peu intéressé à la Bourse, je regardais les obligations, de dix ans, de trente ans d'Hydro-Québec et j'ai compris.

J'ai compris qu'Hydro-Québec se finance à beaucoup plus cher que d'autres compagnies hydro-électriques, telles Nova Scotia Power ou Hydro-Ontario. Donc, si on veut financer un milliard de dollars et qu'on est prêt à payer, par exemple à dix ans, 10,25 % d'intérêt, ça veut dire que dans sept ans, on aura payé le double de la somme initialement empruntée.

Hydro-Québec verse une ristourne au gouvernement et elle a une quarantaine de vice-présidents, certains très «honoris causa» et d'autres qui travaillent un peu plus. Si Hydro-Québec cessait de verser la ristourne au gouvernement du Québec et était mieux gérée, croyez-vous qu'on pourrait réduire le coût du financement à long terme?

ROBERT BOURASSA — Personne ne prétend que les politiques d'Hydro-Québec sont infaillibles. Ça évolue avec le temps et la conjoncture. Ce sont des techniques comptables qui font que les profits d'Hydro-Québec font partie des revenus du gouvernement, mais il n'y a pas de dividendes. Pour donner un dividende, parce que votre ristourne, c'est un dividende, il faut que ce dernier n'ait pas pour effet de réduire le ratio de la capitalisation à moins de 25% et cette situation ne s'est pas présentée depuis plusieurs années.

C'est vrai qu'il y a eu des emprunts d'un milliard. Vous vous référez aux emprunts qu'il y a eu aux États-Unis?

DAVID IRWIN — Entre autres.

ROBERT BOURASSA — Ces emprunts coûtent cher à cause évidemment des taux d'intérêt plus élevés. C'est pour ça que je disais dans mon exposé que, Dieu merci, on a développé les exportations avec la Nouvelle-Angleterre, entre autres raisons, pour compenser les pertes qu'on a à assumer pour les remboursements de ces emprunts, à cause de l'évolution du taux de change.

DAVID IRWIN — Ça génère des revenus, c'est vrai. Mais le coût du financement à long terme me semble peut-être un peu plus élevé qu'il ne devrait l'être. Je me demandais s'il n'y aurait pas moyen qu'Hydro-Québec trouve une façon de se financer à moins cher. Parce que là, on peut se demander s'il n'y aura pas une augmentation des tarifs résidentiels. Moi, je suis supposé être actionnaire de cette compagnie-là. Je me fais faire de la publicité et j'en veux pas. C'est un monopole. Je n'ai pas besoin de publicité. Ne croyez-vous pas qu'en gérant mieux la société d'État, on pourrait, notamment, trouver du financement à moins cher?

ROBERT BOURASSA — Il faut tenir compte de l'autonomie de gestion qu'a Hydro-Québec par rapport au gouvernement. Je constate que vos remarques sont d'actualité.

DAVID IRWIN — Quand on veut bâtir un barrage, c'est drôle qu'à ce moment-là on fait plus de publicité, on allume plus de lumières.

ROBERT BOURASSA — Si vous êtes intéressés à obtenir le journal des débats qui ont lieu à l'Assemblée nationale et de consulter les questions qui y sont posées, de part et d'autre, par les députés, qu'ils soient au pouvoir ou dans l'opposition, vous allez constater que ce genre de questions revient constamment et qu'Hydro-Québec est tenue de se justifier sur tous les sujets et le fait volontiers.

Quant au nombre de vice-présidents, Hydro-Québec a précisément répondu à toutes ces questions en commission parlementaire ou dans d'autres forums.

Trente ans à 9%, à un certain moment, ça paraissait une bonne affaire. Peut-être que, dans cinq ans, ça va paraître exceptionnellement avantageux d'avoir emprunté à 9% pour trente ans. Vous devez quelquefois payer un peu plus, pour une certaine période. On ne sait pas ce qui va arriver en 2010. Si on est incapable de prévoir le prix de l'aluminium pour six mois, imaginez ce qui peut arriver pour le prix des obligations.

On parlait d'Hydro-Ontario tantôt. Par rapport à cette entreprise, Hydro-Québec fait plutôt bonne figure parce qu'on sait qu'Hydro-Ontario, avec ses centrales nucléaires, a dû assumer, il y a deux ans, une perte de quelque trois milliards. Par contre, Hydro-Québec déclare, bon an mal an, des profits supérieurs à 500 millions de dollars.

DAVID IRWIN — Mais c'est drôle qu'Hydro-Ontario se finance encore à meilleur coût qu'Hydro-Québec. C'est très curieux, n'est-ce pas?

ROBERT BOURASSA — Pour la même période?

DAVID IRWIN — Oui.

ROBERT BOURASSA — Il faut dire qu'Hydro-Ontario, c'est l'Ontario, comme Hydro-Québec, c'est le Québec. Donc, le coût qui est appliqué à Hydro-Québec, c'est le coût qui est appliqué au Québec, province dont le revenu per capita est nettement inférieur à celui de l'Ontario. C'est pour ça, entre autres, qu'il y a un écart.

DAVID IRWIN — De moins en moins pourtant, parce que l'Ontario, depuis monsieur Rae, ce n'est plus la province prospère d'autrefois. Ce n'est plus l'Ontario d'il y a quinze ans. Si on comparait le Québec à l'Ontario d'aujourd'hui sur une base per capita, on verrait que des assistés sociaux, il y en a peut-être même plus en Ontario, compte tenu que la présence des filiales américaines est importante et qu'elles se sont souvent désengagées au cours des dernières années.

ROBERT BOURASSA — Ce qui est arrivé, entre autres facteurs, c'est que dans le financement des programmes sociaux par le gouvernement fédéral, l'Ontario est plafonné à 5% d'augmentation. Or on sait que le gouvernement ontarien de monsieur Rae a augmenté substantiellement les prestations d'aide sociale, qui sont devenues nettement plus élevées que celles de la plupart des autres provinces. Donc, à cause de ce plafond de 5%, qui ne s'applique qu'aux trois provinces les plus fortunées (soit l'Ontario, la Colombie-Britannique et

l'Alberta), le déficit de l'Ontario a augmenté substantiellement. Cependant, même si leurs dépenses augmentent, leur
capacité de payer demeure quand même plus élevée que celle
du Québec.

En terminant, j'aimerais poser une question à Stéphane
Dion. Tantôt, nous parlions de la loi 178. Est-ce que vous
vous souvenez des débats sur la loi 63 en 1968?

STÉPHANE DION — Oui, je m'en souviens.

ROBERT BOURASSA — Vous êtes d'accord que ça n'était pas
simple?

STÉPHANE DION — C'est une question très délicate et je ne
dis pas que je l'aurais mieux gérée que vous.

ROBERT BOURASSA — Je voulais juste situer la décision qui a
été prise dans un contexte historique plus large.

REPÈRES
CHRONOLOGIQUES

15 avril 1978 — Claude Ryan est élu chef du Parti libéral du Québec.

27 octobre 1979 — Inauguration de la Baie James.

20 mai 1980 — Tenue du référendum québécois sur le projet de souveraineté-association. Les Québécois se prononcent en faveur du NON à 59,6% des voix.

5 juin 1980 — Le gouvernement de Robert Bourassa, est exonéré de tout blâme par le Rapport Malouf sur les coûts des Jeux olympiques.

13 avril 1981 — Élections générales: le Parti québécois obtient 49,2% des voix et 80 sièges, le PLQ obtient 46% des voix et 42 sièges.

15 octobre 1983 — Robert Bourassa reprend la direction du Parti libéral.

4 septembre 1984 — Brian Mulroney devient Premier ministre du Canada. Le Parti conservateur obtient 50% des voix et 211 sièges, le Parti libéral obtient 32% des voix et 40 sièges.

29 septembre 1985 — Pierre-Marc Johnson succède à René Lévesque à la direction du Parti québécois.

2 décembre 1985 — Le Parti libéral du Québec remporte les élections avec 56% des voix et 99 sièges; le Parti québécois obtient 38,6% et 23 sièges.

11 novembre 1986 — Adoption de la loi 160 assurant le maintien des services essentiels dans le secteur de la santé et des services sociaux.

3 juin 1987 — Signature de l'Accord constitutionnel du lac Meech.

18 mars 1988 — Jacques Parizeau succède à Pierre-Marc Johnson à la direction du Parti québécois.

23 août 1988 — Incendie d'un entrepôt de BPC à Saint-Basile-le-Grand.

21 novembre 1988 — Le Parti conservateur remporte les élections avec 44% des voix et 170 sièges contre 35% des voix et 82 sièges pour le Parti libéral.

15 décembre 1988 — La Cour suprême du Canada déclare que la loi 101, la Charte de la langue française, n'est pas constitutionnelle.

18 décembre 1988 — Le gouvernement a recours à la clause nonobstant.

20 décembre 1988 — Le débat entourant la mise en forme du projet de loi 178 entraîne la démission de trois ministres anglophones importants: Clifford Lincoln, Richard French et Herbert Marx.

22 décembre 1988 — Adoption de la loi 178, modifiant la Charte de la langue française.

5 septembre 1989 — Grève générale des infirmières et infirmiers du Québec

25 septembre 1989 — Le Parti libéral est reporté au pouvoir avec 50% des votes et 92 sièges à l'Assemblée nationale.

Quatrième rencontre

LES ANNÉES 1990

L'Accord du lac Meech ◆ *La Crise d'Oka* ◆
La Commission Bélanger-Campeau ◆ *Charlottetown* ◆
Le référendum de 1992 ◆ *Réflexions générales
sur la politique du Québec*

*Mardi, le 21 mars 1995 à 17 heures
dans la salle M-425 du pavillon principal
de l'Université de Montréal*

PERSONNES PRÉSENTES

*André J. Bélanger, André Blais, Guy Bourassa,
Guy Bouthillier, Sylvie Brunanchon, Robert Cléroux,
Édouard Cloutier, Antoine Del Busso,
Stéphane Dion, Francis Demers, James I. Gow,
André Guertin, David Irwin, Jane Jenson,
Marc Lachance, Éric Lauzon, Dominic Maestracci,
Louis Maheu, Pierre Martin, Pascal Mailhot,
Louis Massicotte, Denis Monière, Sylvia Nadon,
André Normandeau, Céline Stehley, Panayotis Soldatos,
Gilles Trudeau, Daniel Turp, Alexis Valas.*

Je commence les années 1990, selon mon habitude, par le pèlerinage annuel à Davos, en Suisse. À la fin janvier et début février, se tient un forum économique international où vous pouvez rencontrer des personnalités politiques et économiques des différents continents. J'avais établi cette tradition, qui a d'ailleurs été suivie jusqu'à aujourd'hui. C'est monsieur Landry qui est à Davos cette année. Monsieur Johnson y était allé l'an dernier.

J'avais commencé l'année en visitant différentes villes, comme Dusseldorf, Bonn et Berlin. C'était quelques semaines après la chute du Mur de Berlin[1]. Je me suis également rendu à Budapest où une entente avait été signée. Je voulais, en même temps, affirmer la présence du Québec sur le plan international. Comme vous le savez, c'est la Hongrie, et plus particulièrement monsieur Gyula Horn[2], actuellement Premier ministre de Hongrie, qui avait joué un rôle déterminant dans la chute du Mur de Berlin en ouvrant les frontières de la Hongrie, et en permettant aux Allemands de l'Est de pouvoir rejoindre, à travers l'Autriche, les Allemands de l'Ouest.

---

1. La chute du Mur, le 9 novembre 1989, est suivie, moins d'un an plus tard, par la réunification de l'Allemagne, le 3 octobre 1990.

2. Homme politique hongrois, ministre des Affaires étrangères lors de la chute du Mur de Berlin. Défait dans un premier temps, il est devenu Premier ministre en mai 1994.

Ces visites constituaient une occasion de rencontrer des chefs de gouvernement, tels monsieur Kohl[3], monsieur Major[4], madame Thatcher[5] et, évidemment, les dirigeants français et belges, de même que les leaders économiques auprès desquels je m'efforçais de faire connaître le Québec et de mettre en valeur les avantages d'y investir. Je poursuivais toujours cette priorité fondamentale de développer l'intérêt des investisseurs étrangers pour le Québec.

Entre-temps, plusieurs changements de gouvernements avaient eu lieu au Canada, qui doivent être situés dans le contexte des discussions sur l'Accord du lac Meech, lequel avait été ratifié sur le plan politique à deux reprises, en 1987. En effet trois nouveaux Premiers ministres n'avaient pas signé l'Accord en 1987, soit messieurs Wells, Filmon et McKenna[6]. C'est évident que cela n'a pas facilité la ratification de l'Accord, comme vous vous en souvenez tous. Monsieur Wells, notamment, avait posé un geste provocateur en avril 1990 quand il avait décidé de renverser la décision de l'Assemblée législative de Terre-Neuve. Il a fait adopter un désaveu de cette ratification par la nouvelle majorité issue de l'élection.

À l'occasion du voyage en Europe auquel je me référais tantôt, il y avait évidemment, comme toujours, plusieurs

---

3. Helmut Kohl, chancelier de la République fédérale allemande depuis 1982. Il proposa dès novembre 1989 un plan d'unification des deux Allemagnes qui se réalisa en moins d'un an.

4. John Major a succédé en 1990 à Margaret Thatcher comme Premier ministre du Royaume-Uni. En 1992 il a obtenu un nouveau mandat électoral.

5. Élue chef du Parti conservateur britannique en 1975, Margaret Thatcher a été Premier ministre de 1979 à 1990.

6. Les dates d'élections des trois premiers ministres non signataires de l'Accord du lac Meech du 23 juin 1987: Wells (20 avril 1989); Filmon (26 avril 1988); McKenna (13 octobre 1987).

questions concernant l'avenir politique du Québec, mais là, c'était encore plus d'actualité. Les banquiers allemands, notamment ceux qui voulaient investir dans le projet Alouette[7], me posaient beaucoup de questions. C'est à ce moment-là que j'avais utilisé le mot «superstructure» que l'on a abondamment analysé par la suite. J'avais choisi ce terme-là, dans une conférence de presse avec les journalistes, dans le but de rassurer les investisseurs étrangers. À cette fin, il me semblait important d'affirmer l'opportunité logique d'une superstructure au Canada. Mais la politique n'est pas toujours pure logique.

Les mois qui ont suivi furent consacrés en priorité à certains dossiers. Il y avait toute la question financière. Il fallait encore réduire la croissance des dépenses pour ne pas aggraver le déficit. Il fallait préparer les programmes de relance avec les ministres responsables.

Il y a eu, pour revenir à la question constitutionnelle qui demeurait prédominante, le Rapport Charest[8] que j'ai désavoué parce qu'il se trouvait à atténuer la portée de la «société distincte». Dans tout le débat sur la «société distincte», il fallait continuellement interpréter ces termes dans leur rapport avec la Charte. Et parce qu'il avait atténué la portée de la «société distincte», le Rapport Charest avait aussi entraîné la démission de Lucien Bouchard comme ministre du gouvernement Mulroney et comme membre du caucus conservateur.

Il y eut ensuite la convocation, à Hull, de la conférence «de la dernière chance» par monsieur Mulroney. De façon

---

7. Aluminerie Alouette à Sept-Îles.

8. Le Comité spécial des communes présidé par le député Jean Charest était chargé d'examiner le projet de résolution d'accompagnement à l'Accord du lac Meech. Le rapport contenait 23 recommandations et fut déposé le 17 mai 1990.

très efficace, M. Mulroney a souligné toute l'importance de ratifier l'entente de Meech. La conférence s'est ensuite déplacée, pour plusieurs jours, au Centre des conférences d'Ottawa où furent tenues des séances, dont certaines assez émotives. Il s'agissait de convaincre monsieur Filmon et monsieur McKenna, ce dernier étant, à toutes fins utiles, acquis à l'Accord. Mais il restait monsieur Wells, qui était très tenace. Il y eut évidemment des discussions très serrées. Je me souviens notamment d'un exposé de Joe Ghiz[9] qui s'adressait à monsieur Wells. Ce fut peut-être l'un des moments les plus éloquents de toutes ces rencontres, monsieur Ghiz rappelant ses origines libanaises et exprimant sa plus grande fierté d'être citoyen canadien et Premier ministre de sa province.

Incontestablement, le sujet le plus litigieux fut la «société distincte». Contrairement à ce qu'on a dit, la loi 178 n'a pas constitué une pierre d'achoppement. Cette loi avait été adoptée en décembre 1988. Nous étions alors en juin 1990. On ne pouvait donc pas conclure, au Centre des conférences, que la loi 178 était un obstacle à la ratification de l'Accord du lac Meech. Cela fut peut-être fait de façon indirecte par monsieur Wells, mais tous comprenaient, ou semblaient comprendre, la position du Québec vis-à-vis de cette loi.

Le jeudi soir, au cours de ces rencontres qui ont duré toute la semaine, j'avais émis un communiqué laconique annonçant que je me retirerais de la conférence si on continuait à discuter de la société distincte. Pour moi, cette question était réglée puisque ça avait été endossé à deux reprises, en avril et en juin 1987. Finalement, il ne me paraissait plus utile de continuer à participer aux discussions sur cette question.

---

9. Premier ministre de l'Île-du-Prince-Édouard du 2 mai 1986 au 25 janvier 1993.

On s'entend donc le samedi. Monsieur Wells émet certaines réserves et s'engage à soumettre, comme vous vous en souvenez, l'Accord à son parlement. J'ai alors fait un discours qui disait que, depuis 1982, le Canada était un pays légal pour les Québécois mais qu'avec la ratification de l'Accord du lac Meech et la reconnaissance du Québec comme société distincte, ça devenait un vrai pays. Donc, à ce moment, on avait l'impression que, finalement, la question constitutionnelle avait été réglée pour un bon moment. Monsieur Trudeau paraissait isolé et même monsieur Chrétien semblait travailler discrètement à la ratification de l'Accord.

Durant les jours qui ont suivi, comme tout le monde constatait que Terre-Neuve était la province la plus réticente, plusieurs Premiers ministres s'y sont rendus, dont messieurs Mulroney, Peterson, Devine[10] et McKenna, pour demander aux membres de l'Assemblée législative de ratifier l'Accord du lac Meech, en invoquant les conséquences possibles d'une non-ratification de l'Accord, c'est-à-dire le retrait éventuel du Québec de la fédération et, finalement, la rupture du Canada. Ce type de discours, tout à fait compréhensible dans le contexte, mettait en relief, durant les jours qui ont suivi l'échec de l'Accord du lac Meech, le caractère très délicat du climat politique au Québec, étant donné cette mise en garde qui avait été lancée à Terre-Neuve quelques jours auparavant.

Les événements qui suivent vous sont sans doute assez familiers: l'attitude négative d'Elijah Harper[11] au Manitoba et monsieur Wells qui renonce ensuite à un vote à l'Assemblée

---

10. Grant Devine, Premier ministre de la Saskatchewan du 8 mai 1982 au 21 octobre 1991.

11. Député néo-démocrate à la législature du Manitoba depuis 1981, E. Harper oppose un barrage de procédures parlementaires pour bloquer le dépôt d'une résolution de ratification de l'Accord du lac Meech.

législative de Terre-Neuve. L'échec prend alors une tournure dramatique. Je rappelle mes propos quand j'ai rencontré monsieur Conrad Sioui[12], lors d'une réception protocolaire le jour de la Saint-Jean-Baptiste, où je lui ai dit, même si cela n'était pas conforme aux coutumes d'interpeller un invité dans ce type de rencontre: «On ne corrige pas une injustice en faisant une autre injustice.»

Évidemment il y a le discours du 22 juin 1990 à l'Assemblée nationale, l'un des plus importants de ma carrière politique, celui du samedi, le 23, au Salon rouge où j'insistais sur le fait qu'aucun geste ne serait posé qui pourrait compromettre la sécurité économique des Québécois.

Au cours de la journée, je communique avec monsieur Peterson, allié indéfectible du Québec, et je lui demande de venir à Montréal dans les jours qui suivent pour faire le point. Sans le moindre doute, la fierté du Québec avait été blessée. Il y avait déjà eu en 1982, avec le rapatriement unilatéral, une brûlure dans l'histoire constitutionnelle canadienne. L'échec de Meech en constituait une autre, quoique l'on pouvait, cette fois-ci, imputer la situation au processus d'amendement lui-même, puisque l'Accord avait été ratifié par huit provinces. C'est pourquoi, dans mon discours du 23, j'insistais sur la nécessité de négocier à deux, et non plus à onze, dans la mesure où l'on avait, après trois années de négociation, une preuve éloquente des défaillances du processus.

J'étais bien conscient de la complexité et de l'importance historique de la situation. Il n'était pas question, dans mon esprit, de détruire le lien fédératif; je ne l'ai jamais proposé. Depuis le début de ma carrière politique, j'avais toujours insisté, quelle que soit l'option choisie, sur la nécessité du

---

12. Conrad Sioui, leader autochtone du Québec (Huron). L'un des sept chefs de l'Assemblée des Premières Nations du Canada.

lien fédératif, dans le sens qu'une union économique fonctionnelle suppose une véritable union politique, c'est-à-dire dotée d'un parlement élu au suffrage universel avec des pouvoirs appropriés. Cela est d'autant plus vrai qu'en l'absence de lien fédératif, vous risquez évidemment de provoquer le morcellement du territoire canadien, ce qui m'apparaissait un non-sens géopolitique ainsi qu'un risque d'isolement pour le Québec.

On pouvait penser à d'autres formules, comme un Canada à cinq où le Québec pourrait être plus distinct et avoir l'autonomie nécessaire à son développement dans le monde d'aujourd'hui, ou à une union canadienne, ou encore à trouver une formule qui puisse tenir compte de la spécificité québécoise. Donc, il n'était pas question de tourner la page et de faire comme si rien ne s'était passé, et il n'était pas question non plus de compromettre l'avenir. Il s'agissait de préparer une option raisonnable. Le geste qui a été posé à cet effet fut d'amorcer une réflexion non partisane sur l'avenir constitutionnel du Québec.

Alors, on a mis en place, dans ce contexte, la Commission Bélanger-Campeau[13]. Monsieur Bouchard a accepté d'en être membre. Il était encore député à Ottawa et on avait prévu que la commission comprendrait des représentants du parlement fédéral. Vous avez eu, par la suite, le congrès des

---

13. La Commission sur l'avenir politique et constitutionnel du Québec (Commission Bélanger-Campeau, du nom de ses deux co-présidents), fut créée en septembre 1990. Son mandat était d'étudier et d'analyser le statut politique et constitutionnel du Québec et de formuler des recommandations. La Commission Bélanger-Campeau a remis son rapport le 26 mars 1991. Dans ce rapport, deux voies s'ouvrent au Québec, une nouvelle et ultime tentative de redéfinir le statut du Québec au sein du régime fédéral ou l'accession à la souveraineté. La principale recommandation et la plus déterminante est la tenue d'un référendum sur l'avenir constitutionnel et politique du Québec au plus tard le 26 octobre 1992.

jeunes libéraux à Saint-Anne-de-La-Pocatière où les jeunes se sont ralliés à une forme de néo-fédéralisme, comportant une très grande autonomie du Québec mais avec un parlement canadien, élu au suffrage universel et doté de pouvoirs concrets, notamment en matière de taxation, pour consolider ce lien économique. Il était quand même important qu'il n'y ait pas qu'une seule voie d'offerte aux Québécois et la voie que j'acceptais volontiers était, évidemment, cette voie du néo-fédéralisme qui se rapprochait davantage de l'an 2000 que de l'État-nation traditionnel.

À la même époque, soit l'été 1990, eut lieu la Crise d'Oka. On connaît les faits. Le caporal Lemay est tué lors d'un conflit qui a pris sa source immédiate dans une dispute à propos d'un terrain de golf, mais dont on peut faire remonter l'origine au conflit historique avec les autochtones. Le pont Mercier est bloqué, ce qui force des dizaines de milliers de personnes à devoir, chaque jour, assumer plusieurs heures de transport additionnel et d'attente pour se rendre à leur travail. Cela engendre donc des tensions croissantes et je dois faire appel à l'armée sans requérir, évidemment, qu'elle agisse immédiatement. En vertu de la loi canadienne, lorsqu'un Premier ministre provincial fait appel à l'armée, il se trouve à devenir le commandant en chef de l'armée. J'ai donc rencontré les dirigeants de l'armée et nous avons convenu que l'armée se rapprocherait progressivement des lieux d'affrontements si nécessaire. Ça a commencé à Val-Cartier, Saint-Rémi, Saint-Benoît et Farnham puis, à la mi-août, l'armée a remplacé la Sûreté du Québec sur les lieux mêmes des affrontements.

Il y eut beaucoup de protestations au niveau international. On a, de l'extérieur, une perception de la situation qui est bien loin de la réalité, notamment dans le cas de certains représentants européens qui font partie d'organismes internationaux. Je m'applique à leur faire comprendre que si des ponts de Paris étaient bloqués pendant des semaines, et que les Parisiens devaient faire plusieurs heures de parcours pour se rendre à leur travail, leur réaction serait exactement la même que celle de la population à Châteauguay.

Sur le plan personnel, on me découvre, au début d'août, un mélanome, qui est, comme vous le savez, une forme sérieuse de cancer de la peau. La biopsie révèle que le mélanome s'est propagé aux ganglions et qu'il faut donc procéder à une intervention chirurgicale rapide, de manière à empêcher que le cancer ne pénètre plus avant dans l'organisme. Sur le plan humain, ces semaines sont pour moi très exigeantes puisque je ne peux pas accéder aux demandes de mes médecins, étant donné la situation et ma responsabilité comme Premier ministre de protéger l'avenir en évitant des affrontements violents. Ma présence me paraît essentielle, non seulement comme Premier ministre du Québec, mais aussi comme responsable des forces armées, et pour éviter la perception d'un affaiblissement du gouvernement face à des tensions croissantes.

Il va de soi qu'une bonne partie de la population est mécontente du gouvernement parce qu'elle voudrait une intervention musclée. D'ailleurs, le chef de l'opposition, monsieur Parizeau, réclame une telle intervention. Les critiques sont virulentes à l'endroit du gouvernement et, évidemment, je dois assumer toutes ces critiques — et je le fais volontiers — en sachant fort bien par ailleurs que, sur le plan strictement personnel, il serait beaucoup plus facile pour moi d'ordonner cette intervention et de pouvoir ainsi être libre de consacrer mon attention à la protection de ma propre santé. Mais j'étais bien conscient que, s'il y avait bain de sang, il pouvait avoir des retombées potentiellement dramatiques pour l'avenir. Quand on voit comment le terrorisme peut prendre source précisément dans de telles situations, il me paraissait indispensable et fondamental d'être présent, d'éviter des affrontements risqués et de faire en sorte que nous puissions recourir aux forces de l'ordre avec modération, et discipline, afin d'en arriver à une solution pacifique.

Le 5 septembre 1990, le pont Mercier est réouvert. C'était la principale source de tension. C'est parce qu'il était bloqué que des dizaines de milliers de personnes devaient s'abstenir de travailler ou s'imposer beaucoup de sacrifices. Aussitôt que le pont Mercier a été réouvert, j'ai quitté le Québec pour l'hôpital de Bethesda où se trouvent des spécialistes en matière de mélanome, et aussi parce que l'opération pourrait se faire dans la plus grande discrétion afin d'éviter de créer la perception d'un gouvernement affaibli. Avant mon départ, je fais adopter, au début de septembre, la loi créant la Commission Bélanger-Campeau.

Malheureusement, à cause d'Oka et de tous les autres facteurs, je suis obligé d'annuler la visite de monsieur Michel Rocard, qui devait avoir lieu au début de septembre en réponse à la visite que j'avais effectuée à Paris en janvier 1989, selon les termes de l'entente qui existait entre la France et le Québec concernant les visites annuelles, de part et d'autre. Lors de cette visite, je devais remettre l'Ordre national du Québec à monsieur Rocard[14], qui de son côté devait me remettre la Légion d'honneur. Je regrettais de devoir, avec l'accord de monsieur Rocard, annuler cette rencontre, puisque les relations entre la France et le Québec sont fondamentales. Par la suite, étant donné la tenue de plusieurs élections en France et les changements de gouvernements impliquant madame Cresson[15] pour dix mois, puis monsieur Bérégovoy[16]

---

14. Michel Rocard, Premier ministre socialiste français de 1988 à 1991.
15. Édith Cresson a été la première femme chef d'un gouvernement en France (1991-1992).
16. Pierre Bérégovoy (1925-1993), Premier ministre socialiste en 1992-1993.

pour un an, à la suite d'un référendum et d'élections législatives, il s'est avéré difficile pour les Premiers ministres français de trouver un moment opportun pour se rendre au Québec.

Le 26 septembre 1990, la crise d'Oka est complètement terminée. La mort du caporal Lemay est vivement déplorée, mais, du côté autochtone, pas de martyr. Par ailleurs, on retrouve une insatisfaction importante dans la population. C'était certainement l'une des crises les plus difficiles de mes quinze ans de pouvoir, pour les raisons que je vous mentionnais tantôt, mais nous avions tout de même réussi à avoir un dénouement qui n'hypothéquait pas l'avenir du Québec, ce qui nous paraissait essentiel.

La Commission Bélanger-Campeau se met en branle. L'appui à la souveraineté[17] est très important, même chez plusieurs militants du Parti libéral. Il y a beaucoup de sympathie et d'appui pour l'une ou l'autre forme de souveraineté. Évidemment, le climat s'y prête avec les audiences de la Commission Bélanger-Campeau et l'on doit constater que, malgré la Crise d'Oka, cette ferveur pour la souveraineté du Québec ne baisse pas. J'ai dû m'absenter durant une partie des mois de novembre et de décembre pour subir une chirurgie exploratoire. Ç'a été plus difficile pour moi de suivre la situation à ce moment-là, quoique madame Lise Bacon[18], et mes adjoints — dont monsieur John Parisella[19], mon chef de cabinet —, me tenaient bien informé.

---

17. D'après divers sondages, cet appui évolue comme suit: septembre 1990: 61% (Léger & Léger); novembre 1990: 64% (CROP); décembre 1990: 70% (Léger & Léger).

18. Lise Bacon a été élue députée libérale pour la première fois en 1973 et a dirigé plusieurs ministères importants, dont celui des Affaires culturelles de 1985 à 1989. Elle a été vice-Première ministre de 1985 à 1993. Membre du Sénat canadien depuis 1994.

19. Chef de cabinet du Premier ministre Robert Bourassa.

J'ai quand même été très surpris de constater, à la fin de décembre, lors d'un premier échange téléphonique avec les dirigeants de mon parti, que l'on me faisait une proposition de souveraineté pour le Québec. Je n'avais aucun mandat pour appliquer cette proposition et ça me paraissait irréaliste, et irresponsable pour le Premier ministre du Québec, d'annoncer au prochain congrès, sans autres formes de consultation, que le gouvernement avait décidé de faire adopter, comme programme, la souveraineté du Québec.

Je comprends que ces instances n'étaient pas là pour ratifier automatiquement la décision du chef du gouvernement mais, dans notre tradition politique, il suffit normalement que le chef du gouvernement annonce une décision, un projet de loi, un changement, même radical, de politique, pour que tous les autres éléments du système suivent la voie indiquée, à moins de circonstances tout à fait exceptionnelles.

On en vient à une entente, après de très longues discussions avec mes collaborateurs et des membres du Comité Allaire[20], notamment monsieur Allaire lui-même, pour éliminer cette proposition de souveraineté pour le Québec, qui me paraissait, c'est le moins que l'on puisse dire, un risque non calculé et potentiellement déstabilisateur pour le Québec, et pour proposer ce que l'on a appelé le Rapport Allaire. Ce document, fruit d'un compromis difficile et très laborieux, a été immédiatement critiqué par beaucoup d'analystes et de commentateurs, dont l'opposition officielle qui a été particulièrement dure à son égard. Monsieur Parizeau disait que c'était une agression contre le Canada anglais de présenter un tel rapport qui déstabilisait le fonctionnement du régime

---

20. Comité constitutionnel du Parti libéral du Québec présidé par Jean Allaire.

fédéral. Évidemment, ce rapport n'était pas accepté par mes collègues des autres provinces canadiennes.

Puis il y a eu le congrès du PLQ, qui a apporté quelques amendements au Rapport Allaire[21]. Ce congrès s'annonçait difficile selon divers pronostics apocalyptiques qui annonçaient un schisme. Finalement, on adopte le rapport et, dans la conclusion du congrès, je réaffirme de façon très claire ma volonté de travailler au développement du Québec à l'intérieur du Canada. J'invoque plusieurs raisons, dont le fait que le Canada est l'un des pays les plus favorisés. Je note aussi l'importance de réparer l'injustice qui avait été faite. Cette injustice avait été reconnue par tous les Premiers ministres en août 1986 à Edmonton et ils avaient alors accepté d'accorder la priorité à la réparation de cette injustice. Dans ce discours, je rappelle aussi toute la question des liens triangulaires, comme je les appelais, entre une union économique, une union politique fonctionnelle et un parlement élu au suffrage universel.

Par ailleurs, nous avons eu, au niveau fédéral, la Commission Spicer[22] et la Commission Beaudoin-Dobbie[23]. Monsieur Joe Clark[24], nommé pour faire des propositions au

---

21. Le Comité Allaire a déposé son rapport intitulé *Un Québec libre de ses choix* le 29 janvier 1991.

22. Le Forum des citoyens sur l'avenir du Canada, présidé par Keith Spicer fut créé par le Premier ministre Brian Mulroney le 1er novembre 1990. Le Rapport Spicer a été déposé le 27 juin 1991 et les conclusions font ressortir l'urgence d'une réforme du fédéralisme.

23. Le comité mixte spécial du Sénat et de la Chambre des communes, présidé par Gérald Beaudoin et Dorothy Dobbie, fut créé en juin 1991. Les grandes lignes du rapport, déposé le 28 février 1992, étaient appuyées par les trois principaux partis fédéraux.

24. Joe Clark a été chef du Parti conservateur de 1976 à 1983 et Premier ministre du Canada du 4 juin 1979 au 3 mars 1980. De 1984 à 1993, il a été secrétaire d'État aux Affaires extérieures (1984-1991) et ministre responsable des Affaires constitutionnelles.

Québec, voyage dans toutes les provinces. Dans ma rencontre avec lui, on a discuté, informellement, de différents sujets. Des rumeurs ont circulé à l'effet que monsieur Clark avait fait des propositions sur la langue, suivant lesquelles le Québec aurait eu des pouvoirs additionnels, reprenant en cela le programme du Reform Party. C'était très vague, à mon souvenir, et, surtout, ce n'était pas endossé par monsieur Mulroney.

Monsieur Mulroney avait fait en 1984 un discours célèbre à Winnipeg, où il avait pris la défense des intérêts des Franco-Manitobains. Monsieur Mulroney avait publiquement déclaré, à l'occasion de la réunion de son caucus, à l'été 1991, qu'il n'était pas du tout question que le gouvernement fédéral abandonne ses responsabilités à cet égard-là. Il est possible que certains ministres, dont l'importance au Cabinet n'était pas nécessairement déterminante, aient pu souhaiter adopter cette formule du Reform Party qui donnait plus de pouvoirs aux provinces dans le domaine linguistique, mais ce n'était certainement pas le cas du gouvernement, encore moins du Premier ministre Mulroney.

Je dois vous dire que, de mon côté, dans la mesure où la clause nonobstant était intacte et dans la mesure où les francophones à l'extérieur du Québec avaient besoin d'un minimum de protection — je pense ici, notamment, à ceux de l'Ontario et du Nouveau-Brunswick, c'est-à-dire les groupes les plus importants de la francophonie canadienne hors Québec —, j'étais d'accord pour que l'on respecte la notion de la société distincte sans l'affaiblir et aussi sans adopter le programme du Parti réformiste.

Ensuite, ce fut l'adoption de la loi 150[25], en juin 1991.

---

25. La Loi sur le processus de détermination de l'avenir politique et constitutionnel du Québec (loi 150) fut adoptée le 20 juin 1991. Elle pré-

Cette loi proposait un choix entre deux options: d'une part, la souveraineté dans sa définition classique et, d'autre part, l'examen des offres qui pourraient nous être faites par l'ensemble de nos partenaires fédéraux. Nous avons proposé cette loi, qui a été dénoncée par l'opposition. Un bref survol des dossiers de presse permet de mettre en relief l'argumentation de l'opposition. Pour eux, la loi 150 était, à toutes fins utiles, un moyen de rechercher la réforme du fédéralisme ou d'avoir un fédéralisme renouvelé. C'est pour cette raison qu'à plusieurs reprises, le Parti québécois a voté contre la loi 150. La politique étant ce qu'elle est, ça n'empêche pas le Parti québécois d'invoquer constamment la loi 150 comme un argument pour sa cause, en oubliant de mentionner qu'au moment où elle était discutée, il a voté contre, parce que pour lui c'était une façon de rester dans le fédéralisme. Sur ce point, il y a même une déclaration de M. Jean Campeau, l'un des coprésidents de la Commission sur l'avenir politique et constitutionnel du Québec, au printemps de 1991, à l'effet que le Gouvernement libéral pourrait légitimement faire porter le référendum sur ces offres (s'il y avait des offres) en amendant la loi conformément aux deux options proposées par la Commission Bélanger-Campeau. Mais ceci n'a pas empêché le clan péquiste, sur cette question du processus, de se

---

voyait, entre autres, la tenue d'un référendum sur la souveraineté du Québec au plus tard le 26 octobre 1992. Avant ce référendum, le gouvernement fédéral et les autres provinces pouvaient offrir au Québec de nouvelles propositions constitutionnelles. La loi prévoyait également la création de deux commissions parlementaires spéciales: l'une pour étudier toute question afférente à l'accession du Québec à la souveraineté; l'autre pour apprécier toute offre d'un nouveau partenariat de nature constitutionnelle faite par le gouvernement du Canada et des autres provinces. Le 8 septembre 1992, l'Assemblée nationale amende (loi 44) la loi 150 de façon à faire porter le référendum du 26 octobre sur l'Accord constitutionnel plutôt que sur la souveraineté.

déchaîner contre le Parti libéral. Le jeu partisan est souvent bien ingrat pour la vérité des faits.

Il y a eu aussi plusieurs rencontres avec différents Premiers ministres. J'ai toujours été très clair, durant ces rencontres, sur le fait que mon premier choix, tel que je l'avais dit publiquement, était de favoriser le développement du Québec à l'intérieur du Canada, mais qu'il pouvait arriver, en l'absence de propositions satisfaisantes pour le Québec, que soit tenu un vote sur la souveraineté, tel que le permettait la loi 150.

Je me souviens très bien que, lors d'une rencontre avec monsieur Rae, le 7 juin 1991 à mon bureau d'Hydro-Québec à Montréal, je lui avais parlé de la possibilité de recourir à la formule qui avait été utilisée en Angleterre par monsieur Harold Wilson[26], Premier ministre de l'époque. Monsieur Wilson était pour une renégociation de l'entrée de l'Angleterre dans le marché commun mais, une fois élu, il devait constater qu'il était dans l'intérêt de l'Angleterre de rester dans le marché commun. Compte tenu qu'il s'était engagé, durant l'élection, à renégocier l'entrée de l'Angleterre dans le marché commun, il avait trouvé une formule qui lui permettait de revenir sur cet engagement. Il disait au peuple britannique: «You make my mind», ce qui signifiait: «Vous décidez, et je me rallierai à votre point de vue. Si vous votez pour que la Grande-Bretagne demeure dans le marché commun, je me rallierai. Si vous votez contre, je respecterai évidemment votre décision.» J'avais discuté avec monsieur Rae de cette possibilité qui aurait pu exister pour le Parti libéral du Québec dans la mesure où aucune proposition

---

26. Harold Wilson (1916-1995), chef du Parti travailliste de 1963 à 1976. Premier ministre de 1964 à 1970 et de 1974 à 1976.

satisfaisante n'était formulée. On voit, dans les déclarations publiques faites à la suite de cette rencontre, que monsieur Rae a manifesté un certain pessimisme et constaté qu'il restait beaucoup de travail à faire pour résoudre le problème.

En outre, quand je mentionnais que mon premier choix, c'était le maintien du Québec dans le Canada, certains se souvenaient que j'avais employé la même expression pour la clause nonobstant. J'avais invoqué alors que l'utilisation de la clause nonobstant, qui suspendait certaines libertés individuelles selon la Charte du Québec, et non seulement selon la Charte canadienne, n'était pas mon premier choix; mais finalement, je devais utiliser cette mesure temporaire, pour des raisons bien connues, c'est-à-dire pour consolider la place du français sur le territoire québécois. Le fait de dire que la souveraineté n'était pas mon premier choix ne suffisait pas à rassurer totalement ceux qui s'opposaient à cette option politique.

En février 1992 donc, à la suite de toutes ces discussions, je retourne à Davos, d'où j'avais dû m'absenter en 1991 pour des raisons de santé. Je rencontre à nouveau différents chefs politiques (dont Jacques Delors et John Major) et c'est en Belgique que je soulève ce que l'on a appelé la «question de Bruxelles», c'est-à-dire que je reprends une question que j'avais énoncée durant le référendum de 1980: «Voulez-vous remplacer l'ordre constitutionnel existant par deux États souverains associés dans une union économique; laquelle sera responsable à un parlement élu au suffrage universel?»

Durant quelques jours le débat est animé. C'est reçu plutôt négativement. Encore là, l'opposition officielle trouve que la question est stupide et ridicule. C'est toujours l'hyperbole. Par ailleurs, à la surprise de plusieurs, M. Mario Dumont exprime publiquement son désaccord avec cette option.

Nous poursuivons les discussions et les Premiers ministres des provinces, il faut l'admettre, se réunissent de plus en plus fréquemment afin de pouvoir faire des propositions avant un référendum qui aurait lieu en octobre, selon ce que dit le texte de la loi 150, en accord avec les recommandations de la Commission Bélanger-Campeau. Ces réunions ont toutefois lieu en l'absence du Québec, en concordance avec l'engagement que j'avais pris le 23 juin 1990. Elles aboutissent à ce que l'on a appelé l'accord du 7 juillet, qui était décevant, mais qui me paraissait perfectible. On travaille fermement dans les semaines qui suivent. Les Premiers ministres me disent: «Vous vouliez des propositions. On vous les fait.» Et finalement, je peux logiquement retourner à la table des négociations avec les autres Premiers ministres puisque l'on retrouve, dans l'accord du 7 juillet tel que modifié, l'équivalent de l'Accord du lac Meech. Dans une lettre datée du 29 juillet, j'avise M. Mulroney que mon retour à la table des négociations et ma participation aux discussions sont liés au respect des cinq conditions de Meech.

Le 28 août 1992, après plusieurs semaines de négociations, dont certaines à Ottawa et d'autres à Charlottetown, une entente est conclue. Les pourparlers avaient été ardus et complexes. Il n'y a rien de plus exigeant, pour un chef politique, que d'endosser ou d'accepter un texte constitutionnel qui peut être interprété de diverses façons et devenir une proie facile pour les démagogues. J'avais, à ce moment-là, à l'esprit la campagne de Maastricht qui commençait en Europe, où on soulevait toutes sortes de peurs sur le contenu de l'Accord de Maastricht. Donc, je sentais alors d'une façon tout à fait particulière le poids de l'histoire.

La notion de «société distincte» était maintenue intacte. Je souligne ici un des rares éléments encourageants de la campagne référendaire, soit le point de vue du juge Deschênes[27], une autorité incontestable dans le domaine linguistique, lequel avait dit, avec l'impartialité et l'autorité de sa fonction, qu'il y avait là un gain important pour le Québec, au plan de son autonomie. L'ancien juge de la Cour suprême, Louis-Philippe de Grandpré[28] partageait ce même point de vue.

Il y a donc un progrès réel, plus Meech, plus la garantie de 25%, c'est-à-dire que le Québec avait une garantie à vie de faire élire 25% des députés à la Chambre des communes. On voit, à l'heure actuelle, que 25% des députés, nous permet d'avoir au Québec, parmi ses députés, le Premier ministre et le chef de l'opposition. C'était quand même un bloc de députés qui, dans les questions de coordination économique, nous donnait une garantie pour l'avenir. Dans la question de la langue et de la culture, il faut avoir les pouvoirs décisifs. Mais, dans les questions économiques, on peut avoir des intérêts communs avec l'Ouest, avec l'Est ou avec l'Ontario selon les dossiers. Il peut donc y avoir un parlement commun au sein duquel le Québec serait en mesure de défendre ses intérêts d'une façon efficace et fonctionnelle.

Contrairement à celui du 16 avril 1981, l'accord de Charlottetown est soumis au peuple, le 26 octobre 1992. En effet, en 1981, le Québec, on le sait, avait accepté des propositions reconnaissant l'égalité des provinces et avait accepté aussi un accord pour le Canada où on renonçait au droit de

---

27. Jules Deschênes a été juge en chef de la Cour supérieure du Québec de 1973 à 1983. Il jouit d'une grande réputation tant au Québec qu'à l'étranger et il a publié de nombreux travaux. Il a énoncé son opinion sur l'Accord de Charlottetown en octobre 1992 dans un texte intitulé «Le pouvoir judiciaire enfin ancré dans la constitution».

28. Louis-Philippe de Grandpré, juge de la Cour suprême du Canada de 1973 à 1977.

veto du Québec sur les institutions, sans qu'il soit question de référendum pour faire adopter ces propositions. Trudeau n'avait pas fait de référendum non plus en 1982. Donc, à cet égard, dans la mesure où c'est le peuple qui décide, même si l'accord n'était pas parfait, on respectait évidemment les recommandations de la Commission Bélanger-Campeau et la loi 150, dont le délai pour la tenue d'un référendum avait été fixé à la fin octobre.

Je passe rapidement sur la campagne référendaire qui fut assez difficile. On se souvient des conversations nocturnes sur cellulaire (on en rajoute sans le moindre scrupule en falsifiant le contenu: au lieu du ministère des Affaires intergouvernementales qui «s'est écrasé» comme le dit la conversation, c'est le Premier ministre...), de la fuite et du vol de documents qui sont présentés comme mes dossiers alors qu'ils n'ont été aucunement validés, d'une déclaration d'un ministre de la Colombie-Britannique[29] qui, pour faire endosser l'entente dans cette province, affirme que les gains du Québec sont modestes et, finalement, de l'opposition renouvelée et très sévère de monsieur Trudeau, qui s'associe avec monsieur Parizeau pour combattre l'entente de Charlottetown. On se souvient aussi du débat que j'ai tenu avec monsieur Parizeau, qui avait plutôt bien tourné pour moi en consolidant ma crédibilité politique mais sans changer tellement la tendance lourde qui s'était développée contre l'accord. Il y avait en effet plusieurs points d'interrogation, concernant notamment la question autochtone. La leçon que l'on peut tirer de cet exercice, c'est qu'entre autres, il n'est pas facile de gagner un

---

29. Moe Sihota, ministre des Affaires constitutionnelles de la Colombie-Britannique, déclare, en octobre 1992, que Robert Bourassa a «frappé un mur» et que l'entente constitutionnelle n'offre pas un statut spécial au Québec.

référendum avec un texte constitutionnel. Il n'en reste pas moins que nous avons eu 1 710 000 voix à l'appui du OUI, ce qui se compare quand même assez bien au résultat obtenu à la dernière élection par le Parti québécois, soit 1 750 000 votes. Le NON, dans un sens, reflétait l'histoire moderne du Québec. Il y a eu trois référendums qui se sont toujours soldés, en 1942, en 1980 et en 1992, par une réponse négative.

On se retrouve donc avec la Constitution de 1982, comme après l'échec de l'Accord du lac Meech. On constate que le Canada anglais ne parle pas d'une façon univoque. Les Maritimes[30] ont voté pour le OUI, l'Ontario s'est plutôt prononcé pour le «peut-être», avec une mince majorité de 15 000 voix pour le OUI, et l'Ouest a carrément dit NON, encore plus qu'au Québec. S'il y a donc un élément que l'on doit retenir de ce référendum, c'est que le partenaire, le Canada anglais, est divisé en trois régions qui ne s'entendent pas toujours entre elles sur le plan économique ou sur le plan constitutionnel. Mais il reste que la déclaration d'Edmonton demeure un engagement des Premiers ministres de corriger l'injustice qui a été faite au Québec en 1982. Enfin, plusieurs analystes ont conclu que, finalement, un grand nombre de Québécois n'étaient pas contre le fond de l'entente mais que la forme leur paraissait difficile à accepter.

Le Parti libéral du Québec perd quelques militants. Monsieur Jean Allaire démissionne et monsieur Mario Dumont[31] doit quitter. Mario Dumont avait adopté la stratégie de la

---

30. Au référendum l'appui à l'accord de Charlottetown s'est réparti comme suit: Provinces maritimes: 61,9% (en Nouvelle-Écosse cependant le OUI n'a obtenu que 48,8% des voix); Ontario: 51,1%; Provinces de l'Ouest: 38,65%; Québec: 43,32%.

31. Président de la Commission jeunesse du PLQ de mars 1991 à novembre 1992, Mario Dumont a été élu député de l'Action démocratique en 1994. Il a succédé à Jean Allaire comme chef du parti le 4 mai 1994.

demande inacceptable, c'est-à-dire qu'il voulait continuer de siéger, contrairement à Jean Allaire qui avait démissionné, au Comité exécutif du Parti libéral, alors qu'il avait combattu la politique du Parti libéral pendant le référendum. C'était très difficile pour les membres du Comité exécutif et aussi, évidemment, pour les députés du caucus, de voir des libéraux qui avaient combattu le parti, retourner au Comité exécutif du parti et siéger comme si rien ne s'était produit. On avait donc fait savoir à monsieur Dumont qu'il fallait laisser s'écouler un certain temps avant de siéger à nouveau à l'exécutif. Il n'a pas accepté ce point de vue pourtant assez compréhensible, et il a dû quitter le parti.

Le 27 octobre, le lendemain du référendum, priorité est accordée évidemment à divers dossiers concernant les finances publiques, l'économie, le développement régional, la main-d'œuvre, la réforme du code civil pilotée par Gil Rémillard, etc. Il faut aussi décider du renouvellement ou non de la clause nonobstant. Bien qu'il reste encore un an pour ce faire, nous ne voulons pas être mis au pied du mur à l'automne 1993 et, quant à moi, je n'ai pas du tout l'intention de renouveler la clause nonobstant dans la mesure où l'on pourrait trouver une formule acceptable et conforme au jugement de la Cour suprême.

Nous poursuivons donc l'application de nos objectifs économiques. Nous préparons un programme d'action, notamment avec le ministre responsable Gérald Tremblay. Annoncé en 1993, ce plan s'est avéré très efficace pour la relance de l'économie, comme on le constate aujourd'hui. On prépare un budget qui sera l'un des plus difficiles que le Québec ait connu depuis très longtemps. On prépare aussi les négociations avec les syndicats, de même qu'une législation sur la question linguistique.

À la mi-décembre, je suis personnellement touché par

une récidive du mélanome. Je dois m'absenter pendant plusieurs semaines en février et en mars pour subir un traitement très exigeant. Durant ce temps, je garde le contact afin de me tenir au courant de l'évolution des dossiers. Comme en 1990, c'est madame Bacon qui assume l'intérim avec le savoir-faire et le dévouement qu'on lui connaît.

En mai 1993, nous présentons la loi 86. Les syndicats et les leaders nationalistes sont très hostiles à cette loi. Les syndicats doivent choisir, parce que nous sommes en pleine période de négociation, entre faire le combat sur la langue ou faire le combat sur le renouvellement des conventions collectives. Ils décident d'accorder la priorité à ce dernier dossier. La loi 86 est adoptée. L'opposition est évidemment contre. Les gros mots reviennent et on m'accuse d'être colonisé. Monsieur Ryan, qui pilote l'adoption de la loi avec détermination et conviction, est aussi durement pris à partie. Les affrontements ont cependant lieu principalement à l'intérieur de l'Assemblée nationale. Vous constatez, deux ans plus tard, que la loi 86 est toujours en vigueur.

Au cours de l'été 1993, nous complétons nos réformes et j'annonce que je ne solliciterai pas de cinquième mandat pour différentes raisons, personnelles mais aussi politiques. Après quatre mandats, j'avais donné le meilleur de moi-même. Sur le plan économique, la reprise est amorcée avec des résultats concluants. Je quitte mes fonctions de Premier ministre le 11 janvier 1994, mais je demeure député de Saint-Laurent jusqu'à la fin juillet. C'est donc le repos du guerrier, qui me permet d'examiner différentes options. J'ai choisi celle d'être avec vous, c'est-à-dire de revenir à l'université.

* *

*

Quelques mots en terminant, avant d'aborder la discussion. Il est présomptueux de faire un bilan de quinze ans en quelques minutes. Dans ce bilan, on pourrait énumérer plusieurs dizaines de réformes, dont certaines sont plus importantes que d'autres. Ce n'est pas le but de l'exercice, je vais donc me limiter à souligner quelques objectifs fondamentaux.

Durant toute ma carrière, j'ai toujours insisté pour accorder la priorité à l'économie. Plusieurs commentateurs ou analystes disent qu'on est en train d'assister, à la fin de ce millénaire ou à l'aube de l'an 2000, au triomphe de l'économique sur le politique. Il n'est pas facile de le nier, quand on constate la pesanteur des lois économiques. Et de plus, la réussite économique favorise la primauté du politique. En fait, si on examine la carrière des différents chefs politiques du Québec depuis le début du siècle, je suis certainement celui ou un de ceux qui ont le plus mis en relief, dans le discours comme dans l'action, la priorité des défis économiques.

Deuxième aspect très important: la sécurité culturelle. J'ai toujours insisté sur le fait que le gouvernement du Québec était le seul qui était responsable à une majorité francophone. J'ai donc posé des gestes concernant la langue. J'ai rétabli le français comme langue officielle du territoire en 1974, plus de deux siècles après qu'elle eut perdu ce statut. J'ai essayé de donner une impulsion à la présence du Québec sur le plan international en participant activement aux sommets francophones, et en concluant de nombreuses ententes de coopération. Le gouvernement a aussi réalisé un accord sur l'immigration avec le gouvernement fédéral, qui s'est révélé être très favorable au Québec à plusieurs égards. Nous pourrons en parler plus en détail.

Mon insistance sur la «société distincte» reflète également mon engagement vis-à-vis de la francophonie. Comme je vous le disais, avant d'être Québécois ou Canadien, je suis d'abord francophone et, comme Premier ministre du Québec, c'était ma responsabilité de protéger l'avenir à cet effet.

Il y eut aussi toutes les mesures favorisant le progrès et la justice sociale: l'assurance-maladie, une fiscalité plus équitable, comme les baisses d'impôts pour les familles à bas revenu et les multiples programmes qui ont été adoptés durant ces quinze années de pouvoir.

Sur le plan constitutionnel, je mentionne, de nouveau, mon combat pour le maintien d'un lien fédératif, quelle que soit l'option choisie.

On doit toujours tenir compte, dans l'exercice de l'action politique, de quelques paramètres, dont évidemment la paix civile et sociale. Il n'y a pas beaucoup d'actions concrètes, à long terme ou même à court terme, qui peuvent être prises dans un climat d'instabilité. Même chose pour la stabilité politique. Il est important pour un chef de gouvernement d'avoir un caucus solidaire. C'est le fondement du pouvoir exécutif.

Il est important également d'avoir des finances publiques qui soient saines, pour éviter la dépendance du gouvernement à l'égard des prêteurs étrangers. C'est pourquoi il faut toujours accorder la priorité à cet objectif. Je dois dire que le dernier mandat, à cet égard, était assez ingrat, puisque nous avons eu à assumer quatre ans de récession, qui ont entraîné une diminution des revenus et une augmentation des dépenses, l'aide sociale et le taux de chômage étant directement liés.

Nous avons quand même pu maintenir durant la seconde phase de mon exercice du pouvoir, de 1985 à 1993, le poids du service de la dette à peu près au même niveau. Il y a donc eu une relative stabilité des finances publiques, tout un défi en raison des circonstances.

L'art de gouverner, ça implique également un certain équilibre entre le court terme et le long terme. Le court terme, c'est gérer évidemment le quotidien et le prévisible. C'est là que les sondages ou les études d'opinion publique peuvent être utiles. On m'a souvent reproché d'en avoir abusé. Il s'agissait là d'un mythe, ou à tout le moins d'une nette exagération. Je n'en tenais compte ni plus ni moins que les autres chefs politiques. Je peux vous assurer que, lorsqu'il s'agissait d'enjeux majeurs ou de principes fondamentaux, les sondages n'avaient pas d'influence déterminante sur mes décisions. Par exemple, lors de la Crise d'octobre, sondages favorables ou non, nous aurions procédé de la même façon. L'avenir de la société était en cause. De même, lors de l'adoption de la loi 22, l'opposition était très dure avec nous, les anglophones notamment, qui ont d'ailleurs voté, en bonne partie, contre le PLQ en 1976. Pendant la Crise d'Oka, les sondages étaient certainement hostiles au gouvernement, mais nous avons choisi la modération et la prudence. Nous avons choisi de protéger l'avenir plutôt que de rechercher un appui populaire à court terme. Il en a été de même pour la loi 178 qui était très impopulaire, et chez les francophones et chez les anglophones. On constate aujourd'hui qu'elle conduit à un consensus. Enfin, le budget 1993, avec ses hausses d'impôt et ses réductions de dépenses, ne cherchait certainement pas des solutions faciles.

Il est utile parfois de faire des sondages afin de connaître la volonté populaire. C'est certainement important à la veille des élections. Mais il y a des limites. En 1969 par exemple — je réfère à ma propre expérience, on pourrait en donner beaucoup d'autres —, j'avais un taux de notoriété de 2 ou 3%. En avril 1970 j'étais élu Premier ministre. En janvier 1977, personne n'aurait pu concevoir que je puisse être à nouveau Premier ministre ou que je dépasse en popularité monsieur Lévesque au début des années 1980. Pourtant ça a été le cas. Autre exemple bien connu: monsieur Peterson était, en juin 1990, Premier ministre avec des sondages très concluants. Trois mois plus tard, Monsieur Rae l'a cependant battu. Les sondages ont leurs limites, même s'ils demeurent un outil indispensable pour les chefs de parti.

Il y a donc plusieurs facteurs qui doivent nous guider dans l'exercice du pouvoir, dont on connaît les exigences et les contraintes. Il n'y a pas de doute, en effet, que la politique est parfois un sport violent, où les coups durs sont fréquents. Le rapport de force est un élément clé. Quand vous avez le pouvoir, vous le constatez immédiatement. Quand vous le perdez, vous le constatez aussi rapidement, et quand vous le reprenez, également. Ce n'est pas l'endroit idéal pour les estomacs fragiles. Le flegme peut être très utile en politique, de même qu'un peu d'humour à l'occasion. Par ailleurs, l'ampleur du défi crée une motivation très profonde et cela, au-delà des amis, des fidèles, des courtisans ou des profiteurs. Lorsqu'on dirige un peuple et qu'on a sa confiance, on éprouve une détermination à réussir qui est constante et très forte.

Autre facteur important à considérer, c'est la vigilance vis-à-vis de la technocratie. Il faut maintenir un équilibre avec le cabinet politique. Un parti politique est élu sur la base d'un programme qui n'est pas nécessairement le programme des technocrates. Il faut donc viser le progrès dans la continuité ou la stabilité.

Il faut aussi respecter et comprendre les médias. Il faut admettre que la logique du pouvoir ne coïncide pas toujours avec la logique de l'information. Il faut le comprendre et l'accepter. Les médias sont un contre-pouvoir indispensable, surtout dans notre régime parlementaire où le pouvoir du gouvernement, en dehors des élections, est considérable. Au

Québec, dans l'ensemble, la qualité de l'information est très bonne, comparée à ce que l'on trouve ailleurs.

Voilà donc, en quelques mots forcément très concis, quelques leçons tirées de mon expérience politique. Et on peut constater, que la nature des défis a évolué depuis quelque trente ans, soit depuis mon élection comme député en 1966. Nous n'avons plus une économie qui demeure principalement basée sur les ressources naturelles. Nous avons dû assumer une évolution très rapide. Comment faire face, par exemple, aux défis de la concurrence internationale, notamment asiatique, comment concurrencer des pays qui ont des salaires nettement inférieurs aux nôtres et par ailleurs un accès identique à la haute technologie?

Par ailleurs, il y a trente ans, on voulait développer l'État-providence, et durant mon premier mandat on a multiplié les réformes; de nos jours, l'État-providence demande à être repensé et réaménagé.

Finalement, dans le cas des relations Québec-Canada, quand j'ai été élu pour la première fois, on vivait encore à l'époque de l'État-nation. Aujourd'hui, on parle de plus en plus des grands ensembles, de l'État-continent. On parle de la monnaie unique, ce qui est une insulte à l'État-nation. On voit donc que les défis sont nettement différents et qu'il y a eu une évolution importante, qu'il faut assumer dans l'intérêt de la population.

Je vais maintenant répondre à vos questions.

DÉBAT

LOUIS MASSICOTTE, *professeur de science politique* — Ma question va porter sur ce qui est un peu la grande ironie de votre deuxième mandat, à savoir que, pour quelqu'un dont les priorités ont toujours été de nature économique, vous vous êtes retrouvé aux prises avec deux grandes questions: la question linguistique et surtout la question constitutionnelle. Ce sont ces questions qui ont finalement dominé une bonne partie de votre second mandat.

J'aurais trois questions portant sur l'Accord du lac Meech. La première: au moment où vous signez l'Accord du lac Meech, est-ce que vous avez envisagé quelles pourraient être les conséquences de la non-ratification de cet accord? Quelles conséquences cela pouvait, par exemple, avoir dans l'opinion publique québécoise? Est-ce que vous envisagiez un échec et à quelle réaction vous attendiez-vous dans ce cas-là?

Deuxième question: en 1989-90, au moment où il paraît évident que l'Accord pourra échouer et au moment où semble s'annoncer aussi que l'opinion publique québécoise va réagir très négativement à ça, est-ce que vous avez été surpris de cette poussée de fièvre souverainiste, après tout ce que l'on avait dit, au milieu des années 1980, sur le déclin ou la mort du nationalisme au Québec?

Et troisième question: est-ce que vous avez, dans une certaine mesure, contribué à cette poussée de fièvre, à donner une crédibilité à l'option souverainiste en invoquant que, peut-être, en effet, les Québécois se dirigeraient de ce côté, si d'aventure on refusait Meech? Et aussi, est-ce que les hommes d'affaires qui, à cette époque-là, ont analysé très froidement les conséquences possibles de la souveraineté, n'ont pas contribué eux aussi, à lui donner une crédibilité?

ROBERT BOURASSA — Je n'étais pas le premier à énoncer différentes formules qui pouvaient se rapprocher de la souveraineté. Daniel Johnson avait été élu, en 1966, sur le slogan: «Égalité ou indépendance». J'ai parlé d'une formule d'intégration économique et politique, mais je n'ai pas utilisé la formule: «Égalité ou indépendance».

Monsieur Lesage parlait de «Maîtres chez nous». Ça n'est certes pas contradictoire avec l'idée de la souveraineté du Québec. Il me paraît donc présomptueux d'affirmer que j'ai contribué à la poussée de fièvre souverainiste. Au début de 1991, j'ai été très clair sur le fait que mon premier choix était le développement du Québec à l'intérieur du Canada.

Mais je reprends votre première question pour vous répondre plus complètement. Il y a eu dans les derniers mois qui ont précédé le délai pour la ratification de Meech, une dramatisation du climat qui n'existait pas quand l'entente originale a été signée. Le 30 avril 1987, la principale nouvelle était à l'effet que Gérard D. Lévesque s'était fait subtiliser la primeur de son budget. Je ne sais pas si vous vous en souvenez: le journaliste Ralph Noseworthy avait publié des éléments importants du budget plusieurs jours à l'avance. Il avait alors fallu devancer de toute urgence le discours sur le budget. C'était une nouvelle plus importante qu'une autre entente constitutionnelle. Pour plusieurs Québécois, c'était plus important de savoir ce qu'il y avait dans le budget que ce qu'il y avait dans l'entente constitutionnelle.

Mais, par la suite, évidemment, il y a eu les événements que l'on sait, plusieurs années de discussions et d'affrontement. Et finalement, vous avez vu quelques jours avant l'échéance de 1990, le Premier ministre[32] du Canada et plu-

---

32. Le 21 juin 1990, devant l'Assemblée législative de Terre-Neuve, le Premier ministre Brian Mulroney prédit des jours sombres pour le Canada dans le cas d'un échec de l'Accord du lac Meech.

sieurs autres Premiers ministres que j'ai nommés tantôt se rendre à Saint-Jean pour dire ou laisser entendre clairement que si Meech n'était pas ratifié, c'était la fin du Canada. Je ne peux les blâmer, bien au contraire. C'était un effort très valable pour aider la cause du Québec, dans un climat par ailleurs très tendu.

Les Québécois avaient le choix, alors, entre différentes options, mais je n'ai jamais dévié de la nécessité d'un lien fédératif. C'est vrai qu'on parlait de l'évolution d'un concept. Je vous disais tantôt que l'État-nation est remis en question un peu partout et je ne suis pas le seul à parler de cette évolution. Quand Jacques Delors m'a rendu visite, au printemps 1992, lors de la remise de son doctorat honorifique par l'Université de Montréal, de même que quand je l'avais vu à Bruxelles, quelques mois auparavant, il avait dit: «L'avenir est à la souveraineté partagée.» Plusieurs autres experts parlaient dans le même sens.

Le 23 juin 1990, j'ai dit aux Québécois, solennellement, au Salon rouge, qu'il n'était pas question pour moi de remettre en cause la sécurité économique du Québec. J'ai dit à l'Assemblée nationale, très clairement, en mars 1991, que si on n'avait pas de garantie économique, on ne pouvait pas s'engager dans le démantèlement de la fédération canadienne. On a vu par la suite, au référendum d'octobre 1992, que le Canada ne parlait pas d'une seule voix. J'ai aussi énoncé certains concepts alternatifs qui impliquaient un partage de souveraineté et qui auraient pu être une solution pour le Québec, si nos partenaires l'avaient accepté.

Quand j'ai présenté l'Accord de Charlottetown, le 29 août 1992, aux militants du Parti libéral, j'ai référé à mes déclarations antérieures concernant les États souverains associés, mais j'ai aussi dit: «Il y a deux conditions pour l'appliquer; que l'on ne puisse pas se développer à l'intérieur de la fédération canadienne et je pense que nous avons démontré qu'on pouvait le faire, depuis trente ans notamment; et, deuxièmement, il faut l'accord des partenaires.» Donc, voyant que l'on n'avait pas l'accord des partenaires et qu'on pouvait se développer à l'intérieur de la fédération, j'ai présenté l'Accord de Charlottetown comme étant un progrès réel, avec l'équivalent de l'Accord du lac Meech, plus la garantie de 25% à la Chambre des communes et un certain réaménagement des pouvoirs.

En ce qui concerne la question de savoir si j'ai été surpris par la poussée de fièvre souverainiste à l'hiver 1990, je crois vous avoir dit que je n'ai jamais été surpris en politique!

Est-ce que j'ai répondu à vos trois questions?

LOUIS MASSICOTTE — Oui, ça va. J'en aurais peut-être une supplémentaire. Quelle influence ont eu, sur vos décisions en matière constitutionnelle, des gens ou des membres éminents de notre profession, comme Léon Dion ou Guy Laforest[33], par exemple?

ROBERT BOURASSA — Je lisais attentivement tout ce qu'ils écrivaient. On a dit que monsieur Dion était le père de la formule de la loi 178, selon laquelle l'affichage devait être unilingue à l'extérieur et pouvait être bilingue à l'intérieur. Contrairement à monsieur Trudeau, qui était assez distant vis-à-vis des intellectuels québécois, j'accordais de l'importance à leurs écrits, mais j'étais bien conscient que c'était le gouvernement qui était responsable vis-à-vis de l'avenir. J'étais aussi conscient que plusieurs de ces experts avaient déjà changé d'idée par le passé. Je ne pouvais pas considérer

---

33. Guy Laforest, professeur de science politique à l'Université Laval.

comme parole d'évangile les propositions qui pouvaient m'être faites, mais je respectais volontiers leur point de vue.

ANDRÉ NORMANDEAU, *professeur de criminologie* — Si je me réfère à deux événements historiques importants, la Crise d'octobre 1970 et la Crise d'Oka 1990, l'un des principaux acteurs en fut évidemment la Sûreté du Québec, qui relève directement du gouvernement du Québec. Vous avez parlé de la paix civile et de l'importance de la raison d'État. Lorsqu'on est Premier ministre du Québec, quelle place occupe la Sûreté du Québec dans la gouverne des affaires de l'État et, plus spécifiquement, dans le dilemme entre l'ingérence politique et l'implication politique légitime des élus?

Ce que j'ai observé de 1970 à 1990, comme d'autres collègues d'ailleurs, c'est que le gouvernement du Québec avait vraiment laissé aller la Sûreté du Québec, comme si c'était indu d'intervenir. À cette époque, il faut dire que les syndicats tenaient à éloigner les élus politiques de la direction des corps policiers. D'ailleurs, c'était encore plus évident au niveau municipal. On avait l'impression que les élus politiques, y compris au niveau du gouvernement du Québec, s'étaient retirés d'une légitime implication politique auprès de la direction des services de police, en particulier de la Sûreté du Québec. Comment avez-vous vécu cela à votre niveau?

ROBERT BOURASSA — Il y a toujours un peu d'exagération sur cette question. En ce qui a trait à la crise d'Oka, j'étais, en vertu de la loi, responsable des forces armées. Les dirigeants politiques sont toujours relativement dépendants de l'information qui leur est soumise, mais il y avait des rencontres régulières avec les dirigeants de l'armée et de la Sûreté, et avec les ministres responsables. Il y avait coordination, mais les forces policières doivent avoir une certaine marge de manœuvre, car ce sont elles qui sont sur la ligne de feu!

En 1970 — on en a parlé abondamment lors d'une rencontre précédente, je ne sais pas si vous y étiez —, la Sûreté se retrouvait, avec la police de Montréal, dans une situation de violence politique sans précédent. On essayait d'affronter la crise avec le maximum d'efficacité, tout en respectant la tradition canadienne et québécoise. L'action des forces policières, c'est une garantie importante pour la paix civile. C'est aussi une garantie pour l'intégrité du gouvernement et des élus. Ça, c'est fondamental. Si vous voulez être crédible face à la population, il faut que vous soyez inattaquable au plan de l'intégrité.

À cet égard, on peut référer au cas de Gérard Latulippe[34] qui a démissionné parce que son ministère avait accordé un contrat assez modeste (inférieur à 5000 $, si ma mémoire est bonne) à une firme où sa conjointe travaillait à salaire. Ce n'était pas d'une exceptionnelle gravité par rapport à ce que l'on voyait ailleurs, mais sa démission donnait un exemple comme quoi aucun écart n'était accepté sur le plan de l'intégrité.

Donc, les forces policières sont aussi là pour informer le gouvernement sur les irrégularités qui peuvent survenir dans l'administration publique. Ce n'est pas un État dans l'État. Le ministre de la Sécurité publique doit répondre, chaque fois que l'Assemblée nationale siège, aux questions relatives aux corps policiers. Il doit justifier ou expliquer leurs actions.

---

34. Gérard Latulippe, élu député libéral en 1985. Nommé Solliciteur général le 12 décembre 1985. Démissionne du cabinet le 30 juin 1987 et comme député le 14 juin 1989. Nommé délégué général du Québec à Mexico le 15 juin 1989.

Nous avons un système parlementaire qui, à cet égard, favorise le fonctionnement démocratique.

Mais, pour les crises d'octobre et d'Oka, il y avait, comme je l'ai déjà dit, des consultations. Pour la Crise d'octobre, je rencontrais les directeurs de police constamment parce que les terroristes menaçaient, s'il y avait des fouilles policières, d'exécuter Pierre Laporte. Il fallait donc être prudent dans les gestes posés. Pour Oka, je dirais la même chose. Il y avait aussi coordination entre la police et l'armée et les ministres responsables.

ANDRÉ NORMANDEAU — Une sous-question. On a l'impression, avec l'information que nous avons — peut-être avez-vous d'autres informations? —, que le gouvernement, c'est-à-dire à la fois le Premier ministre, le ministre responsable de la Sécurité publique et le Solliciteur général, n'a pas participé à la prise de décision majeure concernant l'intervention de la Sûreté du Québec.

ROBERT BOURASSA — Je dois vous dire que toute cette question-là a été examinée par monsieur Guy Gilbert[35] qui va rendre son rapport public prochainement. Pour moi, c'était une période politique assez délicate, faisant suite à l'échec de Meech. C'était un problème important parmi d'autres avant la tournure dramatique que ça a pris après le décès du caporal Lemay. Une injonction avait été obtenue par la municipalité et la Sûreté du Québec était responsable de son application.

---

35. L'enquête du coroner Guy Gilbert porte sur le décès du caporal Marcel Lemay de la Sûreté du Québec, survenu le 11 juillet 1990, durant la crise d'Oka. Le rapport du coroner Gilbert devrait être rendu public à la fin du mois de juin 1995.

DANIEL TURP, *professeur de droit* — Vous ne serez peut-être pas surpris. Je vais vous poser une question sur la souveraineté, plus particulièrement sur la façon dont vous avez envisagé le débat sur la souveraineté à partir de 1990, au lendemain de l'échec de l'Accord du lac Meech. Vous avez dit, je pense à plusieurs reprises, que la souveraineté était un non-sens géopolitique. Vous avez dit ça d'ailleurs au congrès du Parti libéral où on approuvait le Rapport Allaire. Mais, de toute évidence, la souveraineté telle que vous la concevez, telle que vous êtes capable de l'accepter, si elle est partagée avec le Canada comme les Européens partagent leur souveraineté par des transferts des compétences, comme le dit le Conseil constitutionnel dans la décision à laquelle vous faites référence, la souveraineté n'est pas un non-sens géopolitique lorsqu'elle peut être aménagée et partagée. Dans ce sens-là, pourquoi vous êtes-vous refusé à proposer aux partenaires du Canada la souveraineté partagée? Pourquoi fallait-il attendre leur accord alors que vous ne leur proposiez même pas cette souveraineté partagée? Puisque vous la proposiez dans un contexte d'une conférence de presse en parlant de la superstructure, puisque vous l'évoquiez dans une «question de Bruxelles», pourquoi ne pas avoir proposé ça si vous pensiez et continuez de penser que c'est une formule d'avenir?

Et ce qui me surprend, dans votre propos de tout à l'heure, c'est de faire d'une proposition de souveraineté quelque chose qui est assujetti à l'accord des autres. C'est ma première question.

ROBERT BOURASSA — De plus en plus, quand on parle de souveraineté partagée, de souveraineté-indépendance, on en vient à des contorsions sémantiques assez rapidement. La façon dont je parlais de cette question à compter des années 1990 correspondait à la façon dont j'en avais déjà parlé dans les années 1960. Je parlais de l'intégration politique et de l'intégration économique.

Quand vous êtes Premier ministre, vous avez l'ultime responsabilité, si vous proposez un choix à vos partenaires, d'avoir une position de repli qui soit acceptable à la majorité. Là, on revient à l'actualité. Si ce n'est pas le cas, à mon sens, on peut être accusé par l'histoire d'avoir été irresponsable.

Si je parle d'un non-sens géopolitique, c'est que ça paraît évident. Une subdivision du Canada en trois territoires, comment penser que ça puisse devenir deux partenaires, soit le Québec et le Canada? Surtout que le territoire situé à l'est du Québec est moins avantagé que le territoire situé à l'ouest. Même avec une zone de libre-échange, laquelle ne comporte pas, comme vous le savez, une union douanière, faudrait-il un corridor pour lier les deux parties du Canada? C'est dans ce sens-là qu'au plan géopolitique, c'est un peu irréaliste.

Napoléon disait que chaque peuple avait la politique de sa géographie. Nous, notre géographie nous donne un énorme rapport de force parce que le Canada sait qu'il a besoin du Québec pour être un pays original, un pays qui a de l'avenir. Mais il ne faut pas abuser de ce rapport de force non plus parce que la réaction peut être imprévisible. Surtout que le Canada anglais ne parle pas d'une seule voix.

Le 23 juin 1990, je me suis engagé comme chef du gouvernement à ne pas compromettre la sécurité économique des Québécois. D'ailleurs j'ai toujours affirmé que le renforcement du Québec commençait par son économie. La souveraineté protocolaire ne m'a jamais impressionné.

Donc, bien conscient que la formule des deux pays souverains associés dans une union économique dont j'avais parlé ne serait pas acceptée, je me devais d'être prudent. Les Maritimes auraient peut-être accepté cette formule, mais j'étais convaincu que l'Ouest aurait eu tendance à la refuser. On l'a vu dans le cas de Charlottetown: les Maritimes ont accepté et l'Ouest a refusé à plus de 60%. On admet volontiers que l'Asie est le continent du prochain siècle. Et l'Ouest, c'est une fenêtre sur l'Asie.

Sans compter mon scepticisme vis-à-vis l'État-nation, surtout si ça nous conduit à la destruction du Canada. Ce qui est important c'est que le Québec existe comme État francophone. C'est pourquoi, pour y arriver, je n'ai pas craint de poser des gestes qui m'ont valu beaucoup d'oppositions.

Je concevais l'avenir du Québec comme un État *per se*, un État français dans une fédération canadienne, où sa sécurité économique est garantie, ce qui pouvait s'accomplir sans risque téméraire pour l'avenir du Québec. Par contre, si j'avais posé un geste unilatéral et que le Canada l'avait rejeté, j'assumais un risque non nécessaire par rapport aux objectifs fondamentaux de la société québécoise.

La prudence est une grande vertu en politique. Rappelez-vous l'erreur du gouvernement péquiste sur la formule d'amendement en 1981.

DANIEL TURP — Vous n'étiez pas sûr de gagner Charlottetown. Peut-être même pensiez-vous que vous ne gagneriez pas Charlottetown. Mais vous y êtes allé quand même! Vous avez proposé ça au peuple, comme vous l'avez dit, démocratiquement. Alors, faut-il être sûr de gagner pour prendre l'initiative d'une proposition? Quelle était la position de repli sur Charlottetown?

ROBERT BOURASSA — D'abord, le dossier demeure ouvert à d'éventuelles négociations et rien d'irréversible ne s'est produit. Et le lendemain du référendum, personne ne voulait entendre parler de constitution. On voulait donner la priorité à l'économie. Dire NON à Charlottetown, ça ne plaçait pas le Québec dans une position d'affaiblissement comme en novembre 1981. Ça pouvait être une chance manquée de faire un progrès réel.

Donc, dans ce contexte-là, si je fais un vote sur la souveraineté sans union économique garantie, et que cela n'est pas accepté par nos partenaires, je suis obligé d'évaluer, comme Premier ministre, dans quelle situation se retrouvera le Québec. Évidemment il y aurait des appels à la solidarité, mais ça risque aussi de ne pas durer. J'en ai assez vu en trente ans de carrière politique.

En 1981, quand Trudeau a rapatrié unilatéralement la constitution, il y avait une grève ici à l'Université de Montréal. Les drapeaux étaient en berne au Québec. Mais, à l'Université de Montréal, chez les intellectuels, la grève ne portait pas sur le rapatriement unilatéral, mais sur la convention collective.

La population peut parfois surprendre. On le sait, mon intérêt politique est axé entièrement sur l'avenir du Québec. Je pense l'avoir démontré. Depuis le début de ma carrière, j'ai toujours refusé — sans vouloir faire aucune allusion négative à l'égard de personnes que vous connaissez bien — toute fonction à un niveau fédéral ou à un niveau international ou à d'autres niveaux. Toute ma carrière a été exclusivement consacrée au Québec.

Je ne pouvais pas, en conscience, comme Premier ministre, risquer de conduire le Québec dans une impasse, sans savoir ce qui pourrait y advenir.

DANIEL TURP — Ce que j'ai de la difficulté à concevoir, c'est que vous puissiez parler de cette solution de la souveraineté comme étant un non-sens géopolitique alors que se développe une notion moderne de souveraineté partagée qui pourrait être une hypothèse acceptable pour le Canada, si on lui faisait cette proposition. Et ma deuxième question portait sur les rapports de force.

ROBERT BOURASSA — Sur quoi vous basez-vous, monsieur Turp, pour dire que ça pourrait être acceptable au Canada?

DANIEL TURP — Je me base sur la volonté de maintenir, au Canada aussi, l'espace économique et, peut-être même, au-delà, l'espace politique qui résulte de l'histoire commune. Je pense que l'on peut toujours postuler que le Canada ne voudra pas d'espace, d'union économique et politique, jusqu'à ce qu'on leur propose véritablement, jusqu'à ce que l'on développe un rapport de force qui va nous permettre de penser qu'ils vont arrêter de postuler que ça ne se fera pas. Bien sûr que le Canada va refuser d'envisager cette proposition, que les partenaires vont dire non à l'avance à une proposition que l'on ne leur fait pas.

ROBERT BOURASSA — Monsieur Bouchard tenait ces propos dans l'entrevue très émouvante qu'il a donnée à son retour, à savoir qu'il faut qu'un peuple prenne des risques à un moment donné. Le Premier ministre du Québec, à mon sens, comme ultime responsable, doit être plus prudent.

Qu'est-ce que vous voulez dire sur le rapport de force?

DANIEL TURP — Sur le rapport de force justement, deux choses. Est-ce que, dans le processus de Charlottetown, votre chaise vide n'allait pas à l'encontre du rapport de force que vous auriez pu construire en vue d'un accord ou d'une offre de partenariat constitutionnel que vous recherchiez? En fait, est-ce que d'arrêter de parler de souveraineté et de dire que votre choix, c'était que le Québec se développe à l'intérieur du Canada, ce n'était pas mettre fin à ce rapport de force qui, dans votre conclusion, semble être une des choses importantes dans l'art de gouverner?

ROBERT BOURASSA — Quant à la chaise vide, il y avait la loi 150 qui reflétait Bélanger-Campeau qui avait dit: «Ça fait trente ans qu'on négocie. Là, c'est à vous de nous faire des propositions.» À ce moment-là, je ne pouvais pas retourner à la table si l'Accord de Meech était ignoré. J'avais pris un engagement le 23 juin 1990. Si le lac Meech ne se retrouvait pas sur la table, il y avait une question de fierté qu'on avait le devoir de faire respecter. Il y a aussi l'hypothèse du contexte politique si les Québécois regrettaient leur décision, après avoir opté pour la souveraineté, en prenant conscience des conséquences d'une telle décision. Ce sont des hypothèses qui ne sont pas farfelues, connaissant la volatilité du climat économique et connaissant aussi le caractère non monolithique du Canada anglais, avec lequel j'ai négocié à plusieurs reprises.

Quand vous dites que l'Ouest l'accepterait, moi je vous réponds que c'est loin d'être sûr. L'Ouest, plus précisément l'Alberta et la Colombie-Britannique, sont des contributeurs nets au financement de la fédération. Ces provinces ne reçoivent aucune péréquation. Elles ont un plafond de 5% pour l'accroissement des dépenses des programmes sociaux, ce que nous, nous n'avons pas et ce qui explique une partie du déficit de l'Ontario. Comment peut-on être sûr que l'Ouest accepterait, quand on sait qu'on y a voté massivement contre Charlottetown?

C'était mon analyse. J'ai défendu la fierté du Québec après l'échec de l'Accord du lac Meech. La Commission Bélanger-Campeau a été établie. J'ai accepté d'agir conjointement avec l'Opposition et j'ai maintenu ma parole de ne pas négocier à onze. L'échec de Meech, ce n'était pas un rejet du Canada anglais, c'était une défaite du processus. Il fallait que j'en tienne compte. J'étais conscient que Peterson et la nette majorité des autres étaient très favorables au Québec. Ce n'était pas comme en 1981, avec des décisions secrètes prises à l'encontre du Québec. Ces Premiers ministres avaient pris position pour Meech et plusieurs d'entre eux s'étaient même rendus à Terre-Neuve pour aider à la ratification de l'entente. Il y avait donc eu, de la part du Canada anglais, des gestes très concrets pour montrer qu'ils étaient attachés au Québec dans le Canada.

Je vous dis donc que le rapport de force doit s'exercer d'une façon réaliste. Et tout dépend de la définition qu'on fait de la souveraineté. Si on définit la souveraineté comme la souveraineté partagée, on vient de régler la question géopolitique, mais si on définit la souveraineté comme étant exclusive au sens traditionnel, alors c'est autre chose. On parlait de la monnaie commune dans les pays de l'ex-Tchécoslovaquie; ça n'a duré que quelques semaines.

Votre question est fondamentale mais il est trop tôt pour formuler une réponse définitive. Peut-être l'histoire dira-t-elle que ma prudence a évité aux Québécois une énorme bêtise. Peut-être que le rapport de force aurait pu être changé; mais mon évaluation était basée sur le fait que le Canada anglais ne parlait pas d'une voix univoque et que les provinces les plus puissantes économiquement, avec le plus d'avenir, étaient celles qui étaient les plus réticentes à faire des concessions de cette nature-là. Elles étaient par contre prêtes à faire des concessions pour décentraliser les pouvoirs. Et n'oubliez pas les pouvoirs énormes qu'on possède déjà dans le domaine culturel et social. En d'autres termes, le rapport de force du Québec n'est pas du tout le même avec les provinces les mieux nanties de l'Ouest qu'avec les Provinces maritimes. Voilà une réalité incontournable.

DANIEL TURP — Votre parti avait, je pense, une bonne réponse à l'époque dans cette trame et ce scénario d'un discours référendaire: ce document de juin 1992 qui, je crois, aurait pu faire consensus.

ROBERT BOURASSA — Vous voulez dire la loi 150?

DANIEL TURP — Non. Je parle de ce comité constitutionnel que présidait monsieur Allaire, dont l'existence n'était pas très connue et qui a préparé cette trame et ce scénario d'un discours référendaire dans l'hypothèse où c'était la souveraineté que vous proposeriez aux Québécois au mois d'octobre suivant. Ce document aurait pu créer un consensus.

ROBERT BOURASSA — D'accord. Supposons qu'on l'ait fait adopter par la population. Mais dès sa publication, les réactions du Canada anglais étaient très négatives. Il se trouvait aussi des analystes québécois sérieux et crédibles pour critiquer cette demande de 22 pouvoirs. Sans compter le Parti québécois qui traitait ce même Rapport Allaire de ridicule et stupide. Par ailleurs, on sait que je jugement du Parti québécois sur M. Allaire a évolué depuis qu'il s'est rallié à leur cause... Depuis, l'état des finances publiques fédérales nous permet de prévoir un transfert important de pouvoirs aux provinces.

DANIEL TURP — Ce sont déjà les nôtres, ceux-là.

ROBERT BOURASSA — Restons en 1995 et c'est déjà quand même beaucoup de pouvoirs. Quant à l'environnement, qui est une juridiction non inscrite dans la constitution de 1867, est-ce qu'on peut dire que c'est un pouvoir local? Donc, si on garde un authentique marché commun, ça conduit à un partage de la souveraineté. Vous dites qu'il nous faut un marché commun au Canada. Pourquoi faire ce détour avec toutes sortes de risques? C'était mon analyse.

Politiquement et logiquement, on aurait pu être tenu de le faire, ce référendum sur la souveraineté, si on avait eu des propositions frivoles à Charlottetown, mais elles étaient justifiables. J'aurais pu le faire dans le contexte suivant en disant: «Le Canada anglais refuse les demandes du Québec. Je demande donc aux Québécois de décider, de faire un choix en tenant compte des conséquences.» Qu'est-ce qu'ils auraient décidé? Auraient-ils décidé de rester dans le Canada? Est-ce qu'ils auraient décidé d'opter pour l'indépendance sans avoir de garantie économique? Il aurait été très difficile de prévoir ce qui serait arrivé après une campagne référendaire. Dans la boîte de scrutin, nos gènes normands nous auraient probablement incité à une certaine prudence, le Canada demeurant un pays privilégié pour un grand nombre de Québécois. Reste le scénario où les Québécois auraient voté OUI à Charlottetown et le Canada anglais, NON. La situation politique aurait été sûrement très délicate et imprévisible.

Somme toute, dans certaines circonstances liées à la protection de l'avenir, il est légitime d'appliquer cette politique qu'Henry Kissinger, dans son dernier livre (*Diplomacy*) décrivait, en citant Richelieu, comme étant celle des «risques et avantages», soit tenir compte en priorité des uns et des autres.

ANDRÉ BLAIS, *professeur de science politique* — J'aimerais revenir aux négociations qui ont mené à Charlottetown et en particulier à juillet 1992, au moment où il y a sur la table, pour la première fois, une proposition du Canada anglais, sous la direction de monsieur Clark avec le fameux Sénat, triple E en particulier. À ce moment-là, je suppose que vous avez deux options. La première consiste à dire: «Oui. Je retourne à la table de négociation. C'est une entente qui n'apparaît pas très intéressante, mais on va au moins tenter d'améliorer les choses, d'éliminer les pires pertes et de faire des gains supplémentaires.» C'est l'option que vous avez suivie.

L'autre option, du moins me semblait-elle possible en tant qu'observateur à l'époque, c'était de dire un NON ferme, en supposant que cela forcerait la main à monsieur Mulroney et l'amènerait lui-même à faire d'autres propositions et à les soumettre à un référendum.

J'aimerais savoir si vous avez pensé à cette éventualité, à ce qui arriverait si vous disiez NON? Avez-vous pensé, vous aussi, que monsieur Mulroney aurait fait un référendum lui-même sur d'autres propositions? Et, si c'était le cas, est-ce que vous pensez que les propositions que monsieur Mulroney auraient faites auraient été plus intéressantes pour le Québec que l'Accord de Charlottetown?

ROBERT BOURASSA — Il faut dire qu'à ce moment-là, monsieur Mulroney, aussi déterminé qu'il était à satisfaire le Québec, n'avait pas une popularité très forte au Canada anglais.

ANDRÉ BLAIS — Est-ce que vous avez pensé à cette possibilité-là, d'un NON ferme, et à ce qu'aurait fait monsieur Mulroney par la suite?

ROBERT BOURASSA — Je trouvais que monsieur Mulroney, même s'il pouvait avoir la volonté politique, n'avait pas le support politique pour convaincre facilement le Canada anglais d'accepter des propositions conformes aux demandes du Québec. On parle de 1992. Sa popularité était alors plutôt faible, peut-être un peu moins au Québec, mais il n'avait certainement pas la conjoncture politique pour dire: «C'est ça!»

C'était un allié très précieux, dans le sens qu'on pouvait compter sur lui pour collaborer à l'organisation de la stratégie. Il avait accepté l'échéance du référendum pour la fin octobre. Il faut quand même reconnaître que tous nos partenaires ont accepté l'échéance du référendum en octobre 1992, tel qu'établi dans la loi 150. Mais il ne faut pas oublier la formule d'amendement qui exige soit l'unanimité, soit l'accord de sept provinces.

Si, par hypothèse, on avait refusé, il aurait alors fallu faire un référendum ou le reporter en disant: «On continue de négocier.» Ce n'est pas facile de reporter un référendum, on le voit bien ces jours-ci. Et c'est un aveu d'échec.

ANDRÉ BLAIS — Donc, vous ne pensez pas qu'il y aurait eu un référendum fédéral si vous aviez dit NON?

ROBERT BOURASSA — Un référendum fédéral?

ANDRÉ BLAIS — Un référendum fédéral, à partir de propositions mises de l'avant par le gouvernement fédéral.

ROBERT BOURASSA — Sans l'accord du Québec?

ANDRÉ BLAIS — Avec l'accord du Québec. Après discussion, il y aurait eu une proposition du gouvernement fédéral pour faire en sorte que vous n'ayez pas à faire votre référendum sur la souveraineté. Ou bien, pensez-vous qu'on vous aurait forcé à faire le référendum sur la souveraineté?

ROBERT BOURASSA — Dans ce contexte, on aurait eu des propositions fédérales, qui auraient pu être différentes de Charlottetown, mais ça n'aurait pas dénoué l'impasse. Pourquoi le Canada anglais aurait-il voté autrement? Et, au Québec, peut-on penser que le Parti québécois et le Bloc québécois auraient accepté le fédéralisme renouvelé? Donc, je ne vois pas comment monsieur Mulroney aurait pu, dans la situation politique où il se trouvait, imposer un référendum fédéral au Canada anglais. Je pense qu'il aurait été dans une position très délicate pour faire la campagne référendaire.

DANIEL TURP — Est-ce que c'est vrai qu'il était fâché, monsieur Mulroney, qu'il y ait eu cet accord du 7 juillet, sous l'égide de monsieur Clark?

ROBERT BOURASSA — Si cela a eu lieu, je ne peux en témoigner.

DANIEL TURP — Ça veut dire qu'il l'était?

ROBERT BOURASSA — Peut-être était-il surpris!

DANIEL TURP — Lui, il peut être surpris en politique?

ROBERT BOURASSA — Étonné, disons... Il était à Bonn, à ce moment-là; c'était le Sommet des Sept. Quand il est parti à Bonn, il ne s'attendait pas à ce qu'il y ait un accord. Ça bloquait sur les autochtones. Finalement, on lui a dit: «Il y a accord» et il s'est rallié à l'accord. Il ne m'a donné aucune impression de mécontentement, mais des rumeurs couraient à cet effet. De toute façon, il s'est rallié sans problème.

STÉPHANE DION, *professeur de science politique* — Trois questions, l'une sur les conséquences de succès de Meech: qu'est-ce qui se serait passé si Meech avait passé? Deuxièmement, sur votre stratégie après l'échec de Meech. Et troisièmement, sur un sujet qui m'intéresse beaucoup: les relations entre les hommes politiques et les hauts fonctionnaires.

Premièrement Meech. Rappelons-nous ce qu'est Meech. L'immigration, on l'a. Ce n'est pas dans la constitution, mais on l'a. La nomination des juges de la Cour suprême, pour laquelle les provinces ont un mot à dire, je suis sûr que personne n'aurait d'objection, dans la mesure où il ne serait pas possible, pour un gouvernement séparatiste au Canada, de placer un juge de son choix à la Cour suprême. Sans cet obstacle principal, il n'y aurait pas d'objection. Le pouvoir de dépenser, c'était pour les programmes à venir. Comme il n'y aura probablement pas de grand programme à venir, c'est caduc. Le droit de veto constitue davantage un problème, parce que ça durcit une formule d'amendement qui est déjà pas mal dure; et la société distincte, c'était une clause interprétative dans les zones floues de la constitution. On peut penser que les juges ont déjà en tête que le Québec est une société distincte.

Donc, à mon avis, Meech comportait des amendements utiles, une bonification symbolique pour les gens, mais ce n'était pas un bouleversement de la fédération canadienne. C'était le fédéralisme canadien tel qu'on le connaît, avec des ajustements utiles. Ma première question: si Meech passe, arrivez-vous encore avec une nouvelle liste d'épicerie?

ROBERT BOURASSA — J'avais essayé en 1986 de poser comme condition — l'un d'entre vous a appelé ça la stratégie de la demande acceptable — des demandes qui seraient difficilement refusables. Trudeau avait déjà dit, je crois en 1980: «La société distincte, au sens sociologique, on peut l'envisager.» La Cour suprême, on l'avait en bonne partie dans Victoria. Le veto aussi. Le pouvoir de dépenser, c'était dans les propositions de Trudeau en 1968 ou 1969. Et l'immigration, on avait un accord[36] signé par madame Gagnon-Tremblay[37] qui découlait des ententes Cullen-Couture.

J'ai compris l'opposition du Parti québécois à l'Accord du lac Meech mais j'ai été étonné de l'attitude de M. Trudeau qui était assez isolé. Est-ce qu'il ne voulait pas reconnaître qu'il s'était trompé en 1982? On peut se poser la question. Je suis d'accord avec vous que Meech, c'était modéré et raisonnable et c'était pour le Québec un progrès très réel, notamment au niveau du droit de retrait.

La société distincte, ça me paraissait tout à fait légitime sur le plan québécois et sur le plan international. On a parlé de l'évolution du concept de la souveraineté. Que le Québec soit reconnu comme une société distincte, ça consolidait notre présence au sein de la francophonie internationale. Peut-être pas de façon très concrète dans l'immédiat, mais c'était aussi un geste symbolique qui avait une portée politique significative. La plupart des autres aspects existent déjà, soit en pratique, soit administrativement. On sait, par exemple, que le pouvoir de dépenser du fédéral est devenu beaucoup plus limité en raison de la crise des finances publiques.

Qu'est-ce qui serait arrivé après? On aurait parlé de la main-d'œuvre, ce qu'on a fait dans Charlottetown, de la culture et de tous les autres secteurs où il y a des chevauchements et qui sont de juridiction québécoise. Avec l'appui des provinces de l'Ouest, qui auraient eu intérêt à une décentra-

---

36. L'Accord Canada-Québec relatif à l'immigration et à l'admission temporaire des Cubains a été signé le 5 février 1991. Cet accord confirme la maîtrise d'œuvre exclusive du Québec dans la sélection des immigrants indépendants qu'il reçoit sur son territoire et des responsabilités accrues en matière d'intégration. Cet Accord remplace l'entente Couture-Cullen en vigueur depuis 1978.

37. Monique Gagnon-Tremblay a été élue députée et réélue en 1989 et 1994. Titulaire de plusieurs ministères dans les cabinets Bourassa et Johnson.

lisation des pouvoirs, donc dans un tout autre climat. Ça se serait fait dans la quiétude politique. Ça aurait été, pour des raisons d'efficacité, compréhensible à tous.

STÉPHANE DION — Si je comprends votre réponse, vous seriez revenu à votre stratégie habituelle: on avance dossier par dossier sans qu'il y ait de nouvelle table constitutionnelle dramatique?

ROBERT BOURASSA — Je n'ai jamais privilégié le drame.

STÉPHANE DION — C'est ce que je dis aussi. Après Meech, on aurait eu la stabilité pour très longtemps et la pire erreur constitutionnelle de l'histoire de ce pays, c'est probablement la campagne de monsieur Trudeau contre Meech.

ROBERT BOURASSA — Une campagne isolée, faut-il ajouter.

STÉPHANE DION — Oui, mais ça a marché, il a gagné! Deuxièmement, votre stratégie d'après Meech me paraît incompréhensible si on accepte tous les deux que Meech comportait ce que nous venons de dire. Parce que vous ne pouvez pas dire, après Meech, que le statu quo est inacceptable pour le Québec, que le statu quo est la pire des solutions pour le Québec, puisque Meech ce n'est qu'un amendement du statu quo et que Meech était la solution pour le Québec. Ça m'apparaît une contradiction qui a eu de graves conséquences.

ROBERT BOURASSA — Je peux vous interrompre? C'est la pire des solutions parce que le statu quo, c'est admettre 1982 et il n'y a pas un Premier ministre du Québec qui peut décemment l'admettre. C'est dans ce sens-là que je disais que le statu quo est la pire des solutions. C'est comme si on disait: «On tourne la page. Tant pis. C'est la faute de nos négociateurs.» D'ailleurs, je le répète, tous les Premiers ministres canadiens l'ont reconnu à Edmonton en août 1986.

STÉPHANE DION — Vous n'avez pas dit: «La souveraineté est la pire des solutions pour le Québec.» Vous avez dit: «Le statu quo est la pire des solutions pour le Québec.» Vous avez verrouillé le statu quo et vous avez laissé flotter la souveraineté au sens où les sondages montraient que certaines gens croyaient que, maintenant, vous étiez devenu souverainiste, que vous vouliez faire la souveraineté éventuellement. Vous avez laissé ça flotter avec des formules comme la souveraineté partagée, que vous expliquiez tout à l'heure. Il n'y avait pas de verrou à la souveraineté, contrairement au statu quo. Meech, pourtant, c'était collé sur le statu quo. Mais ça, ça n'était pas grave. Il y avait un verrou et vous êtes arrivé avec votre idée de superstructure. Vous saviez bien que ça ne passerait pas! Je vous écoutais répondre à Daniel Turp et on voit que vous le saviez très bien! Monsieur Parizeau savait bien que ça ne passerait pas. Il l'a dit, pas plus tard qu'en janvier 1993: «Jamais le Canada n'acceptera d'alourdir son système fédéral de toute une série d'institutions supranationales.»

Vous le saviez. Monsieur Parizeau le savait. Mais lui, il était cohérent, par contre. Il disait: «Moi je veux la souveraineté parce qu'on ne l'a pas.» Vous, vous disiez: «Je ne veux pas le fédéralisme canadien. Je veux la superstructure, mais je sais que je ne l'aurai pas.» Vous l'avez encore dit à Daniel Turp. Ce faisant, vous avez, à mon avis, semé la confusion dans la population. Vous avez nourri le souverainisme mais comme vous ne vouliez pas faire la souveraineté, parce que vous saviez que ce n'était pas une bonne solution pour le

Québec, vous avez en même temps essayé de la freiner d'où le sentiment de désillusion, y compris dans votre entourage, quand on a vu arriver Charlottetown, qui était si loin de ce que vous aviez laissé miroiter!

ROBERT BOURASSA — Désillusion dans mon entourage? Je ne vois pas où! Ça ne s'est pas manifesté très ouvertement parce que j'ai eu 90% d'appuis au congrès quand nous avons soumis les accords de Charlottetown. Je n'avais aucun problème d'appui au sein du Parti libéral.

J'ai parlé de superstructure, mais je n'ai quand même pas présenté un projet de loi à l'Assemblée nationale là-dessus. Je rencontrais des financiers qui voulaient investir plusieurs centaines de millions dans l'aluminerie Alouette, qui achetaient abondamment des obligations du Québec, des banquiers allemands, et ils me disaient ce qu'ils voulaient. Moi, je répondais: «Vous en avez une superstructure en Europe. Et, en Allemagne, vous avez un régime fédéral comme le nôtre. Une superstructure par-dessus un régime fédéral, ce n'est pas quelque chose d'inconnu pour vous. Je suis convaincu qu'en toute hypothèse, s'il y a une crise constitutionnelle, il y aura toujours cette option de superstructure.» C'était mon devoir comme promoteur d'investissements au Québec de rétablir les faits et de placer les options en perspective. Voilà pour la superstructure.

À l'automne 1990, j'ai décidé qu'après tous ces échecs successifs, il était important d'adopter une attitude non partisane, donc de créer la Commission Bélanger-Campeau. Mais jamais, dans aucune circonstance — que vous lisiez le projet de loi 150, notamment dans son préambule, mes principaux discours ou mon addendum dans le Rapport Bélanger-Campeau —, je n'ai renoncé à bonifier le fédéralisme. Et ce n'était pas nouveau. C'est ce dont j'avais discuté avec René

Lévesque en 1967. C'était bien connu que ma conception de la souveraineté se rapprochait davantage d'une conception européenne, elle-même constamment en évolution vers un néo-fédéralisme, que d'une souveraineté classique. C'est vrai qu'on ne pouvait affirmer qu'elle était mûre pour être acceptée par une partie du Canada anglais, mais cela ne m'interdisait pas de répéter ce que j'avais toujours dit depuis 25 ans. À titre de Premier ministre en 1974, je disais: «Le Québec, c'est un État francophone dans un marché commun canadien.»

Quand j'ai vu que ça pouvait déraper, j'ai exprimé clairement mon point de vue au congrès du Parti libéral, tout en ne rejetant pas le Rapport Allaire, puisque ça pouvait être un programme de parti, tout comme les cinq conditions pour Meech avaient été adoptées par le parti. Mais, dans notre système politique, c'est le gouvernement qui finalement décide et, pour nous, le développement du Québec, c'était à l'intérieur du Canada.

STÉPHANE DION — Bien sûr mais, en tout cas, vous étiez en début de mandat. Vous pouviez faire le discours que vous avez fait, mais vous n'étiez pas obligé de dire que, maintenant, il fallait négocier à deux, parce que vous saviez que c'était impossible. On ne peut pas négocier à deux dans la fédération canadienne!

ROBERT BOURASSA — À onze, ça ne s'était pas révélé possible, après trois ans de discussion.

STÉPHANE DION — On ne peut pas faire un changement constitutionnel à deux. On peut faire plein d'ententes administratives à deux, mais pas un changement constitutionnel!

ROBERT BOURASSA — Les Premiers ministres du Canada anglais se sont quand même réunis pendant plusieurs mois.

STÉPHANE DION — Ils ont parlé de leurs problèmes à eux. Ç'a été la boîte de pandore. Certains sont arrivés avec leurs revendications. Ils ont dit: «Moi, je veux ma charte sociale. Moi, je veux ci. Moi, je veux ça.» Mais les intérêts du Québec ont été traités à la toute fin parce que vous n'étiez pas là. Ils ont parlé de leurs problèmes. Ils ont leurs propres électeurs. C'est la dynamique politique qui l'a emporté.

ROBERT BOURASSA — On a récupéré Meech, la garantie de 25% de députés québécois à la Chambre des communes, la maîtrise d'œuvre de la culture, des programmes de la main-d'œuvre qu'on a jamais obtenus auparavant, etc.

STÉPHANE DION — Je trouvais ça très bien aussi, parce que je crois que c'était encore du fédéralisme canadien. Ce n'était pas une union politique, une superstructure ou tous ces machins-là. C'était un cadre fédéral classique avec des aménagements. C'est d'ailleurs pourquoi les autres n'ont pas appuyé Charlottetown. Ils n'étaient pas fédéralistes comme je l'étais.

ROBERT BOURASSA — Je n'ai jamais contesté l'existence de normes communautaires au Canada. C'est pour ça que, dans Charlottetown, on référait beaucoup à des normes nationales qu'on pourrait aussi appeler normes communautaires. J'ai dit, lors d'une conférence tenue le mois dernier, ici à la Faculté de droit, et portant sur les accords de Maastricht, que ça devient ridicule de diaboliser les normes. On le voit tous les jours, des travailleurs qui doivent circuler au Canada, dans le marché canadien. Ça prend, dans certains cas, un minimum de normes communautaires qui logiquement sont le résultat de négociations.

STÉPHANE DION — Absolument, mais après, on a laissé entendre — pas vous, mais autour de vous — qu'un peuple qui veut être souverain ne devait pas se laisser imposer des normes par Ottawa. Après, on a présenté Ottawa comme une puissance étrangère, à peine bonne pour nous envoyer des chèques et de la péréquation, rien de plus.

ROBERT BOURASSA — Qui autour de moi?

STÉPHANE DION — Franchement, je n'aurais pas de difficulté à retrouver tous les discours de monsieur Gil Rémillard et compagnie, présentant toujours Ottawa comme étant quelque chose qui est étranger au Québec. Que le gouvernement du Québec est le seul gouvernement des Québécois. Si c'est ça la logique, c'est une logique qui est crypto-souverainiste, à savoir que si ce n'était pas de la péréquation, on ferait la souveraineté. Si c'est ça la logique, à ce moment-là, moi je dis que vous n'êtes pas fédéraliste!

ROBERT BOURASSA — Ce que j'ai toujours soutenu, c'est que la constitution de 1867 a été conçue dans un autre siècle et un autre monde où, entre autres, il n'y avait pas d'avion, pas de téléphone, pas d'automobile, pas de moyens de communications, sauf le train.

ANDRÉ NORMANDEAU — Pas de cellulaire...

ROBERT BOURASSA — En effet, pas de cellulaire surtout! En d'autres termes, comment penser, en 1992, qu'on pouvait refuser des normes, dire: «On veut un marché commun avec le Canada, mais on ne veut pas de normes communautaires»? En France, ils ont négocié avec les autorités du Marché commun pendant des semaines pour pouvoir recapitaliser

Air France. En Angleterre, ils doivent constamment discuter avec les mêmes autorités pour avoir l'autorisation de mettre en œuvre toutes sortes de décisions gouvernementales. Et ici, au Canada, certains voudraient nous enfermer dans la constitution de 1867. Ce n'est plus réaliste.

DANIEL TURP — Mais notre collègue vous reproche d'être néo-fédéraliste, comme si on n'avait pas le droit d'avoir une conception du fédéralisme qui change.

STÉPHANE DION — On ne fera pas le débat entre nous deux!

DANIEL TURP — On devrait!

STÉPHANE DION — Une dernière question, sur un tout autre sujet. Comment concevez-vous les relations avec les hauts fonctionnaires? Il y a un peu de politisation tout de même. On ne choisit pas des hauts fonctionnaires seulement en fonction de leur compétence. On veut avoir aussi des gens qui partagent certains de nos combats politiques. Mais d'un autre côté, si les hauts fonctionnaires deviennent carrément partisans, que devient le sens de l'État? Il y a donc un équilibre à faire entre les deux. J'aimerais savoir quelle est votre conception des choses sur ce point. Pensez-vous qu'elle diffère de celle des autres Premiers ministres que vous avez connus, monsieur Lesage, monsieur Lévesque, monsieur Parizeau?

ROBERT BOURASSA — Je ne sais plus qui disait que notre démocratie peut être dévorée par les bureaucrates. Il est important d'avoir un équilibre entre la technocratie et le cabinet politique, mais la partisanerie a ses limites. Par exemple, l'un des gestes qui m'a toujours paru très justifié, après 25 ans — ça fait 25 ans le mois prochain que j'ai été élu Premier ministre —, c'est d'avoir accepté Julien Chouinard comme Secrétaire général du gouvernement. Il est devenu juge à la Cour suprême, par la suite. Il avait auparavant été candidat conservateur, puis Secrétaire général sous monsieur Jean-Jacques Bertrand. J'ai demandé qu'il reste à son poste et il a accompli un travail remarquable, sans la moindre partisanerie.

Dans des postes clés, il est possible d'avoir des hauts fonctionnaires pour qui le sens de l'État prévaut sur les lignes partisanes. Je n'ai pas été reconnu comme étant celui qui a fait le plus de purges lorsque je prenais le pouvoir. Au contraire, j'ai gardé la plupart de ceux qui me paraissaient utiles au fonctionnement du gouvernement.

Alors, il s'agit d'avoir un équilibre et de souhaiter une certaine neutralité chez les membres de la haute fonction publique. Autrement, vous donnez une prime à l'instabilité à chaque changement électoral. Mais je crois que les cabinets politiques peuvent précisément servir — comme je le disais dans mon exposé — de contrepoids. On peut être assez libéral avec un «petit l» et garder des fonctionnaires qui n'ont peut-être pas les mêmes idées.

Autre exemple, Diane Wilhelmy[38]. Vous allez me dire que ce n'est pas le meilleur exemple qu'on puisse donner! Il reste que, pendant plusieurs années, ses services ont été d'une

---

38. Diane Wilhelmy, sous-ministre des Affaires intergouvernementales et responsable du dossier constitutionnel. Le nom de madame Wilhelmy a retenu particulièrement l'attention des médias lorsqu'une station radiophonique de Québec, CJRP, a obtenu l'enregistrement d'une conversation téléphonique entre elle et Me André Tremblay, conseiller spécial du gouvernement, qui a eu lieu le soir de la signature de l'entente de Charlottetown, le 28 août 1992. Essentiellement, cette conversation pose un jugement sévère sur le Premier ministre Robert Bourassa qui n'aurait pas défendu avec suffisamment de vigueur les «revendications historiques du Québec».

excellente qualité. Quand elle s'est prononcée sur la question de Charlottetown, elle avait été absente pendant plusieurs semaines pour des raisons de santé. Même si elle était peut-être d'allégeance souverainiste, cela n'a jamais affecté l'excellent travail qu'elle a fait dans le Canada sous la direction de Gil Rémillard pour faire aboutir l'entente du lac Meech.

Donc, pour répondre à votre question, mon opinion, c'est qu'on doit donner le bénéfice du doute à la haute fonction publique, à condition qu'elle soit compétente. On doit prendre une police d'assurance avec le cabinet politique qui vous entoure.

STÉPHANE DION — Quand vous revenez au pouvoir en 1985, vous trouvez Louis Bernard[39] en place. Est-ce que vous avez essayé de le garder, comme la rumeur a couru, ou bien était-ce impossible pour vous de travailler avec lui? Vous avez eu recours à ses services pour Meech, d'ailleurs.

ROBERT BOURASSA — M. Bernard a été l'un de mes conseillers pour Meech. Je l'avais connu à titre de haut fonctionnaire en 1970. J'avais donc gardé des relations cordiales avec lui mais il n'était pas question qu'il demeure Secrétaire général. Je pouvais, à ce moment-là, compter sur Roch Bolduc[40], qui avait une très grande expérience. Il avait commencé avec

---

39. Louis Bernard, chef de cabinet du Premier ministre René Lévesque en 1976-1978. Secrétaire général et greffier du gouvernement du Québec de 1978 à 1985. Conseiller constitutionnel du Premier ministre Bourassa lors des négociations sur l'Accord du lac Meech. De nouveau Secrétaire général et greffier du gouvernement depuis septembre 1994.

40. Roch Bolduc, fonctionnaire de carrière, notamment à titre de Secrétaire général du gouvernement du Québec et de président de la Commission de la fonction publique. Longtemps associé à l'École nationale d'administration publique. Nommé sénateur en 1988.

Duplessis, vous vous imaginez. Il avait largement contribué à bâtir la haute fonction publique et il était disponible pour être Secrétaire général. Nous avons convenu, monsieur Bernard et moi-même, qu'il quitterait le poste de Secrétaire général. Monsieur Benoît Morin[41] a succédé à monsieur Bolduc avec une expérience très utile puisqu'il avait travaillé à mes côtés dans les années 1970.

JAMES I. GOW, *professeur de science politique* — Ma question porte sur l'art de gouverner. Une question concernant le rapport de force. Dans les années 1960, vous avez été secrétaire de la Commission Bélanger sur la fiscalité. L'un des constats majeurs du rapport de cette commission a été que l'armature municipale au Québec était composée de trop de petites municipalités à faibles ressources.

On y comparait, reprenant ainsi un thème séculaire au Québec, la faiblesse des municipalités au Québec et la force des municipalités en Ontario, laquelle permettait au gouvernement ontarien de déléguer plus de pouvoirs aux municipalités. On n'a toujours pas réformé en profondeur la structure municipale au Québec, même si on a créé des communautés urbaines et deux grandes villes, Laval et Longueuil. Cela demeure, pour moi, un fait difficile à expliquer. Les municipalités jouissent d'un faible taux de participation électorale. Leur légitimité n'est pas extraordinaire. Pourtant, on n'y touche pas. Est-ce que c'était pour vous une question importante? A-t-on délibérément choisi de conserver presque autant de municipalités qu'il y en avait à l'époque de la Commission Bélanger ou est-ce que les municipalités ont,

---

41. Benoît Morin, Secrétaire général associé et greffier du Québec de 1986 à 1994.

après tout, suffisamment de pouvoir pour faire hésiter le gouvernement du Québec?

ROBERT BOURASSA — On a quand même posé des gestes importants avec la loi 145[42] et les nombreuses fusions. Il faut également tenir compte de la volonté politique des municipalités elles-mêmes car ce sont des élus et, à cet égard, ils ont une légitimité qu'on ne peut éliminer d'une façon autoritaire et sans dialogue. Il y a tout de même eu beaucoup de regroupements municipaux. Dans certaines régions, plusieurs municipalités ont disparu à cause de la mobilité des habitants.

Nous avons jugé que les réformes qu'on apportait régulièrement aux plans de la fiscalité municipale, du regroupement des services et de la volonté qui existait dans différentes régions constituaient un pas important dans la bonne direction. On n'avait pas le même niveau de priorité que l'on pouvait avoir dans d'autres secteurs. Même chose pour les commissions scolaires.

JAMES I. GOW — Justement, les commissions scolaires, on les a réformées. Elles aussi ont une certaine légitimité tirée d'un taux de participation électorale encore plus faible.

ROBERT BOURASSA — Il faut tenir compte du fait que les municipalités suscitaient plus d'intérêt de la part de la population. Les commissions scolaires avaient un taux de partici-

---

42. Loi modifiant diverses dispositions législatives concernant les finances municipales. Cette loi modifie la Loi sur la fiscalité municipale et d'autres dispositions législatives afin de donner suite à plusieurs des mesures annoncées dans le document gouvernemental du 14 décembre 1990 intitulé «Partage des responsabilités Québec-municipalités: vers un nouvel équilibre».

pation électorale moyen entre 10% et 15%, et c'est encore ce qui existe aujourd'hui. Pour les élections municipales, par contre, c'est beaucoup plus.

CÉLINE STEHLEY, *étudiante à la chaire Jean Monnet* — Vous avez mis en exergue l'importance de l'intégration économique au niveau international, avec les États-Unis et le Mexique, notamment à la dernière séance. Je me demande quelles actions concrètes votre gouvernement a mis en œuvre en faveur de l'intégration canadienne, qui me semble tout aussi importante.

ROBERT BOURASSA — À Charlottetown, j'avais refusé d'endosser une extension de l'article 121[43] de la constitution canadienne parce que ça empiétait sur les pouvoirs du Québec. Par ailleurs, juste avant de quitter, on a discuté, à mon dernier Conseil des ministres, en janvier 1994, de l'accord avec l'Ontario, en ce qui concerne notamment les marchés publics et la mobilité de la main-d'œuvre. On a par ailleurs posé des gestes concrets, par exemple dans le domaine du transport, lors de rencontres entre les Premiers ministres ou les ministres responsables, mais je n'ai pas voulu inclure ce sujet dans Charlottetown parce que la constitution, dans sa rigidité, aurait diminué les pouvoirs du Québec.

C'est là qu'on constate, si l'on compare les normes qui existent au Canada aux normes et aux contraintes dans un marché commun, que le Canada est non seulement le pays privilégié, tolérant et pacifique que l'on connaît, mais qu'il démontre aussi beaucoup de flexibilité dans son fonctionnement avec les États membres de la fédération.

---

43. L'article 121 concerne la liberté de commerce.

LOUIS MAHEU, *professeur de sociologie* — Je voudrais vous ramener à la dernière partie de votre intervention, celle qui traitait plus spécifiquement de l'art de gouverner. En fait, vous avez énoncé une série de facteurs qui semblent tous être, plus ou moins, sur le même pied: paix sociale; paix civile; stabilité; finances publiques saines; sondages; équilibre court terme-long terme. Je me demandais si tous ces facteurs sont d'égale valeur ou s'il y a, pour vous, une ligne directrice, une idée maîtresse dans l'art de gouverner.

L'impression que ça donne, lorsque je regarde ça, c'est que la gouverne est portée par beaucoup de pragmatisme politique immédiat et peut-être une sensibilité très forte à la *real politik*, c'est-à-dire au rapport de force. J'aimerais savoir si, pour vous, il y a une idée maîtresse dans l'art de gouverner qui nous permettrait de saisir un peu quels sont les facteurs que vous considérez les plus importants.

J'ai aussi une deuxième question qui porte sur le politique et son fonctionnement. Au moment même où vous étiez un des principaux acteurs de la scène politique, il y avait beaucoup d'écrits, par des intellectuels aussi bons que beaux, et aussi par des hommes politiques, sur la qualité du politique. Beaucoup de notions de crise du politique étaient véhiculées.

Je me rappelle qu'il y a à peine deux ans, j'ai participé à un débat avec Michel Rocard sur ce thème. Ce n'était pas l'époque actuelle évidemment. Il venait d'être réélu premier secrétaire du Parti socialiste et préparait une espèce de plate-forme, qui lui a glissé des mains par la suite, où il donnait sa propre lecture de ce qu'il avait, lui, vu comme jeu politique, au cours de sa carrière. Finalement, son diagnostic se rapprochait de beaucoup de choses qu'on entend, notamment de la difficulté du jeu politique à rendre véritablement compte des demandes sociales, des problèmes de représentation de la demande sociale. Quelquefois, un poids trop fort de l'exécutif par rapport au législatif fait que l'exécutif cadenasse un petit peu le jeu du législatif.

Un autre trait qu'on rencontre souvent, c'est le fait que l'État est prisonnier de grands acteurs corporatistes qui jouent sur des niveaux de négociation qui ne sont pas nécessairement le parlement, ni le gouvernement, au sens le plus traditionnel du terme. On entend aussi des choses auxquelles vous avez vous-même fait allusion tout à l'heure, c'est-à-dire que le processus politique et la machine politique, à un moment donné, s'emballent et ce n'est pas sûr qu'à ce niveau-là, la machine soit elle-même capable d'autocorrection, de sorte qu'un processus politique peut achopper sur un enjeu social plus global à cause du jeu même du politique.

Bref, quand vous regardez tout ça, est-ce que vous êtes tout à fait content de la façon dont fonctionne la chose politique? Est-ce que vous avez un diagnostic positif et sans aucune réserve? Deuxièmement, si on vous donnait l'entière liberté d'intervenir sur le processus politique et qu'on vous disait: «On va adopter ce que vous allez proposer», qu'est-ce que vous auriez le goût de changer?

ROBERT BOURASSA — Il me semble que le pragmatisme est incontournable, dans la mesure où vous voulez vous inscrire dans le temps. Si vous ne voulez faire qu'un seul mandat, vous pouvez y aller à fond de train, mais si vous voulez agir à plus long terme, il faut être pragmatique. Par exemple, à cause de la durée, j'ai pu ajuster, corriger la législation dans le domaine de la langue, en commençant par la loi 22, puis en continuant avec la loi 178, pour finir avec la loi 86. Peut-être certains d'entre vous ne seront pas d'accord. Je respecte leur opinion. Je connais la sincérité de leur combat, mais il reste que durant toute ma jeunesse et ma vie d'adulte, la langue posait un problème et qu'aujourd'hui, je suis assez satisfait d'avoir quitté la politique avec une situation linguistique qui semble nettement plus calme que celle qui prévalait à mes débuts en politique. Donc, le pragmatisme peut certes être utile et efficace.

L'exécutif et le législatif doivent constamment s'ajuster, ce qui est fondamental. D'abord, il faut un minimum de stabilité en plus d'avoir un certain temps devant nous. Il ne faut pas un caucus divisé ou hésitant. Dans ce sens-là, c'est important d'avoir, sur le plan politique, cette sécurité dans l'action.

Il y a également les finances publiques. Un problème dominant puisque, lors de mes dernières années comme Premier ministre, à chaque Conseil des ministres il fallait arbitrer dans les coupures en raison de la crise économique. Alors, l'exercice du pouvoir devient plus ingrat et moins exaltant. Ça prend donc des finances publiques solides.

Et si je pouvais formuler un souhait, la priorité serait évidemment la sécurité économique pour tous, y compris et surtout pour les jeunes dont la situation socio-économique est aujourd'hui extrêmement préoccupante. C'est ce que vous me demandiez? Si j'étais magicien, ça serait l'objectif à réaliser.

LOUIS MAHEU — Dans l'hypothèse où il y a une crise du politique — je ne sais pas si vous partagez cette hypothèse-là — et que vous aviez, vous, une possibilité d'intervenir pour faire en sorte que le jeu politique soit encore plus efficace et plus déterminant pour le devenir de la société, est-ce qu'il y a des points sur lesquels vous souhaiteriez intervenir pour améliorer et corriger le jeu du politique? D'abord, est-ce que vous partagez le diagnostic? Est-ce qu'il y a ou pas une crise du politique?

ROBERT BOURASSA — Une crise? Ça dépend. Ce sont des mots qu'on emploie à tort et à travers parfois. Ça ne me semble pas évident, dans notre système politique, avec les contre-pouvoirs que l'on a, telle l'Assemblée nationale, institution centrale de notre système politique où le gouvernement doit faire adopter ses lois et où il peut être interpellé sur tous les sujets sans préavis au plaisir de l'opposition. Il y a évidemment les médias qui surveillent le gouvernement de près et qui ont un pouvoir considérable. Les pouvoirs sont partagés dans notre système politique: il y a le municipal, le provincial, le fédéral et les contraintes internationales. Je ne vois pas en quoi le système est en crise. On a quand même un système qui est relativement stable, qui a fait ses preuves. Depuis le début du siècle, au Québec, il n'y a pas eu beaucoup de gouvernements instables, sauf peut-être pour un temps très court. Quant aux groupes d'intérêts, ils sont souvent plus visibles que vraiment efficaces.

Alors vous me demandez, si j'ai bien saisi le sens de votre question, ce que je verrais comme réformes à apporter. Il y a toujours des réformes souhaitables: impliquer davantage les députés, c'est toujours ce qu'on dit quand on commence un mandat; décentraliser les pouvoirs, garder le contact avec la population. Mais des réformes structurelles majeures, ça ne me paraît pas une nécessité bien urgente.

On a aussi le choix des méthodes. Par exemple, je gouvernais sans comité des priorités. Je ne voulais pas deux catégories de ministres, ceux qui font partie du comité des priorités et les autres. Je croyais que ce n'était pas nécessaire. J'aimais mieux procéder avec différents comités ministériels dont les présidents discutaient soit avec moi, soit avec mes collaborateurs. J'y voyais un contrôle efficace sur la machine gouvernementale et un système moins bavard et moins lourd. Il peut y avoir des changements qu'on fait au besoin, mais ce ne sont pas des chambardements de structures. Je trouve que, dans l'ensemble, on a un système qui se compare très bien avec tous les autres.

PIERRE MARTIN, *professeur de science politique* — J'aurais deux questions. Vous nous avez exposé, cette semaine surtout, mais aussi les dernières semaines, votre image du Québec et du Canada. Quelle était, finalement, votre conception de votre pays? De votre conception du Québec, vous nous avez dit: «Le Québec, c'est un État français en Amérique.» Vous référez souvent au mot «peuple», en voulant dire, évidemment, le peuple québécois. Vous tenez vraiment à cette image du Québec comme peuple, qui doit avoir sa place en tant que peuple et la reconnaissance politique de cette place-là. Je pense qu'en cela, vous exprimez le point de vue de la majorité des Québécois, même si cette conception du Québec et du Canada ne fera peut-être pas l'unanimité autour de cette table.

Cependant, quand je regarde, occasionnellement, la télévision en anglais ou que je prends connaissance du discours canadien-anglais, ce que je constate, c'est que, pour eux, le Canada est une nation. Quand on parle de normes fédérales, par exemple, on utilise l'expression de «normes nationales». On parle «d'unité nationale». On parle de nation canadienne, et l'image du Canada qu'on partage au Canada anglais me semble, à tout le moins, radicalement différente de celle que vous épousez. Elle est plutôt beaucoup plus proche de celle de monsieur Trudeau.

Il y a donc maintenant deux images, deux interprétations totalement différentes de la nature du contrat politique canadien. Combien de temps pensez-vous que cela peut durer?

ROBERT BOURASSA — D'abord, pour répondre au début de votre question, ce qui me guide, quand on parle de nation, de peuple, de pays, c'est l'intérêt supérieur de la patrie. Est-ce que c'est l'intérêt supérieur de la patrie d'être un État-membre de la fédération canadienne? Ma réponse, c'est oui.

C'est évident que le Canada anglais peut avoir une vision différente de la nation canadienne, mais l'expérience de ma carrière me porte à conclure qu'ils devront reconnaître que le Québec est dans une situation différente. D'ailleurs les faits sont là. On a plusieurs pouvoirs, que ce soit dans le domaine fiscal, dans le domaine linguistique et de l'immigration ou dans le domaine de la francophonie internationale, qui sont exercés au Québec de façon différente.

Là où je suis moins d'accord avec vous, c'est que le Canada ne parle pas d'une seule voix, comme je l'ai dit constamment. Les provinces de l'Ouest, en particulier les résidents de la Colombie-Britannique, se distinguent, de plus en plus, dans leur vision du Canada par rapport à celle que les résidents de Toronto peuvent avoir. Les résidents des Maritimes sont bien conscients de leur intégration avec le reste du Canada. Ce n'est pas le même point de vue que l'on retrouve partout.

PIERRE MARTIN — Quand on demande à ces gens-là d'indiquer quel est leur pays, quelle est leur nation, ils ne disent pas la Colombie-Britannique, ni l'Ontario, ni les Maritimes, ou quoi que ce soit. Ils disent que c'est le Canada! Et quand on leur demande si le Québec forme quelque chose de distinct à l'intérieur de ça, ils disent largement non! Donc, ils refusent, dans une très large mesure, l'image que vous défendez de la place du Québec dans le Canada.

Évidemment, on peut continuer comme ça, pour utiliser les mots de monsieur Parizeau, «à taponner» pendant plusieurs années, à essayer de trouver une façon de régler ce problème-là, mais est-ce que c'est vraiment satisfaisant de vivre dans un pays où il y a deux images tellement discordantes et impossibles à réconcilier formellement?

ROBERT BOURASSA — Vous disiez que vous regardiez la télévision. Regardez aussi ce qui ce passe dans d'autres fédérations. Vous allez conclure que, finalement, la fédération canadienne est très comparable avec les autres même s'il y a des différences sémantiques à l'intérieur de cette fédération. J'admets qu'on peut trouver difficile de s'entendre sur les mots. Ainsi, dans la langue anglaise, distinct, pour certains, veut dire supérieur. Donc faut-il reconnaître une société supérieure à l'intérieur du Canada? C'est inexact, mais c'est un problème réel qu'on avait souvent en expliquant la notion de société distincte. Mais ce n'était pas insurmontable.

Donc, si on tombe dans la sémantique, on peut facilement créer des conflits. Moi, je n'ai pas d'objections à continuer d'être en désaccord sur les mots, pour vous citer, si, en même temps, il y a un renforcement réel du Québec vis-à-vis des défis de l'an 2000. Ce qui compte, c'est le concret, ce sont les garanties qu'on a pour notre développement économique et social, pour notre langue, pour notre culture. Voilà l'essentiel. C'est pourquoi j'ai refusé de jouer à l'apprenti sorcier et d'accepter des chambardements qui étaient susceptibles, dans la réalité des faits, de nous faire reculer plus que de nous faire avancer.

J'ai voulu être pragmatique et c'est être pragmatique que de reconnaître que dans le domaine économique, il faut partager la gérance et, dans ce contexte, pour être sûr que la gérance soit efficace, ça prend une véritable intégration politique. On peut appeler ça une fédération ou une fédération de nations ou un État-continent, ou un marché commun, mais toutes ces notions-là évoluent. L'État-nation, en l'an 2000, ça va vouloir dire quoi? C'est remis en question partout!

PIERRE MARTIN — Je vais poursuivre avec ma deuxième question qui, elle, est courte. Je vais vous offrir des choix multiples pour faciliter la réponse. Vous avez dit, et je pense que c'est une phrase que tout le monde va retenir: «Le Québec est libre de ses choix.» Vous avez aussi parlé de votre préoccupation pour la paix civile et vous avez fait allusion à Wilson, qui s'était rallié à une opinion qui n'était pas la sienne, au sujet de l'intégration au marché commun.

Maintenant, laissez-moi vous poser une question hypothétique. Si, dans un avenir rapproché, une majorité de Québécois répondaient OUI à une question claire, sans faux-fuyant, qui exprimerait leur désir de faire du Québec un pays souverain, vous, en tant que citoyen Robert Bourassa, que feriez-vous? Est-ce que vous vous rallieriez publiquement à cette décision ou est-ce que vous encourageriez les gens qui sont déterminés à contester cette décision, quitte à troubler la paix civile? Quelle serait votre position en tant que citoyen?

ROBERT BOURASSA — Je ne crois pas, comme personne privée, que je puisse actuellement influencer la paix civile au Québec.

PIERRE MARTIN — Est-ce que vous encourageriez les gens à contester une telle décision ou à se rallier dans la direction que le peuple, libre de ces choix, aurait prise?

ROBERT BOURASSA — Demain, le 22 mars[44], à l'Assemblée nationale, les deux chefs principaux du mouvement souverai-

---

44. Le 22 mars 1995, après avoir entendu les 18 présidents de commissions régionales sur l'avenir du Québec faire leur rapport sur les audiences, le Premier ministre du Québec, Jacques Parizeau, et le chef du Bloc québécois, Lucien Bouchard, ont lancé les six jours d'audiences de la Commission nationale.

niste au Québec doivent précisément s'entendre pour établir si la question référendaire comprend ou non une union économique. À ce sujet, on n'a pas encore de réponse.

PIERRE MARTIN — Moi, je parle d'une question à laquelle on aurait eu une réponse, à laquelle il y aurait eu un OUI majoritaire à une question claire. Chaque citoyen doit prendre une décision finalement. Est-ce qu'on se rallie ou est-ce qu'on conteste?

ROBERT BOURASSA — Vous voulez savoir si je vais déménager, advenant une victoire du OUI? Il n'en est pas question.

PIERRE MARTIN — Non, je vous demande si vous allez justement encourager les Québécois à accepter le verdict de la majorité.

ROBERT BOURASSA — Tel que proposé actuellement, l'avant-projet de loi me semble être un château de cartes qui risque de s'effondrer à l'usure du temps. On a toutes sortes de propositions sans aucune garantie. Si ça demeure tel quel, je ne pense pas que le peuple québécois devrait assumer un risque qui n'est pas nécessaire à son progrès collectif. Notons qu'il n'y a aucune référence dans ce document au fait français. C'est nettement illogique et même bizarre.

PIERRE MARTIN — Mais si le peuple avait approuvé ce risque-là, est-ce que vous, vous approuveriez ou non la décision du peuple québécois? C'est la question que je vous pose. Il n'y a pas de choix multiple de réponse.

ROBERT BOURASSA — Le soir du 26 octobre, journée du référendum sur Charlottetown, j'ai dit: «Dans un référendum, il n'y a pas de gagnant, il n'y a pas de perdant.» Si la souveraineté populaire s'exprime dans un référendum, on se rallie. C'est la vertu du référendum.

PIERRE MARTIN — Donc vous vous rallieriez et vous encourageriez les gens à ne pas contester la décision?

ROBERT BOURASSA — Comme je me suis rallié à la décision de Charlottetown! Vous ne m'avez pas vu, le 27 octobre, refuser le verdict de la population. Mais je ne peux pas renier mes idées sur la nécessité d'un lien fédératif dans une véritable intégration économique.

PIERRE MARTIN — Le monde ne voulait plus en entendre parler.

PANAYOTIS SOLDATOS, *professeur de science politique et titulaire de la chaire Jean Monnet* — Je voudrais présenter une réflexion qui me semble importante, vu votre association à la chaire Jean Monnet. Je crois que cette idée de souveraineté partagée ou de mise en commun de souveraineté, qui remonte au moins à Jean Monnet, a acquis aujourd'hui de telles lettres de noblesse que même ceux qui, comme les Britanniques, avaient peine à l'envisager, ont fini par l'accepter progressivement. Les pays industrialisés avancés d'Europe ont donc mis en œuvre cette logique de partage, de mise en commun, de réaménagement constant.

Au Québec, cette idée de partage a toujours été présentée comme un addendum au débat constitutionnel. Quand les tenants de la souveraineté se rendent compte que les gens ne sont pas tout à fait sécurisés, ils ajoutent le volet association. Et les opposants de la souveraineté répliquent que le Canada n'accepterait pas l'association. Si on se réfère à l'origine du concept en Europe, on constate que quand Jean Monnet a commencé à en parler, il était très minoritaire. Quand, dans les années 1950, il a démissionné du pouvoir communautaire pour créer son comité d'action pour les États-Unis d'Europe, son but était de socialiser tous ceux qui étaient contre, qui étaient nombreux tant à l'intérieur de la Communauté européenne des Six qu'à l'extérieur.

C'est vrai que si, aujourd'hui, on présentait une telle idée dans une question, comme on n'aurait pas eu le temps d'exposer suffisamment de quoi il s'agit, le résultat laisserait à désirer.

Vous dites: «Si on faisait ça, le peuple ne suivrait pas, les Canadiens anglais non plus.» On peut penser que cette idée moderne de partage des souverainetés est intéressante, peu importe les formules qu'on applique, à l'intérieur ou à l'extérieur d'une confédération, et qu'elle mérite un processus d'éducation des gens, aussi bien au Québec qu'à l'extérieur, c'est-à-dire au Canada anglais. C'est une idée que les gens comprennent très mal aujourd'hui.

Si on avait tout de suite proposé le traité de Maastricht, évidemment que les Européens l'auraient rejeté. Il a fallu un long processus de cinquante ans. Je me demande si ça ne vaudrait pas la peine, maintenant que vous n'avez pas de fonction politique officielle tout en conservant un rôle, un rayonnement que d'autres n'ont pas, d'aborder, pour l'an 2000, ces expériences de mise en commun. Peu importe si on le fait à l'intérieur ou à l'extérieur du cadre fédéral actuel. Le continuum est là; on peut défaire ou faire. Mais cette idée-là, ne vaudrait-il pas mieux l'aborder comme matière à réflexion plutôt que comme un expédient que d'autres présentent à la dernière minute, sans la crédibilité appuyée sur un processus d'éducation?

Je vous pose la question de savoir si de cette idée de Monnet qu'utilisent maintenant 380 millions de gens, on ne pourrait pas en faire un processus d'éducation, pas pour vendre la formule d'association, mais pour démontrer que le fédéralisme, de même que l'association, c'est un continuum, et qu'aujourd'hui, on se trouve avec plus ou moins d'intégration. À partir de là, on pourrait montrer cette vertu du partage, qui n'est pas le partage des compétences, mais une façon d'exercer ces compétences, à l'intérieur du même système, c'est-à-dire d'agir ensemble, en commun, plutôt que séparément. Je me demande s'il n'y a pas lieu, dans ce domaine, de suivre un peu la voie européenne.

Peut-être sommes-nous trop américanisés. Les gens ne comprennent pas très bien quand on parle de Cour suprême ou d'ALÉNA[45]. Les Américains ne sont pas prêts. Mais ce sont, à mon avis, des questions de valeurs. Alors, je me demande s'il n'y a pas un terrain intéressant, pour l'avenir de votre action et de notre société, de voir comment on pourrait aménager de façon moderne, innovatrice et originale, un modèle qui ne serait calqué sur aucun autre modèle. C'est une réflexion qui est reliée à ce que vous faites aujourd'hui.

ROBERT BOURASSA — Je serai évidemment toujours très heureux de réfléchir sur ces questions comme vous me le proposez. C'est pour ça d'ailleurs que, dès mon départ de la scène politique, je me suis orienté vers la chaire Jean Monnet, et que je remercie la Faculté des études supérieures de m'avoir accueilli, parce que c'était de loin mon premier choix, sur le plan des activités professionnelles.

Je reviens à de Gaulle, l'un des principaux partisans de l'État-nation au XXe siècle, qui disait lui-même en 1962-1963: «L'État-nation, j'y crois, au moins pour ce siècle», laissant

---

45. L'Accord de libre-échange nord-américain a été signé le 17 décembre 1992.

ainsi entendre que, peut-être à la fin du siècle, cela serait remis en question. Pour ma part, je trouve inopportun cet interminable débat qu'on a actuellement et qui peut paraître à plusieurs comme étant une très coûteuse diversion. On pourrait le simplifier, si on avait une conception un peu plus contemporaine des valeurs qui s'affrontent.

Pour référer encore à l'Europe en terminant, parce que c'est riche d'enseignements, le Danemark et l'Angleterre ont des statuts particuliers au sein de l'Europe. Également, en 1972, Pompidou a tenu un référendum en France avant d'accepter l'Angleterre au sein du Marché commun. Est-ce que, pour nous, il y aura un référendum à l'extérieur du Québec pour décider de l'association économique et dans quelles conditions? On voit qu'il est possible de trouver en Europe plusieurs références sur des problèmes qui ont une certaine ressemblance.

ANDRÉ J. BÉLANGER, *professeur de science politique* — Deux questions. En vous écoutant, monsieur le Premier ministre, tout au long de votre exposé, j'avais l'impression d'entendre un président qui avait évolué dans un régime présidentiel. Vous avez mentionné les noms de chefs de gouvernement qui étaient d'autres provinces ou de pays étrangers. Je me demandais si ça correspondait à votre conception de la fonction, à la manière dont vous vous étiez acquitté de cette fonction. Remarquez que vous avez un successeur qui actuellement cumule les ministères, et je pense qu'il y en a plusieurs parmi nous qui ne demanderaient pas mieux qu'il cumule aussi celui de l'Éducation. Voilà pour la première question.

Ma deuxième question est très directe et ça m'étonnerait que vous y répondiez. Mais j'aimerais être surpris, pour reprendre votre expression. Quelle est, en Chambre, la personne de l'opposition que vous redoutiez le plus?

ROBERT BOURASSA — Ce n'est pas facile de répondre à la deuxième...

ANBDRÉ J. BÉLANGER — Ça m'étonnerait que vous y répondiez!

ROBERT BOURASSA — Je peux commencer par la première, si vous voulez... C'est clair que votre question me donne l'occasion de rendre hommage à tous mes collaborateurs et tous mes collègues qui ont travaillé avec moi.

ANDRÉ J. BÉLANGER — Vous n'avez pas mentionné, hormis madame Bacon et quelques autres, monsieur Rémillard qui est un collègue à moi.

ROBERT BOURASSA — Plusieurs ont été mentionnés, selon les dossiers qui étaient discutés. J'aurais pu en ajouter beaucoup d'autres sur d'autres sujets car j'ai eu, tout compte fait, une soixantaine de ministres et entre 300 et 400 députés. Dans l'ensemble, je me considère très privilégié car j'ai bénéficié d'une solidarité exceptionnelle au niveau du caucus, au niveau des Conseils des ministres et au niveau du parti.

Au début des années 1970, on entendait parfois des critiques qui disaient que j'étais trop jeune pour gouverner. Ça me laissait indifférent parce que ce qui comptait, c'était la réalité. L'ultime responsable, c'est le Premier ministre. Il peut accepter de partager le pouvoir pour faciliter le consensus. Mais, dans notre système politique, le Premier ministre maîtrise l'agenda, choisit le moment des décisions et les interlocuteurs. C'est lui qui nomme les ministres en fonction des objectifs qu'il veut atteindre, tout cela dans le respect et sous la vigilance de l'Assemblée nationale.

Donc, en termes pratiques, ça se rapproche d'un régime présidentiel, mais le style présidentiel, par ailleurs, me laissait plutôt froid. Je n'ai pas cherché à l'acquérir. De plus, pour moi, le pouvoir n'était pas dans les signes extérieurs. Lorsque le chef décide de son option, surtout si son parti est solidement majoritaire, c'est très rare qu'il n'a pas l'adhésion. Ceux qui ne sont pas d'accord peuvent toujours démissionner s'ils refusent de se rallier.

En ce qui concerne l'autre question, dans mes 20 ans en Chambre?

ANDRÉ J. BÉLANGER — Quand vous étiez Premier ministre, disons.

ROBERT BOURASSA — J'ai connu six chefs de l'opposition et j'aurais aimé en connaître un septième, Lucien Bouchard, mais il était un peu tard.

DANIEL TURP — Avez-vous essayé?

ROBERT BOURASSA — On a dit que j'avais aidé à fonder le Bloc québécois. C'est exagéré. C'est vrai que j'ai pris l'initiative de nommer Lucien Bouchard à la Commission Bélanger-Campeau, mais j'étais justifié de le faire en raison du contexte constitutionnel, et M. Bouchard était député à la Chambre des communes.

ANDRÉ J. BÉLANGER — Je cherche à identifier celui à propos duquel, lorsqu'il se levait, vous posait des questions, vous vous disiez: «Mince, je vais peut-être avoir des problèmes.»

ROBERT BOURASSA — À vrai dire, ce n'était pas très fréquent.

ANDRÉ J. BÉLANGER — Je savais bien que vous ne répondriez pas!

ROBERT BOURASSA — Du côté de l'opposition, j'ai connu d'excellents parlementaires dans tous les mandats. Au début, on peut mentionner, parmi plusieurs, au niveau de l'habileté parlementaire, Rémi Paul[46], Jean-Noël Tremblay[47], Robert Burns[48], Jacques-Yvan Morin[49] et aussi Camille Samson[50] dans le style coloré qui était le sien. À la fin, j'étais impressionné par les performances, notamment, de Jacques Brassard[51] et de Louise Harel[52].

ANDRÉ J. BÉLANGER — Il doit bien y en avoir un que vous appréhendiez? On sait qu'Yvon Dupuis était détesté de Duplessis. Il appréhendait le genre de question que posait Dupuis, qui pourtant n'était pas un grand personnage. Il ne s'agit pas nécessairement du chef de l'opposition, mais parfois il y a de ces députés qui ont l'art de vous poser des questions

---

46. Rémi Paul (1921-1982), député conservateur à la Chambre des communes, puis député et ministre de l'Union nationale (1966-1970) et leader parlementaire de l'opposition de 1970 à 1973.

47. Député de l'Union nationale (1966-1973) et ministre des Affaires culturelles (1966-1970).

48. Député du Parti québécois de 1970 à 1979. Leader parlementaire de l'opposition (1973-1976) et du gouvernement (1976-1978); ministre d'État à la réforme électorale et parlementaire (1977-1979).

49. Professeur à la Faculté de droit de l'Université de Montréal, député du Parti québécois de 1973 à 1984. Chef de l'opposition officielle (1973-1976). Titulaire de plusieurs ministères dans le cabinet Lévesque.

50. Député créditiste à l'Assemblée nationale de 1970 à 1981.

51. Député du Parti québécois depuis 1976. Whip en chef du gouvernement (1982-1984) et de l'opposition officielle (1985-1989). Ministre de l'Environnement et de la Faune depuis le 26 septembre 1994.

52. Députée du Parti québécois depuis 1981. Ministre de l'Emploi et ministre d'État à la Concertation depuis septembre 1994.

au mauvais moment, ou de soulever des questions, des problèmes susceptibles de vous embarrasser.

ROBERT BOURASSA — Pour être franc avec vous, je n'ai pas souvenir d'avoir vécu dans l'angoisse à cause de questions à l'Assemblée nationale. Le contexte peut être un facteur favorable. Quand vous avez une solide majorité pour vous appuyer, vous pouvez plus facilement affronter l'adversité, surtout avec un minimum d'expérience.

ÉDOUARD CLOUTIER — Ça sera le mot de la fin! Nous avons pensé vous laisser quelques souvenirs de cette occasion. Premièrement, nous prétendons être parmi ceux qui ont le plus réfléchi à la chose politique au Québec, pendant que vous exerciez le pouvoir. Nous vous présentons donc une série de volumes intitulés *L'année politique au Québec*, préparés sous la direction de notre collègue Denis Monière, depuis 1987 jusqu'à la dernière édition de 1994. Vous trouverez là-dedans des écrits de personnes qui ont suivi de très près la question politique au Québec et qui se retrouvent, pour une bonne part, autour de cette table.

Deuxièmement, j'ai ici un souvenir un peu spécial à vous remettre. Il s'agit d'une affiche électorale de la campagne électorale de 1970 où on est en mesure de constater deux choses: premièrement, il est vrai qu'à ce moment-là, Robert Bourassa était extrêmement social-démocrate et, deuxièmement, on n'y parle pas du tout de la question nationale, ni sous un angle, ni sous un autre.

ROBERT BOURASSA — Et j'ai été élu. Merci beaucoup!

REPÈRES
CHRONOLOGIQUES

29 janvier 1990 — Au cours d'un voyage en Allemagne, le Premier ministre Bourassa prédit que l'échec de l'Accord du lac Meech pourrait conduire au remplacement du cadre fédéral canadien par une «superstructure politique».

6 avril 1990 — Le Premier ministre de Terre-Neuve, Clyde Wells, fait voter une motion qui retire l'appui de son gouvernement à l'Accord constitutionnel du lac Meech.

Le PLQ annonce la formation du comité chargé de préparer des scénarios alternatifs pour l'après-Meech. Le comité, composé de 17 membres, sera présidé par Me Jean Allaire.

2 mai 1990 — Le Conseil de bande des Mohawks d'Oka revendique une partie du territoire que des entrepreneurs privés s'apprêtent à aménager en terrain de golf.

7 mai 1990 — Le conseil municipal d'Oka demande l'intervention de la Sûreté du Québec pour faire cesser l'occupation d'une partie du territoire par les Mohawks.

17 mai 1990 — Le Comité spécial des communes présidé par le député Jean Charest dépose son rapport.

22 mai 1990 — Démission du ministre fédéral de l'Environnement Lucien Bouchard qui rejette le Rapport Charest.

3-9 juin 1990 — Les Premiers ministres se rencontrent à Hull pour une «conférence de la dernière chance». Ils parviennent à une entente de principe pour sauver l'Accord du lac Meech après sept jours de discussions à huis clos.

11 juin 1990 — Le Premier ministre de Terre-Neuve, Clyde Wells, décide de soumettre l'Accord du lac Meech à un vote libre de l'Assemblée législative de sa province le 22 juin suivant.

12 juin 1990 — Le député néo-démocrate autochtone Elijah Harper empêche l'Assemblée législative du Manitoba d'adopter la motion permettant d'entamer immédiatement les audiences publiques sur l'Accord de Meech.

22 juin 1990 — La législature manitobaine ajourne ses travaux. Le Premier ministre de Terre-Neuve, Clyde Wells, refuse de tenir un vote libre sur l'entente constitutionnelle à l'Assemblée législative de sa province, consacrant ainsi l'échec de l'Accord de Meech.

23 juin 1990 — Le Premier ministre Robert Bourassa prononce un important discours dans lequel il annonce que le Québec n'acceptera désormais de négocier que de façon bilatérale avec Ottawa et qu'il refusera dorénavant toute négociation réunissant les onze gouvernements du Canada.

24 juin 1990 — Les Québécois manifestent une grande ferveur nationaliste à l'occasion de la fête nationale.

29 juin 1990 — La municipalité d'Oka obtient une injonction de la Cour supérieure enjoignant les Mohawks de défaire les barricades qu'ils ont dressées pour faire obstruction au projet d'expansion d'un club de golf.

3 juillet 1990 — Lucien Bouchard accepte l'invitation du Premier ministre Bourassa à participer aux travaux de la commission parlementaire élargie sur l'avenir du Québec (Commission Bélanger-Campeau).

11 juillet 1990 — À Oka, la Sûreté du Québec échoue dans sa tentative de raid contre les barricades des Mohawks. Le caporal Marcel Lemay est abattu au cours des échanges de coups de feu.

12 juillet 1990 — Les processus de négociation entre les autorités gouvernementales et les Mohawks s'amorcent.

25 juillet 1990 — Lucien Bouchard annonce la formation du Bloc québécois, un groupe souverainiste voué à la représentation des intérêts du Québec à Ottawa.

5 août 1990 — Le Premier ministre Bourassa donne un ultimatum de 48 heures aux Mohawks pour conclure une entente relative à la levée des barricades et au dépôt des armes en échange du retrait simultané de la Sûreté du Québec.

11 août 1990 — Congrès des jeunes libéraux du Québec à Sainte-Anne-de-la-Pocatière.

17 août 1990 — Le Premier ministre Bourassa demande aux Forces armées canadiennes de prendre la relève de la Sûreté du Québec aux barricades d'Oka et de Châteauguay.

27 août 1990 — Le Premier ministre Bourassa annonce que le gouvernement québécois rompt les négociations avec les Mohawks et qu'il fait appel aux Forces armées canadiennes pour démanteler pacifiquement les barricades.

1er septembre 1990 — «L'été des Indiens» tire à sa fin quand l'armée progresse dans les retranchements des Warriors.

5 septembre 1990 — L'Assemblée nationale adopte la Loi constituant la commission parlementaire élargie sur l'avenir politique et constitutionnel du Québec.

26 septembre 1990 — La crise d'Oka est terminée. Les Warriors se rendent.

1er novembre 1990 — Le Premier ministre Brian Mulroney crée le Forum des citoyens sur l'avenir du Canada, présidé par Keith Spicer.

6 novembre 1990 — Séance d'ouverture de la Commission Bélanger-Campeau.

29 janvier 1991 — Le Comité constitutionnel du Parti libéral (Comité Allaire) dépose son rapport.

10 mars 1991 — Adoption du Rapport Allaire au congrès du PLQ.

26 mars 1991 — La Commission Bélanger-Campeau dépose son rapport.

20 juin 1991 — Adoption de la Loi sur le processus de détermination de l'avenir politique et constitutionnel du Québec (loi 150).

27 juin 1991 — Le Comité Spicer dépose son rapport final, dont les conclusions font ressortir l'urgence d'une réforme du fédéralisme.

24 septembre 1991 — Le Premier ministre Mulroney présente le document «Bâtir ensemble» contenant 28 propositions pour refaire le consensus constitutionnel.

7 février 1992 — De Bruxelles, le Premier ministre Bourassa laisse entendre qu'il songe à soumettre aux Québécois, par voie référendaire, une formule d'États souverains associés inspirée du modèle de la Communauté économique européenne.

28 février 1992 — Le Comité Beaudoin-Dobie rend public son rapport.

28 août 1992 — Signature de l'Accord de Charlottetown.

29 août 1992 — Au congrès du PLQ, à Québec, 95% des délégués appuient l'Accord de Charlottetown.

3 septembre 1992 — Jean Allaire démissionne de l'exécutif du PLQ. Il luttera contre l'Accord de Charlottetown.

8 septembre 1992 — L'Assemblée nationale amende la loi 150 de façon à faire porter le référendum du 26 octobre sur l'Accord constitutionnel de Charlottetown plutôt que sur la souveraineté.

15 septembre 1992 — Mario Dumont décide de se joindre au Comité des libéraux pour le NON dirigé par Jean Allaire.

17 septembre 1992 — Nouvelles révélations dans «l'affaire Wilhelmy».

26 octobre 1992 — L'entente de Charlottetown est rejetée par six provinces sur dix, dont le Québec. Pour l'ensemble du Canada, le NON l'emporte avec 54,8% des voix, tandis que le OUI ne recueille que 45,25% du vote.

26 novembre 1992 — Mario Dumont est suspendu du comité exécutif du parti et de la présidence de la Commission jeunesse.

17 décembre 1992 — Signature de l'Accord de libre-échange nord-américain.

11 janvier 1994 — Robert Bourassa quitte ses fonctions de Premier ministre du Québec.